Collection
« PSI »
dirigée par
Claire Parenti

MONTAGUE ULLMAN, STANLEY KRIPPNER
ET ALAN VAUGHAN

la télépathie
par le rêve

*Traduit de l'anglais
par Michel Deutsch*

TCHOU

Cet ouvrage a été publié pour la première fois
en Angleterre par Turnstone Books,
sous le titre DREAM TELEPATHY

Sommaire

Remerciements

Les auteurs désirent exprimer leur gratitude aux institutions qui ont financé les recherches entreprises au laboratoire du rêve du Centre médical Maimonides, Brooklyn, New York, notamment la Erickson Educational Foundation, la fondation pour la recherche parasensorielle, la fondation pour l'étude de la conscience, la Irving F. Laucks Foundation, la Ittleson Family Foundation, la J. Aron Charitable Foundation, la fondation Mary Reynolds Babcock, la New Horizons Research Foundation, la fondation de parapsychologie, la Scaife Foundation, la fondation Shanti, la société de philosophie comparée et la W. Clement and Jessie V. Foundation. En outre, un don personnel du Dr Gardner Murphy a permis à plusieurs étudiants de participer aux travaux en cours au laboratoire grâce à la bourse Gardner Murphy. Les auteurs furent avertis en 1972 que l'Institut national de la santé mentale avait accordé une subvention de deux ans au laboratoire. C'était la première fois qu'une aide de l'Etat allait à un programme de recherches sur le rêve télépathique.

Nous voulons aussi exprimer notre reconnaissance à Mme Laura A. Dale et Mlle Rhea A. White pour le concours qu'elles nous ont apporté lors de la préparation du manuscrit de cet ouvrage.

A un autre rêve :
l'Institut de recherche Gardner Murphy

Avant-propos

Le présent ouvrage représente un pas de géant dans l'inconnu. Un psychiatre éminent, un psychologue de talent à l'esprit encyclopédique et l'un des collaborateurs du laboratoire où ils ont poursuivi leurs recherches, abordent le phénomène du rêve télépathique de façon exhaustive, claire, précise, et avec une grande hardiesse. Les rêves peuvent véhiculer des messages par d'autres canaux que ceux des cinq sens. C'est une chose que l'on soupçonnait depuis longtemps. En vérité, cette question a fait l'objet d'études tant théoriques que pratiques, aussi bien dans la Chine et dans l'Egypte anciennes qu'au siècle de la parapsychologie moderne.

Il y a des dizaines d'années que les psychiatres et les psychologues se sont intéressés à la télépathie onirique. Sigmund Freud a initié le monde scientifique aux messages obscurs et mystérieux des rêves de ses patients, de ses collègues et des siens propres. Il faisait aussi parfois allusion au problème du rêve télépathique, et un considérable *corpus* d'études psychanalytiques portant sur la télépathie onirique est disséminé dans les comptes rendus de ses consultations cliniques.

La nécessité d'une méthode expérimentale est clairement apparue au cours des dernières années. Les rêves sont si compliqués et leur symbolisme si abstrus que la probabilité de coïncidence entre eux et des événements réels est très élevée. Il n'existe vraisemblablement pas de « passe-partout » pour ouvrir

11

la porte de la forteresse de l'incrédulité scientifique, sinon l'expérimentation concertée. Après un large tour d'horizon historique d'analyses de rêves, les auteurs de ce livre nous présentent un compte rendu, détaillé et rigoureux, des méthodes expérimentales qu'ils ont mises au point, au fil des années, au laboratoire du rêve du centre médical Maimonides de Brooklyn. Plus de cent communications publiées ont montré qu'une stricte méthodologie expérimentale permettait d'étudier minutieusement, en les soumettant aux techniques rigoureuses de l'électrophysiologie, les rêves normaux, authentiques et réels, des êtres humains ordinaires : elle s'avère vraiment payante.

Pour de telles recherches, il est indispensable que le sujet soit amené au laboratoire en fin de journée afin qu'il se familiarise avec le décor et les procédures qui seront utilisées. Il se prépare à dormir et des électrodes sont appliquées sur son cuir chevelu. Il s'endort et il rêve, ce qu'indiquent et des mouvements oculaires rapides, et les modifications des ondes cérébrales qui accompagnent le sommeil. Quand l'encéphalogramme révèle qu'il a rêvé, on le réveille. Il relate alors son rêve et interprète son propre récit en se livrant à des associations libres. Un expérimentateur éloigné d'une trentaine de mètres du lieu d'expérience, dont il est séparé par trois portes closes, s'est efforcé d'influencer les pensées oniriques du dormeur, conformément à un objectif choisi au hasard, en appliquant une procédure grâce à laquelle il est exclu que le sujet puisse normalement avoir connaissance des messages émis à son intention.

Ensuite, on procède à l'évaluation des données recueillies, en comparant le contenu des rêves du sujet à celui des messages qui lui ont été adressés. Les résultats ont démontré que les ressemblances sont nettement plus nombreuses que celles que l'on pouvait attendre du seul hasard. Il reste encore beaucoup à faire pour améliorer la méthode d'évaluation des succès et des échecs. Néanmoins, ce qui a été réalisé en l'espace de six ans avec le concours de plus de cent sujets, démontre qu'il existe une relation significative entre ce qui est « émis » et ce qui est « perçu ». Différentes publications techniques l'ont signalé, mais, d'ores et déjà, deux nouveaux pas en avant ont été effectués : d'une part, l'intégration de tous ces rapports en un ensemble cohérent et lisible ; d'autre part, une traduction de la terminologie et de la présentation scientifiques des données qui les

12

rend plus abordables au profane. Le lecteur peut désormais se faire une idée du contenu intégral de la procédure scientifique, à partir du livre des exemples abondants tirés de cas authentiques. L'itinéraire comporte aussi de nombreuses haltes, destinées à dresser le bilan de ce qui a été découvert et du travail qui reste à faire. Cet ouvrage est, à mon sens, une très importante contribution à la littérature aussi bien scientifique que générale dans le domaine de la parapsychologie moderne.

Il est difficile d'imaginer aujourd'hui recherche plus capitale et plus proche des problèmes fondamentaux que pose la parapsychologie. Pouvons-nous adapter aux exigences expérimentales et quantitatives du laboratoire l'immense et fluctuante énergie psychologique de l'esprit humain, si complexe, si énigmatique, qui suscite à un tel point exaltation et terreur — comme nous le montrent ses modes d'expression conscients et inconscients au niveau de la civilisation et des forces qui la déchirent. La parapsychologie peut-elle quitter l'univers du bizarre, de l'absurde, voire du diabolique, et aborder les rives de l'expression vérifiable et intelligible du potentiel de la nature humaine ? Quelles sont ces forces secrètes qui agissent en nous ? Au XVIIᵉ siècle, nos pères savaient que, par temps froid, des étincelles jaillissaient des couvertures. Mais à quoi l'électricité pouvait-elle bien servir ? Aujourd'hui, elle actionne nos machines, elle éclaire nos demeures, elle régit les recherches dans le domaine des sciences humaines. La télépathie onirique, qui tente d'entrer en contact avec une réalité lointaine et avec les pouvoirs inconscients de l'homme, sera, selon toute vraisemblance, l'une des étincelles qui, dans un siècle, accèdera au statut de discipline scientifique. Nous ne pouvons nous permettre d'ignorer de telles étincelles. Félicitons-nous plutôt qu'il existe des hommes dont l'œuvre vise à comprendre et à maîtriser ces forces profondes qui, parfois, se manifestent dans une étude scientifique du rêve, dont la portée est incalculable.

GARDNER MURPHY

PREMIÈRE PARTIE

Rêves télépathiques spontanés

1

La critique de Cicéron

Le rêve paranormal, qui semble transcender le temps et l'espace, ne demeure pas moins controversé aujourd'hui qu'à l'époque de Cicéron, qui accusait l'oniromancie de n'être ni plus ni moins que de la superstition.

De nos jours, cependant, des rêves qui paraissent puiser une information à une source éloignée sont considérés par les parapsychologues comme des exemples de perception extrasensorielle, et, notamment, de télépathie. La tendance des hommes de science à voir dans la télépathie onirique un phénomène occulte, magique, ou à la considérer comme la manifestation d'une intervention divine a à tel point perdu du terrain que des revues de psychologie, de médecine et de psychiatrie publient désormais des procès-verbaux authentifiés d'expériences de télépathie onirique scientifiquement contrôlées. En revanche, les publications font rarement état de récits de rêves télépathiques. Et pourtant, cela existe — la vie quotidienne de gens ordinaires offre l'exemple de tels rêves.

L'un des auteurs de ce livre, Alan Vaughan, a eu tout récemment une expérience de télépathie onirique exemplaire. Un soir, il assista à la causerie télévisée de l'un de ses écrivains favoris, Kurt Vonnegut Jr., et il rêva de lui deux jours plus tard. Le 13 mars 1970, il écrivit à Vonnegut pour lui raconter son rêve : « ... vous m'êtes apparu dans un rêve que j'ai eu ce matin. Nous étions dans une maison pleine d'enfants. Vous envi-

17

sagiez de partir sous peu en voyage. Puis vous avez précisé que vous vous rendiez dans une île appelée Jerome. (Pour autant que je sache, il n'existe pas d'endroit portant ce nom ; aussi, le nom de Jerome ou l'initiale J a-t-il peut-être un rapport signifiant.) »

Le 28 mars 1970, Vonnegut répondit : « Pas mal. Le soir de votre rêve, j'avais dîné avec Jerome B. (un auteur de livres pour enfants), et nous avons parlé d'un voyage que je fis trois jours plus tard à destination d'une île appelée Angleterre. »

Ce cas porte toutes les marques du rêve télépathique spontané : deux détails sortent de l'ordinaire, capricieusement entremêlés dans une bizarre concoction onirique où une conversation avec Jerome à propos de son départ pour une île devient un voyage à destination d'une île nommée Jerome.

Il est difficile d'établir des comparaisons entre les rêves des Modernes et ceux des Anciens, car nous savons fort peu de choses touchant à la vie onirique quotidienne de l'homme moyen dans l'Antiquité. Les textes et les traditions qui sont parvenus jusqu'à nous ont trait, pour la plupart, aux rêves des grands hommes-rois, pharaons et autres éminents personnages. Avec leur ferme conviction que leurs dirigeants étaient des êtres divins ou des fils de dieux, les Anciens auraient dédaigneusement rejeté une expression aussi terre-à-terre et futile que « rêve télépathique spontané ». Ils parlaient, au contraire, avec respect de « rêves divins envoyés par les dieux ».

Le récit d'un rêve de cet ordre est gravé sur une stèle que le pharaon Thoutmès IV fit ériger vers 1450 av. J.-C. en face du grand sphinx de Guizèh.

... Alors que le prince Thoutmès revenait de la chasse vers l'heure de midi et s'était allongé pour se reposer à l'ombre de la statue du puissant dieu, il advint que le sommeil s'empara de lui.

Il rêva dans son assoupissement au moment où le soleil était à son zénith, et ce fut comme si ce puissant dieu lui parlait de sa propre bouche.

« Regarde-moi, contemple-moi, ô mon fils Thoutmès. Je suis ton père, Harmakis Képhraratoum. Ce royaume te sera donné... La terre sera tienne en toute sa longueur et toute sa largeur... abondance et richesses seront à toi... De longues années te seront accordées jusqu'au terme de ta vie... Je te ferai don du meilleur des choses.

Le sable de la province où je réside m'a recouvert. Promets-moi de faire ce que mon cœur désire. Alors je te reconnaîtrai comme mon fils et mon sauveteur... » [1]

Quand Thoutmès IV monta sur le trône avec la couronne des pharaons, il fit déblayer le sable qui s'était accumulé autour du sphinx consacré à Harmakis, et la promesse du rêve se réalisa : le règne de Thoutmès IV fut long et fécond.

Les rêves consignés dans la Bible sont mieux connus. Le plus célèbre est celui de Pharaon, qui prédisait, selon Joseph, sept années d'abondance et sept années de famine. L'interprétation de Joseph s'inscrit dans la tradition générale de l'*oniromancie* ou art d'interpréter les songes pour prédire les événements futurs. On considérait que le songe lui-même avait été envoyé par Dieu.

Il est rare que la Bible parle de rêves télépathiques mettant des individus en contact et, même alors, il y a toujours un élément divin ; ainsi, le songe fameux de Nabuchodonosor. Le roi Nabuchodonosor avait fait un rêve dont il ne se souvenait plus en se réveillant ; mais il avait la ferme conviction qu'il était d'origine divine. Il ordonna aux devins, astrologues et oniromanciens de lui dire ce qu'avait été son rêve et de l'interpréter, faute de quoi ils seraient exécutés. « Racontez-le nous et nous l'interpréterons », répondirent-ils. Mais le roi s'obstinait : « Non. Relatez-moi d'abord le rêve que j'ai oublié. » Naturellement, grande fut la consternation chez les devins. Quand David apprit la chose, il pria afin que Dieu lui révélât le rêve du roi ; et l'on dit que, la même nuit, il eut la « vision nocturne » du rêve de Nabuchodonosor. Lorsqu'il se rendit auprès du souverain pour le lui narrer, ce dernier reconnut apparemment le rêve qui l'avait visité, car il demanda à David de lui dévoiler son contenu prophétique, ce que celui-ci fit à la satisfaction du monarque et au vif soulagement des autres oniromanciens.

Un autre exemple classique de rêve considéré comme télépathiquement envoyé par une divinité est attribué à Alexandre le Grand. Alors qu'il assiégeait la cité phénicienne de Tyr (en grec *Tyros*), Alexandre vit en rêve un satyre dansant sur un bouclier. Le devin Aritandre interpréta ce rêve comme un calembour : le mot grec *satyros* (satyre), expliqua-t-il à Alexandre, pouvait aussi vouloir dire *Sa Tyros* (Tyr est à toi). Bien entendu (sinon, nous ne connaîtrions pas cette histoire aujourd'hui), Alexandre réussit à s'emparer de Tyr.

Le manque de documentation concernant ces expériences oniriques exceptionnelles incite à ranger les récits de ce genre dans la catégorie des mythes qui se développent autour des grands hommes. Les rêves prophétiques d'Alexandre laissent le lecteur moderne aussi sceptique que la légende selon laquelle le roi de Macédoine aurait été engendré par un serpent. Son précepteur, Aristote, doutait, lui aussi, que ces rêves fussent d'origine divine, et professait traditionnellement que, si certains d'entre eux étaient prophétiques, il ne s'agissait, pour d'autres, qui se réalisaient, que de simples coïncidences — argument que nous aurons l'occasion de retrouver.

L'utilisation, dans l'Antiquité, du rêve pour diagnostiquer et même guérir les maladies, est mieux connue. Des plaques votives en hommage aux divinités qui avaient envoyé aux malades des rêves « guérisseurs » ornaient à profusion les murs des temples consacrés à des dieux tels qu'Asclépios. On faisait coucher le patient dans le sanctuaire, et on lui disait qu'une divinité lui apparaîtrait en songe pendant son sommeil pour lui indiquer le remède à son mal. Si l'on en croit les plaques votives, cette pratique, appelée « incubation », était souvent couronnée de succès. L'interprétation de la médecine moderne serait différente et se rapprocherait beaucoup de celle d'Aristote, lequel avançait que le rêveur prenait conscience, dans son sommeil, de symptômes qui passaient inaperçus à l'état de veille.

L'oniromancie, c'est-à-dire l'interprétation des rêves, exerce la même fascination sur nos contemporains que sur les Anciens. Toutefois, les techniques interprétatives ont beaucoup changé. La première « bible » de l'oniromancie est le traité d'Artémidore de Daldis, catalogue de symboles oniriques accompagnés d'explications toutes faites. « L'esprit mercantile des oniromanciens de ce temps, note le psychiatre Jan Ehrenwald, est illustré par le conseil adressé par Artémidore à son fils et son successeur dans les arts mantiques : il l'exhorte à limiter la diffusion de son *magnum opus*, afin que les exemplaires en circulation conservent leur valeur vénale dans l'intérêt de ses héritiers. »[2]

Les recettes interprétatives d'Artémidore se retrouvent encore dans les diverses clés des songes éditées aux Etats-Unis et en Europe. Elles attestent la persistance d'une sous-culture clandestine qui se maintient en dépit de la critique rationaliste du XVIIIe siècle et même de la technocratie du XXe. N'importe qui peut aujourd'hui acheter des livres bon marché, qui promettent d'apprendre au lecteur à expliquer ses rêves de façon à choisir le numéro gagnant à la loterie. Bien que les héritiers d'Artémidore n'aient plus pignon sur rue depuis plusieurs siècles, la valeur commerciale des ouvrages traitant des rêves est toujours aussi élevée que par le passé.

Au XVIIIe siècle, les adeptes de l'Age de la Raison se gaussaient de ceux qui prétendaient que les rêves avaient une nature prophétique : ils étaient seulement causés par une indigestion ou par les courants d'air. Mais, malgré l'opinion des savants, des rêves insolites continuaient de visiter les gens, tel celui que Charles Dickens raconte dans son journal :

Je rêvais que je voyais de dos une dame portant un châle rouge... Quand elle se retourna, je constatai que je ne la connaissais pas, et elle me dit : « Je suis Miss Napier ».

Tout en m'habillant, le lendemain matin, je songeai qu'il était bien absurde d'avoir un rêve aussi précis, qui ne se rapportait cependant à rien de précis. Pourquoi Miss Napier ? Je n'avais jamais entendu parler d'aucune Miss Napier. Le soir de ce même vendredi, je lus. Après ma lecture, entrèrent dans mon cabinet Miss Boyle, son frère et *la* dame au châle rouge qu'ils me présentèrent sous le nom de « Miss Napier » ! [3]

Dickens a beau certifier que « ce sont là toutes les circonstances relatées avec exactitude », le spécialiste de la recherche psychique demeure sceptique. Après tout, le romancier n'a, selon toute apparence, couché son rêve par écrit qu'*après* que Miss Napier, la femme au châle rouge, lui eut été présentée ; et la mémoire, même celle des hommes illustres, peut être trompeuse. Mais nous parlerons au chapitre suivant des tentatives faites par les spécialistes ès sciences psychiques pour vérifier l'exactitude de ce genre de rêves paranormaux.

Une dame en rouge revêt une signification symbolique dans un rêve expliqué par le médium américain Edgar Cayce le 5 mars 1929. Le rêveur, qui appartenait à la Bourse de New

York, lui avait demandé de déchiffrer le rêve suivant : « (J'ai) rêvé que nous devions vendre toutes nos valeurs, y compris des actions considérées comme très bonnes. J'ai vu un taureau poursuivre ma femme, qui était habillée en rouge. »

Selon l'interprétation donnée par Edgar Cayce, le rêve préfigurait « une situation imminente, une tendance à la baisse de longue durée... Liquidez tout, même les réserves... »

Commentant ce rêve, Hugh Lyne Cayce, fils d'Edgar Cayce, estimait que la robe rouge pouvait signifier un danger, et que le taureau indiquait que la tendance à la hausse (« bull market ») * marquait un temps d'arrêt. Ajoutons que la femme de l'agent de change demanda le divorce quelques mois plus tard.

Un rêve survenu un mois après était encore plus menaçant pour Wall Street, à en croire Edgar Cayce : « Il va sûrement y avoir un effondrement provoquant la panique dans les milieux financiers, pas seulement dans les activités de Wall Street, mais aussi l'interruption des opérations dans beaucoup d'autres centres... »

Le krach de l'automne 1929 semblait donner raison à Cayce. Ce rêve était-il prophétique ? Ou le rêveur et Edgar Cayce lui-même avaient-ils inconsciemment deviné à quoi les pratiques de Wall Street alors en vigueur devaient aboutir ? Celui qui a la foi répondra d'une façon et l'incrédule d'une autre [4].

Le doute qui s'attache aux rêves insolites de ce type se manifeste depuis les origines de l'histoire, même, semble-t-il, si l'on prête au sceptique lui-même des rêves paranormaux. C'est le cas de l'illustre et éloquent orateur romain Marcus Tullius Cicéron.

Le premier jour de la nouvelle année, Cicéron accompagna César, consul, au Capitole. A cette occasion, il narra à ses compagnons un rêve qu'il avait eu la nuit précédente. Il avait vu un jeune homme de noble prestance descendre des cieux le long d'une chaîne d'or, et se tenir debout devant la porte du temple. Au même moment, le regard de Cicéron se posa sur Octave, que très peu des participants à la cérémonie avaient déjà vu, et qui était venu sur les instances de son grand-oncle César. Cicéron s'écria aussitôt : « Mais c'est le jeune homme de mon rêve ! » [5]

* Littéralement : « marché taureau ».

Octave prit, bien sûr, le nom d'Auguste lorsqu'il succéda à César comme empereur, et il inaugura l'Age d'Or de Rome. Cicéron ne put malheureusement en profiter, car il fut mis à mort l'année précédant l'avènement d'Auguste. Nous ignorons si d'autres rêves prémonitoires ou des oniromanciens l'avaient prévenu du sort qui l'attendait. Si tel fut le cas, nous pouvons présumer que, selon toute probabilité, il ne tint pas compte de l'avertissement, car il en avait plus qu'assez des charlatans à la langue bien pendue — interprètes de songes, astrologues et devins venus d'Orient, qui affluaient à Rome pour s'enrichir grâce à leurs boniments. Cicéron les attaqua dans son célèbre traité *De la divination,* dans lequel il s'élevait contre ceux qui prenaient les rêves au sérieux.

Mais les défenseurs de la divination de rétorquer... qu'une longue suite d'observations a créé un art. En ce cas, les rêves peuvent-ils être expérimentés ? Et si oui, de quelle manière ? car leur diversité est innombrable. On ne peut rien imaginer de si absurde, de si incroyable ou de si monstrueux qui déborde la puissance du rêve. Et par quelle méthode leur diversité infinie peut-elle être fixée dans la mémoire ou analysée par la raison ?

... Ces mêmes personnes qui ont de tels rêves ne peuvent en aucune façon les comprendre, et celles qui se vantent de les interpréter le font par supposition et non point par démonstration. Et dans la suite infinie des âges, le hasard a accompli beaucoup plus de prodiges dans tous les domaines qu'il ne l'a fait dans les rêves. Et rien ne saurait être plus incertain que l'explication conjecturale des devins, qui admet des sens non seulement multiples, mais souvent aussi absolument contradictoires.

Refusons donc cette divination par le rêve, aussi bien que tout autre espèce d'augure. Car, pour parler franc, cette superstition s'est étendue à toutes les notions, a affaibli l'énergie intellectuelle de tous les hommes et les a traîtreusement conduits à une imbécillité sans limites. [6]

Le réquisitoire de Cicéron n'était sans nul doute qu'un son de cloche isolé qu'entendaient à peine les citoyens de Rome : anxieux de savoir si leurs rêves étaient présages de bonne ou de mauvaise fortune, ils se bousculaient pour acheter amulettes et potions magiques aux mages orientaux enturbannés. En ce temps, aucune cérémonie publique ne pouvait avoir lieu si l'on n'avait pas commencé par interroger des entrailles d'animaux pour en tirer des significations propitiatoires. Les Romains, à peu près comme les Indiens d'aujourd'hui, croyaient implicitement à la divination et à l'astrologie. La superstition faisait partie intégrante de l'existence, et les arts occultes étaient le moyen d'aborder l'inconnu.

Il fallut attendre le milieu du XX siècle pour que la réfutation de Cicéron trouvât des oreilles attentives. Ce n'est qu'à une date relativement récente que l'homme a découvert le moyen de répondre aux questions pertinentes que Cicéron posait il y a plus de deux mille ans :

Les rêves peuvent-ils être expérimentés ?
Si oui, de quelle manière ?
Par quelle méthode leur infinie diversité peut-elle être fixée dans la mémoire ou analysée par la raison ?
Et quelle est la part du hasard ?

C'est pour répondre au réquisitoire de Cicéron que le présent ouvrage a été écrit.

2

Des témoignages passés au crible

L'argumentation de Cicéron a été reprise de manière persuasive à l'époque contemporaine. Même des parapsychologues comme le Dr Léonide L. Vasiliev lui ont fait écho. Décédé en 1966, Vasiliev fut l'un des plus éminents physiologistes d'Union soviétique, et il fonda le premier laboratoire soviétique de parapsychologie à l'université de Léningrad en 1959. Emule de Pavlov, il reprit en la modernisant la réfutation classique du rêve paranormal.

On pourrait penser que toutes les fausses explications de rêves ont été depuis longtemps mises aux oubliettes. Or, elles persistent, même auprès de personnes instruites qui ne sont pas parfaitement au fait des progrès accomplis par les sciences modernes.

Quiconque ne s'est pas encore totalement affranchi de la superstition reste particulièrement confondu devant l'aspect fantastique des rêves. Combien de fois ne se dit-on pas en se réveillant : « Pourquoi ai-je rêvé cela ? Il n'existe rien de tel. Je n'ai jamais rien vu, rien lu ni rien imaginé qui y ressemblât si peu que ce fût ! » Pourquoi, en vérité, les rêves ne ressemblent-ils si souvent à rien de ce que nous nous rappelons de notre expérience personnelle ? C'est une question compliquée, à laquelle la science apporte une réponse exhaustive...

Rappelons-nous une fois pour toutes que si prodigieux, si

incompréhensibles et si mystérieux qu'ils semblent être, les rêves ne contiennent que des choses dont nous avons eu, consciemment ou inconsciemment, l'expérience au moins une fois à l'état de veille. Les rêves ne sont rien de plus que la réorganisation opérée par l'esprit, partiellement éveillé, de fragments enchevêtrés et erratiques, ainsi que de traces d'expériences passées, de choses que nous avons à un moment ou à un autre vues, entendues, lues, ou que nous avons pensées...

Pour bien des gens, leur signification prophétique et prémonitoire demeure, aujourd'hui encore, l'aspect le plus mystérieux des rêves... Le plus souvent, les rêves prophétiques se fondent simplement sur un malentendu. Presque tout le monde rêve, quelquefois à de nombreuses reprises dans une seule nuit. En une semaine, en un mois, on accumule des dizaines sinon des centaines de rêves. Beaucoup d'entre eux se réalisent-ils ? Bien sûr que non. En règle générale, les rêves ne s'accomplissent pas. Ce n'est qu'exceptionnellement qu'ils coïncident plus ou moins avec des événements futurs. Et cela est conforme à la théorie de la probabilité : les rêves étant nombreux et les événements aussi, certains d'entre eux doivent inévitablement correspondre. Il n'y a rien d'extraordinaire à cela...

Les parapsychologues dénient que, quand il rêve, le dormeur ne puisse voir que des fragments et des traces d'expériences personnelles, que des choses qu'il a à un moment ou à un autres vues, entendues, lues ou qu'il a pensées. Convaincus que les phénomènes de télépathie et de clairvoyance existent, ils soutiennent que certains rêves sont peut-être conditionnés par des facultés parapsychologiques que le sommeil naturel ou hypnotique exaltent.

... On ne peut exclure la possibilité d'une coïncidence fortuite entre deux événements n'ayant aucun rapport entre eux. Par conséquent, de telles péripéties ne constituent pas en elles-mêmes une preuve suffisante de l'existence de perceptions (ou de rêves) télépathiques ou clairvoyants. Les récits faisant état d'incidents de cette nature ne deviendront vraiment significatifs que lorsque des phénomènes de télépathie et de clairvoyance auront été confirmés par des expériences répétées... [1]

L'analyse de Vasiliev fut publiée pour la première fois en U.R.S.S. en 1958, quatre ans avant que l'équipe du laboratoire du rêve du Maimonides Institute eût commencé à élaborer une méthode de recherche expérimentale sur le rêve télépathique. Néanmoins, l'étude du rêve télépathique spontané remonte aux années 1880, aux premiers temps de la England's Society for Psychical Research, qui avait été créée pour « examiner, sans préjugés ni préventions, et dans un esprit scientifique, les facultés humaines, réelles ou supposées, qu'aucune hypothèse généralement admise ne paraît pouvoir expliquer ».

En 1886, trois membres fondateurs de la société publièrent une monumentale étude de phénomènes paranormaux spontanés, intitulée *Phantasms of the Living,* qui comprenait plus de 1 300 pages de cas, classés en fonction du type d'expérience paranormale rapportée. La plus grande partie de ce travail avait été effectuée par l'enquêteur méfiant qu'était Edmund Gurney, qui avait été grandement aidé dans sa tâche par Frederic W.H. Myers, futur président de la société, et par un autre chercheur tout aussi sagace, Frank Podmore.

Le mot *télépathie* fut créé en 1882 par Myers pour décrire la « communication (*fellow-feeling*) à distance ». Il ne recouvre pas seulement la transmission de pensée entre des personnes éloignées mais aussi l'échange d'émotions et de sentiments moins définissables. Le chapitre modestement intitulé « Exemples de rêves pouvant raisonnablement être considérés comme télépathiques » est particulièrement intéressant. Les auteurs observent que les rêves télépathiques sont relativement rares : « Le grotesque fatras, qui s'engouffre constamment par la porte d'ivoire, jette le discrédit sur nos plus rares visiteurs, qui franchissent la porte de corne. » Les humanistes familiers des classiques qu'étaient Gurney et Myers faisaient allusion aux portes d'Homère : celle d'ivoire, par laquelle viennent les rêves « fallacieux », et celle de corne, qui laisse passer les rêves « véridiques ».

Plus de la moitié des 149 cas de télépathie onirique réunis dans cet ouvrage traitent du même thème macabre : la mort. Les rêves de mort sont très courants, et le sceptique répondra sans doute que tel rêve particulier correspondra tôt ou tard à un décès réel.

Les auteurs tenaient compte de cette objection :

Des millions de gens rêvent chaque nuit et, dans les rêves

plus que partout ailleurs, le champ ouvert aux possibilités semble infini. Peut-on tirer la moindre conclusion catégorique d'un pareil chaos d'impressions fragmentaires et dépourvues de signification ?... Dispose-t-on de méthodes valables pour distinguer un sentiment communiqué d'une heureuse coïncidence ?... Et quelle proportion de correspondances frappantes exigerons-nous avant d'estimer que l'explication du hasard cesse d'être valide [2] ?

Pour répondre à ces questions, la société de recherches psychiques adressa un questionnaire à 5 360 personnes, leur demandant à chacune si elle avait eu au cours des douze précédentes années un rêve précis évoquant la mort de quelqu'un qu'elle connaissait. Une seule personne interrogée sur vingt-six environ répondit par l'affirmative. Les calculs des auteurs montrèrent que les rêves télépathiques de mort étaient beaucoup plus fréquents que ce n'aurait été le cas si la seule explication avait été celle du hasard. L'une des faiblesses de la méthode utilisée était le choix du mot « précis » (*vivid*). Il est fort possible que le sujet ne se rappelle pas les rêves de mort qu'il a eus si le décès dont il a rêvé n'a pas effectivement lieu. S'il se produit, la vive émotion qu'éprouvera alors le rêveur lui donnera rétrospectivement l'impression d'avoir fait un rêve « précis ». On pourrait objecter qu'un questionnaire de ce genre n'est valide que si on le fait remplir par des personnes qui ont noté leurs rêves pendant une période de contrôle déterminée.

La seconde grande catégorie de rêves télépathiques réunissait ceux dans lesquels l' « agent » présumé ou « personne cible » (la personne dont on rêve) était en état de détresse ou en danger. Citons un exemple classique de rêve « de mort ou de détresse » qui s'avère être de nature télépathique. Le « *percipient* » (le rêveur) était une certaine Mme Morris Griffith. Quand elle rédigea le récit de son rêve (en 1884), elle demeurait au 6, Menai View Terrace, Bangor, Galles du Nord, tout à côté, chose curieuse, de l'endroit où habite actuellement le professeur C.W.K. Mundle, président de la Society for Psychical Research (1972).

Dans la nuit du samedi 11 mars 1871, je me suis réveillée très angoissée : j'avais vu mon fils aîné, alors à Saint-Paul de

Loanda, sur la côte sud-ouest de l'Afrique ; il paraissait terriblement malade et amaigri. J'avais clairement entendu sa voix m'appeler. J'étais si bouleversée que je ne pus me rendormir. Chaque fois que je fermais les yeux, la vision revenait et je l'entendais distinctement me dire « Maman ». Le lendemain, qui était un dimanche. je me sentis profondément déprimée toute la journée, mais je n'en parlai pas à mon époux infirme que j'avais peur d'inquiéter. Nous avions l'habitude de recevoir tous les dimanches une lettre de notre plus jeune fils, alors en Irlande, et comme il n'en arriva pas ce jour-là, j'attribuai mon grand abattement à ce fait, heureuse d'avoir à donner à M. Griffith une raison autre que la véritable. Chose étrange, il eut, lui aussi, le moral très bas toute la journée, et nous fûmes tous les deux incapables de souper. Il se leva de table en disant : « Tant pis pour ce que cela coûtera, il faut faire revenir le petit », faisant allusion à son fils aîné. Je parlai de mon rêve et de la mauvaise nuit que j'avais passée à deux ou trois amis, mais en les priant de ne pas en souffler mot à M. Griffith. Le lendemain nous parvint une lettre contenant des photos de mon fils. Il écrivait qu'il avait eu la fièvre, mais qu'il allait mieux et espérait partir incessamment pour un endroit plus salubre. Il avait bon moral. Nous n'eûmes plus d'autres nouvelles jusqu'au 9 mai, date à laquelle nous reçûmes une lettre nous annonçant que notre fils était mort d'un nouvel accès de fièvre dans la nuit du 11 mars. Elle précisait que, juste avant de mourir, il m'avait appelée à plusieurs reprises. Je ne fis pas tout de suite le rapprochement entre la date de la mort de mon fils et celle de mon rêve. Il fallut que les amis, et aussi une vieille domestique, à qui j'en avais parlé à l'époque, me le rappellent...

Avec la rigueur qui les caractérisait, les auteurs réclamèrent des détails supplémentaires à Mme Griffith qui leur répondit :

Je n'ai jamais eu de ma vie, ni avant ni depuis, un rêve aussi angoissant, et jamais un rêve désagréable ne m'avait auparavant troublée.

Je ne me souviens pas avoir jamais eu de difficulté à identifier immédiatement en me réveillant un rêve comme tel, et je n'ai jamais confondu le rêve et la réalité.

Je vous assure également sans hésitation que je n'ai jamais eu d'hallucinations sensorielles, auditives ou visuelles [3].

Bien que la plupart des cas rapportés dans *Phantasms of the Living* fussent des expériences relatées par des personnes appartenant à la haute société anglaise, les auteurs procédèrent aussi à des investigations en Amérique. L'affaire ci-dessous, rendue publique pour la première fois par une lettre adressée au *Religio-Philosophical Journal*, fut signalée par le Dr Walter Bruce, de Micanopy, Floride, et elle peut rivaliser avec les contes fantastiques d'Edgar Allan Poe :

17 février 1884

Le jeudi 27 décembre de l'année dernière, je quittai Gainesville (à environ vingt kilomètres d'ici) pour regagner mon orangeraie près de Minacopy. Je n'y possède qu'une petite maison, en planches, et comprenant trois pièces, où je passe la majeure partie de mon temps quand on travaille dans l'orangeraie. Il n'y avait personne d'autre que moi dans la maison à ce moment et, quelque peu fatigué par la route, je me couchai très tôt, probablement à 6 heures. Comme c'est fréquemment mon habitude, j'allumai la lampe de la table de nuit dans l'intention de lire, ce que je fis un court instant. Puis, légèrement somnolent, j'éteignis et m'endormis bientôt. Je me réveillai très tôt dans la nuit. Je suis sûr de ne pas avoir dormi très longtemps. J'avais l'impression d'avoir été intentionnellement tiré de mon sommeil, et je pensai sur le coup que quelqu'un s'introduisait par effraction dans la maison. De mon lit, je scrutai l'intérieur des deux autres pièces (dont les portes étaient l'une et l'autre ouvertes). Je vis instantanément où j'en étais, et je compris que la version du voleur ne tenait pas. Il n'y avait rien dans la maison qui justifiât la visite d'un cambrioleur : il aurait perdu son temps.

Je me retournai alors sur le côté pour me rendormir, et j'eus immédiatement conscience d'une présence dans la pièce, non pas, c'est étrange à dire, celle d'une personne vivante, mais une présence spirituelle. Cela peut faire sourire, mais je ne puis que vous relater les faits tels qu'ils se sont produits. Je ne sais comment décrire mes impressions mieux qu'en disant simplement que je sentais une présence spirituelle. Cela peut avoir fait

30

partie du rêve, car je sentais que j'allais m'assoupir à nouveau, mais ne ressemblait à aucun rêve que j'aie jamais fait. J'éprouvai en même temps une intense terreur superstitieuse, comme si quelque chose d'inusité et d'effrayant était sur le point d'arriver. Je me rendormis bientôt ou, tout au moins, je perdis conscience de ce qui m'entourait. Je vis alors deux hommes qui se battaient. L'un d'eux tomba, mortellement blessé — l'autre disparut instantanément. Je ne distinguais pas la plaie de l'homme blessé, mais je savais qu'il avait la gorge ouverte. Je ne l'identifiai pas non plus comme mon beau-frère. Il était allongé, les mains sous lui, la tête légèrement tournée vers la gauche, les pieds joints. De l'endroit où j'étais, je n'apercevais qu'une petite partie de sa figure ; son vêtement, son col, ses cheveux ou autre chose encore la cachait partiellement. Je le regardai une seconde fois avec plus d'attention pour essayer de découvrir de qui il s'agissait. J'avais le sentiment de le connaître, mais j'étais toujours incapable de le reconnaître. Je me retournai et vis ma femme assise à peu de distance de lui. Elle me dit qu'elle ne pouvait pas partir tant qu'on ne se serait pas occupé de lui. (J'avais reçu quelques jours plus tôt une lettre d'elle me disant qu'elle partirait dans un jour ou deux, et j'en attendais chaque jour une nouvelle ou un télégramme me prévenant d'aller la chercher à la gare.)

Mon attention fut attirée par le décor environnant le mort. Il paraissait couché sur une espèce de plateforme surélevée, entourée de chaises, de bancs et de pupitres qui me rappelaient un peu une salle de classe. Il y avait au-delà de la pièce où je me trouvais une foule de gens, surtout des femmes dont il me semblait connaître certaines. Là, mon rêve se termina.

Je me réveillai une nouvelle fois vers minuit, me levai et allai jusqu'à la porte pour voir s'il y avait des chances qu'il pleuve, me recouchai et ne me rendormis guère avant l'aube. Je pensais à mon rêve. Il m'avait fortement impressionné. Tout sentiment insolite et de frayeur superstitieuse s'était dissipé.

Ce ne fut qu'une semaine ou dix jours plus tard que je reçus une lettre de ma femme qui me rapportait la mort de son frère. Sa lettre, écrite le lendemain de son décès, avait été mal acheminée. Le récit qu'elle me faisait de la mort de son frère recoupait mon rêve d'une manière remarquable. Il était invité à une noce à la gare de Markham, comté de Fauquier, Virginie. Il s'était rendu dans un magasin proche pour voir un jeune homme qui tenait un bar voisin de la gare, et avec lequel il avait eu des mots. Il était ressorti seul du magasin. L'homme du bar l'avait suivi et, sans rien dire, lui avait délibérément tranché la gorge. C'était un meurtre d'une brutalité insigne et sans provocation. Le col du manteau de mon beau-frère était relevé ; le couteau l'avait traversé pour pénétrer jusqu'à l'os. On le transporta dans le magasin et on l'étendit sur le comptoir près d'un bureau et d'une vitrine. Peu après l'attentat, l'hémorragie lui fit perdre connaissance. L'agression avait eu lieu tôt dans la soirée du jeudi 27 décembre. Toutefois, il ne mourut que le samedi matin, juste avant l'aube...

Le Dr Bruce cite ensuite un autre rêve fait vers la même époque par sa belle-sœur, Mme Stubbing, en visite chez sa cousine, dans le Kentucky. En voici le récit :

... Je voyais deux personnes. L'une avait la gorge tranchée. J'ignorais qui c'était, mais je savais qu'il s'agissait de quelqu'un que je connaissais, et, dès que j'eus appris la mort de mon frère, j'ai aussitôt su que c'était le personnage de mon rêve. Et, bien qu'on ne m'eût pas dit comment il était mort, j'ai dit à ma cousine, chez qui j'habitais, qu'il avait été assassiné. Ce rêve s'est produit dans la nuit du jeudi ou du vendredi, je ne me rappelle plus laquelle des deux. J'ai vu l'endroit exact où il fut tué et comment le meurtre fut commis. [5]

La précision du récit du Dr Bruce semble être garante de son authenticité, mais on ne prêterait probablement guère d'attention à ce cas aujourd'hui, car un élément d'appréciation essentiel fait défaut : il n'a ni pris note ni parlé de son rêve à personne avant d'apprendre l'assassinat. Celui de sa belle-sœur, bien que moins riche en détails, avait été communiqué à sa cousine avant que l'intéressée apprît qu'il s'agissait d'un meurtre.

Dans l'écrasante majorité des cas de rêves télépathiques recensés dans *Phantasms of the Living*, l'agent et le percipient sont soit parents soit amis. De façon caractéristique, le rêveur ne se considérait aucunement comme un « médium », mais considérait son rêve télépathique comme quelque chose d'extraordinaire et de fort troublant. Ce ne pouvait vraisemblablement être qu'une expérience que l'on n'a qu'une seule fois dans son existence et dont on se souvient nettement après bien des années. Si la grande majorité de ces rêves télépathiques peuvent être qualifiés de « terribles », il y en existe aussi une catégorie plus restreinte mais tout aussi mystérieuse : ceux-là pourraient être taxés de « banals ». Il est tout à fait possible que ces derniers se produisent beaucoup plus fréquemment qu'on ne le signale — après tout, combien de personnes prendraient-elles la peine de communiquer à une société de recherches psychiques un rêve tel que celui dont Jean Eleanora Fielding envoya le récit à la Society for Psychical Research ?

Presbytère de Yarlington, Bath 19 mai 1886

Je dors mal et, lundi, il était 2 heures quand je me suis endormie. Pendant une demi-heure, avant de céder au sommeil, je m'étais remémoré tous les coins et recoins de la maison que j'habitais lorsque j'étais petite fille, en Ecosse (où je n'avais pas remis les pieds depuis vingt ans). Mon père, propriétaire terrien, avait pour voisin un autre propriétaire du nom de *Harvey Brown*. Cette nuit-là, durant mon insomnie, j'avais pensé à lui, à sa demeure et à sa famille *particulièrement*. Mon mari ne savait que son nom mais, bien entendu, il connaissait ma maison, et il l'aimait autant que moi. Nous nous sommes réveillés à 6 heures. Avant même que nous eussions échangé *un seul mot*, il me dit : « J'ai fait un rêve très étrange à propos de Harvey Brown et de la vieille maison que je parcourais dans tous les sens. » Le plus curieux est que, depuis vingt ans, nous n'avions jamais parlé de Harvey Brown, ni même pensé à lui avant cette nuit de lundi où, dans mon désœuvrement, j'avais évoqué nos rencontres d'autrefois. J'étais parfaitement éveillée et mon mari était assoupi. Il a dormi profondément toute la nuit, après une promenade de vingt kilomètres. Aussi n'y a-t-il eu aucune possibilité pour que j'oriente ses pensées vers l'Ecosse en lui en parlant avant qu'il ne s'endorme. [6]

Madame Fielding était sans aucun doute plus sensibilisée qu'une personne moyenne à l'éventualité du rêve télépathique. Elle avait, en effet, écrit antérieurement à la société, en novembre 1885, pour rapporter des rêves simultanés que son mari et elle-même avaient eus : ils avaient rêvé l'un et l'autre d'un garde forestier habitant une maison où ils avaient vécu dix-sept ans auparavant.

Bien que leur importance numérique soit faible dans les annales de la télépathie onirique spontanée, des rêves banals tels que ceux-là revêtiront un intérêt particulier par la suite, en raison de l'analogie qu'ils présentent avec l'induction du rêve télépathique effectuée en laboratoire. On ne peut en effet infliger des rêves d'assassinat ou de mutilations à des sujets expérimentaux. Des influences plus anodines et plus subtiles doivent suffire aux travaux de laboratoire.

Le compte rendu de la première tentative connue visant à induire des rêves télépathiques par des moyens expérimentaux fut publié par le Dr G.B. Ermacora, qui s'adonnait à la recherche psychique en Italie, et dirigeait la *Rivista di Studi Psichici.* Son étude, intitulée *Rêves télépathiques expérimentalement induits,* fut publiée pour la première fois en Angleterre par le journal de la Society for Psychical Research Proceedings, en 1895. Le Dr Ermacora avait pris comme sujet une médium de Padoue, Maria Manzini, qui semblait être très douée pour la télépathie. Comme la plupart des médiums, elle avait une personnalité seconde, ou « contrôlée » : une enfant nommée Elvira. Lorsqu'Angelina, sa cousine, âgée de quatre ans, arriva de Venise pour vivre avec Maria, le rideau put alors se lever sur ce qui fut certainement l'une des expériences les plus bizarres dans l'histoire de la recherche psychique.

Selon les lettres de Maria au Dr Ermacora, tout commença lorsque la petite Angelina se mit à rêver du « contrôle » de la signora Manzini, Elvira. Quand le Dr Ermacora vint la voir, Maria entra en transe, afin qu'Elvira pût écrire par son intermédiaire. Elvira promit d'apparaître en rêve à la petite Angelina. Elle aurait une belle poupée et porterait une robe rose. Le lendemain, Maria déclara qu'Angelina, questionnée par elle, lui avait raconté qu'elle avait rêvé d'Elvira. Celle-ci tenait une poupée, mais sa robe était bleue et non pas rose.

La confiance totale du Dr Ermacora en la bonne foi du médium était indiscutablement chevaleresque, mais peut-être était-elle mal placée, compte tenu de la complexité propre à l'univers de la recherche psychique. Cependant, aucun indice patent ne permettait de penser que le médium enjolivait les

34

rêves que lui rapportait la petite Angelina. Dans l'expérience n° 7, le Dr Ermacora suggéra à Elvira le thème du rêve qu' « elle » essaierait de transmettre télépathiquement à Angelina :

Je proposai qu'Elvira, vêtue de rouge et coiffée d'un grand chapeau de paille, accompagnât Angelina place Saint-Marc, à Venise, et découvrît qu'elle était devenue un jardin avec de l'herbe et un tapis de fleurs. Le campanile aurait disparu et il y aurait un très gros arbre à sa place. De nombreux enfants habillés en blanc courraient et s'amuseraient avec des chevreaux. Un paysan serait occupé à scier une branche du gros arbre et Angelina entendrait le bruit de la scie qui ferait *zzin-zzin* [7].

Elvira répondit : « C'est un peu long. Pour moi, c'est possible, mais je ne sais pas si l'enfant se rappellera tout cela. Nous allons quand même essayer. »

Malheureusement, sur ces entrefaites, le professeur William James arriva des Etats-Unis pour voir comment progressait l'expérimentation : rien ne se produisit, semble-t-il. Il faut en tout cas porter au crédit du Dr Ermacora d'avoir fait état, dans son compte rendu, de tous ses échecs au même titre que de ses succès.

L'idée lui vint de faire intervenir des éléments de contrôle scientifique pour l'expérience 14. La mère du médium, la signora Annetta, était arrivée et ce fut elle qui interrogea la fillette le matin avant le réveil de Maria Manzini. La veille, le Dr Ermacora avait proposé le rêve suivant à Elvira : « Angelina est avec moi à l'église Saint-Marc, à Venise. Elvira, habillée en rose, un fichu blanc noué autour de la tête, vient nous retrouver et nous allons toutes les trois au Riva degli Schiavoni ; nous pénétrons dans une tente où l'on nous montre un superbe tigre. »

Angelina raconta à Annetta ce rêve-là le lendemain matin : « Elle était avec moi dans l'église Saint-Marc. Une petite fille est entrée. Elle était habillée en rose et avait un fichu blanc sur la tête. Nous sommes allées toutes ensemble dans une petite maison où il y avait un animal comme un chat mais plus gros et qui n'était pas vraiment un chat. »

Cela semblait presque trop beau pour être vrai. Cependant, le Dr Ermacora fut convaincu qu'aucune suggestion verbale n'avait été faite à l'enfant (par le médium ?), parce que les

35

images étaient visuelles et qu'Elvira ne s'était pas reconnue.

Pour l'expérience n° 16, Ermacora résolut d'utiliser comme matériel cible quelque chose qui fût inconnu d'Angelina. Dans le rêve qu'il proposa, Angelina se trouverait dans la maison du professeur B., inconnu d'Angelina mais en revanche connu du médium, et Ermacora lui-même apporterait des figues à l'enfant.

Le lendemain, il trouva le médium et la fillette chez elle. Dans le récit qu'elle fit de son rêve, Angelina mentionna un monsieur « élégant, grand, assez gros, avec de longues et belles moustaches », et elle parla plus tard de figues. Le Dr Ermacora lui présenta alors dix-sept photographies représentant des hommes d'âge mûr, dont celle du professeur B., la cible, et lui demanda de désigner le « monsieur de son rêve ». Le médium était présent. Angelina hésita et ne sélectionna aucune photo. Le Dr Ermacora « surveillait la signorina Maria pour voir si elle influençait Angelina par une mimique inconsciente ».

Quand la mère du médium revint, Ermacora la pria de persuader Angelina de choisir la photographie hors de la présence de Maria.

Lorsque je revins dans la soirée, note-t-il, la signora Annetta m'assura que sa fille n'avait pas vu les photographies depuis mon départ et que l'enfant avait effectué son choix à un moment où la signora Maria n'était pas à la maison. Elle me montra alors deux photographies que l'enfant avait choisies, ajoutant qu'il y en avait une des deux qu'elle préférait, parce qu'elle ressemblait davantage au monsieur du rêve. Or, il s'agissait précisément de celle du professeur B. ... Il convient d'ajouter que la sélection s'était faite sur vingt-sept portraits au lieu de dix-sept. J'en avais rajouté dix avant de partir.

Le Dr Ermacora avait-il finalement trouvé un système d'évaluation à toute épreuve ? Ou, comme pourrait le soupçonner un sceptique dépourvu d'esprit chevaleresque, le médium avait-il indiqué à sa mère et à la fillette, en son absence, qu'elle était la vraie photo du professeur B. ? Une telle idée ne viendrait peut-être pas à l'esprit d'un gentleman italien mais, hélas, elle est volontiers présente dans celui des Anglo-Saxons, plus portés à la méfiance. La répugnance initiale de l'enfant à opérer un choix, et celui qu'elle fit ensuite de deux photos, avec une prédilection pour le portrait qui ressemblait le plus au professeur B., est particulièrement suspecte.

Nos soupçons ne font que grandir quand nous lisons le compte rendu de l'expérience n° 24 dont la cible est un autre ami du Dr Ermacora, que le médium connaissait aussi. Cette fois encore, quand Ermacora montra à la fillette vingt photos parmi lesquelles elle devait désigner « l'homme de son rêve », elle ne l'identifia qu' « ultérieurement ».

« Quand l'enfant racontait son histoire, note ingénument le Dr Ermacora, elle se tournait de temps en temps vers la signora Maria pour quêter son approbation, comme si la signora Maria avait assisté à la scène. Et cela montre avec quelle facilité elle confond ses rêves avec la réalité. » L'auteur ajoute ce commentaire qui fait l'effet d'un argument rien moins que convaincant : « Je me crois en mesure de rejeter comme absurde l'hypothèse selon laquelle l'histoire de l'enfant serait une comédie que lui aurait apprise la signora Maria, et que, en conséquence, elle se tournerait naïvement vers cette dernière afin de recevoir des suggestions. D'ailleurs, les succès postérieurs dans des conditions d'expérimentation plus rigoureuses la réfutent. »

C'est en vain que l'on cherche ces « conditions plus rigoureuses ». Le Dr Ermacora rapporte qu'il eut recours par la suite à des illustrations de divers catalogues et d'ouvrages scientifiques. Il les montrait toujours au médium pendant au moins une demi-minute, et celle-ci pouvait toujours approcher l'enfant avant que le candide docteur arrive pour interroger celle-ci sur ses rêves. L'incroyable précision dont la petite Angelina faisait preuve à l'occasion de ces tests dépasse amplement tous les résultats que l'on obtient dans les conditions de l'expérimentation moderne.

Dans l'expérience n° 59, le Dr Ermacora fut plus audacieux encore. Il montra au médium un mot pris dans un livre — un mot très ancien composé en gros caractères — *Guglielmeide* — et lui demanda de faire rêver à Angelina qu'elle savait lire (n'oublions pas qu'elle n'avait que quatre ans). Le lendemain, le bon docteur notait :

Je fis chercher Angelina à l'école et lui montrai le livre ouvert à la page où figurait le mot *Guglielmeide*. Je lui dis de découvrir le mot qu'elle avait vu en rêve. Voyant qu'elle était trop timide pour prêter attention, je la renvoyai avec la signora Annetta (la mère du médium) et le livre. Elles ne tardèrent pas à revenir, et Angelina me désigna le mot *Guglielmeide,* mais fut incapable de le prononcer...

Grâce à ces expériences, qui ne furent malheureusement pas poursuivies, j'ai acquis l'espoir, un espoir que d'autres réaliseront sûrement plus tard, qu'il est possible d'apprendre à lire par des moyens télépathiques.

Les travaux du Dr Ermacora, avec toutes leurs insuffisances et leurs faiblesses, n'en représentaient pas moins la première investigation sérieuse en matière de rêves télépathiques. Son expérience illustre rétrospectivement le danger, à présent bien connu, qu'il y a à se fier à l'honnêteté des gens qui gagnent leur vie en faisant étalage de leurs facultés « surnaturelles » pour duper autrui.

Dans son ouvrage exhaustif en deux volumes. *Human Personality* (1903) [8], F.W.H. Myers ne parle pas des expériences télépathiques du Dr Ermacora. Son chapitre sur « le sommeil », relate au contraire des phénomènes spontanés mieux étudiés. Myers donne plusieurs exemples de rêve qui semblent à première vue paranormaux, mais dont une analyse plus fine permet de trouver l'origine dans des souvenirs subliminaux, c'est-à-dire dans des impressions que le sujet n'a pas enregistrées consciemment, mais dont son subconscient se souvient. C'est ainsi qu'une dame déclarait avoir retrouvé une broche qu'elle avait perdue grâce à un rêve dans lequel elle avait vu le bijou coincé entre deux pages bien précises d'un certain magazine, qu'elle avait lu chez le coiffeur. Quand elle retourna au salon de coiffure et raconta son rêve aux employés, ils découvrirent effectivement la broche à l'intérieur de la revue nommément désignée.

Pour Myers, il était parfaitement évident que la mémoire de la femme avait subliminalement enregistré le fait que la broche était tombée entre les pages du magazine et que, par conséquent, il ne s'agissait pas d'un rêve paranormal.

Eliminer toutes les hypothèses autres que paranormales : c'est à cette tâche que s'attaquèrent vigoureusement les premiers chercheurs anglais, en employant des techniques d'investigation méthodiques. Ce faisant, ils mirent en lumière un grand nombre d'extraordinaires pouvoirs de l'inconscient ou du psychisme subliminal jusque-là demeurés inaperçus.

Dans les cas que Myers considère comme des exemples d'authentique télépathie, les percipients étaient souvent des personnes de bonne réputation, dont les expériences de rêves télépathiques étaient attestées par des témoins. Si ce genre de preuve peut être retenu par un tribunal, il est néanmoins insuffisant pour formuler une hypothèse valable. Tout le monde sait qu'il est difficile de se rappeler un rêve — surtout après plusieurs années. Les sceptiques ont raison de dire que les défaillances de mémoire du rêveur ou du témoin sont susceptibles d'enjoliver une impression de rêve fragmentaire au point de la transformer en une histoire précise et détaillée, correspondant point par point à un événement lointain. Un crible plus fin est indispensable pour séparer le bon grain de l'ivraie : un critère de validité sera le fait que le rêve aura été noté *avant* que le rêveur ait connaissance de l'événement correspondant au dit rêve.

L'Anglais G.N.M. Tyrrell cite dans son livre *Science and Psychical Phenomena* un cas, « curieux », observe cet auteur, qui paraît satisfaire, au moins partiellement, à cette condition. Indiquons pour notre part qu'on pourrait le considérer comme un phénomène de clairvoyance, de télépathie ou de précognition, selon l'angle sous lequel on l'examine. On qualifie souvent tout simplement les expériences de ce type de « perception extrasensorielle générale ». Le rêveur, Dudley Walker, pensait seulement que ce n'était « pas un rêve ordinaire ». Le rêve en question date du 27 juin 1928. Walker se sentait effectivement impliqué dans la scène qu'il décrit en ces termes :

J'étais dans un poste d'aiguillage surélevé, dominant une voie de chemin de fer que je n'avais jamais vue auparavant. Il faisait nuit. Je vis approcher ce que je savais être un train rempli de gens revenant d'excursion. Je savais que mon devoir était de signaler ce train, ce que je fis, mais j'avais le sentiment qu'il allait à la catastrophe. (Je n'ai professionnellement rien à voir avec les chemins de fer.)

Dans mon rêve, j'avais l'impression de planer dans les airs en suivant l'express qui ralentissait dans un tournant. Comme il approchait d'une gare, je vis avec horreur qu'un autre petit train avançait sur la même voie. Bien que les deux convois parussent rouler à vitesse réduite, le choc fut terrible quand ils se télescopèrent. Je vis l'express et ses wagons bondir et tournoyer dans les airs ; le bruit fut terrible. Plus tard, je marchais au milieu des débris, dans la pâle clarté de l'aube, et je contemplais avec effroi l'énorme locomotive renversée et les voitures broyées. J'étais maintenant au milieu d'une indescriptible scène d'horreur ; il y avait partout des morts, des blessés et des sauveteurs.

La plupart des cadavres gisant à côté de la voie appartenaient à des femmes et à des jeunes filles. Comme je passais, guidé par une personne inconnue, je vis, dans un état effroyable, le corps d'un homme qui avait été projeté sur un wagon retourné. Il gisait sur le côté.

J'entendis distinctement un médecin dire : « Pauvre diable ! Il est mort. » Une autre voix reprit : « Je crois avoir vu ses paupières bouger. » Le médecin répondit alors : « Ce sont seulement vos nerfs. Il y a quelque temps qu'il est mort. »

J'étais bouleversé quand je me réveillai, trop indisposé pour prendre quoi que ce soit au petit déjeuner. Toute la journée, au bureau, j'ai pensé à ce rêve.

On imagine facilement ce que j'éprouvai quand, en rentrant chez moi, je vis les colonnes (d'un journal) annonçant l'accident. [9]

La catastrophe ferroviaire s'était produite le 27 juin, juste avant minuit, dans une ville située à plusieurs kilomètres. Différents détails donnés par un journal correspondaient au rêve de Walker : il s'agissait d'un train de promeneurs. Il était entré en collision avec un autre. Huit personnes avaient trouvé la mort — un homme, six femmes et une petite fille. Une locomotive avait déraillé. « Macabre spectacle : celui du cadavre d'un homme en haut d'un wagon. »

M. Walker avait raconté de façon détaillée son rêve à sa mère et à son patron, au bureau, avant que la nouvelle de la catastrophe fût connue et, chose importante, il l'avait brièvement noté dans son journal intime. Interrogé par un enquêteur de la Society for Psychical Research, il fut incapable d'expliquer pour quelle raison il avait rêvé de cet accident précis. Ce rêve ressemble à la catégorie de rêves précognitifs où le percipient voit un événement qu'il apprend peu de temps après [10]. La correspondance extraordinaire des détails démontre que le rêve peut être un vecteur de perceptions extrasensorielles d'une très haute précision, ce que confirme l'examen de milliers de cas d'ESP * spontanée.

Tenter de vérifier un cas d'ESP spontanée au-delà de tout scepticisme raisonné est une tâche formidable, car il y a peu de gens qui consignent leurs rêves dans leurs journaux intimes, ou qui sont sensibilisés à la recherche psychique au point de relater à des parapsychologues les rêves qu'ils font et pourraient s'avérer de nature paranormale. Dans un récent numéro de l'organe de la société américaine de recherches parapsychologiques, *Proceedings*, le Dr Ian Stevenson, de la section parapsychologie de l'université de Virginie, consacre six pages à une enquête (cas 35) se rapportant à un rêve, présumé télépathique, et fait par une femme qui avait rêvé de la mort du beau-frère de sa meilleure amie [11]. Elle avait écrit en 1965 à un confrère du Dr Stevenson, le Dr J.G. Pratt, pour lui narrer ce rève qui datait de 1963. Le Dr Stevenson lui en demanda un compte rendu détaillé en 1969, et il reçut, en fait, trois lettres d'elle. Il correspondit également avec les principaux témoins, le mari et la meilleure amie de l'intéressée. Il vérifia ensuite d'autres éléments, en téléphonant plusieurs fois à celle-ci, et obtint une déclaration de l'épouse du défunt. Faisant preuve d'une conscience professionnelle qui force l'admiration, le Dr Stevenson se procura également la photocopie du certificat de décès.

Le rêve en question se présente sous une forme plus symbolique que réaliste. La rêveuse avait vu le mort, près duquel se trouvait un hibou, mais elle s'était réveillée avec l'impression que c'était un présage de mort. Elle apprit le décès du mari de son amie dans le courant de l'après-midi. Cependant, le matin même, elle avait parlé de son rêve à sa tante, et avait téléphoné à la belle-sœur de son amie pour s'enquérir de l'état de santé de son époux. Ainsi que le souligne le Dr Stevenson, le rêve n'était pas, en soi, d'une précision sortant de l'ordinaire, mais le puissant trouble émotionnel qui suivit son interprétation par le conscient provoqua chez la rêveuse un « sentiment d'effroi qui, dit-elle, me nouait l'estomac ».

Bien que l'on ne puisse avoir l'absolue certitude que la rêveuse

---

* ESP : Perception extra-sensorielle. On conserve communément le sigle anglais.

ait effectivement eu une perception télépathique de la mort, les détails réels de l'expérience apparaissent comme beaucoup plus compliqués que ne le laisse entendre sa première lettre. (« J'ai rêvé de lui, et, quand je me suis réveillée entre 7 heures et 7 h 30, je savais qu'il était mort. ») Quant aux composantes du rêve proprement dit, il est difficile d'imaginer que quelqu'un puisse se les rappeler parfaitement en 1969, alors que le rêve avait eu lieu en 1963, six ans plus tôt. Comme nous le verrons dans les derniers chapitres, entre l'instant où le rêveur émerge de son rêve et le moment où, quelques heures plus tard, dans la matinée, on lui demande de le relater de nouveau, le souvenir qu'il en garde est susceptible de s'être considérablement modifié. Jusqu'à quel point peut-il se transformer au cours d'une période s'étendant sur plusieurs années ? Si la mémoire d'un rêveur présente quelques points communs avec celle d'un pêcheur, nous sommes en droit d'escompter que les éléments fantastiques de son récit, comme il en va de la taille des poissons, s'amplifient au fil du temps à force d'être répétés.

Il serait nécessaire d'étudier le rêve télépathique quand il est encore tout récent, si l'on veut répondre aux objections soulevées par Cicéron, ce que nous tenterons de faire dans la seconde partie de ce volume, consacrée aux expériences.

En dépit de la difficulté des investigations et des évaluations portant sur les rêves télépathiques, l'examen d'un grand nombre d'expériences fait apparaître des structures significatives. Sur plus de 7 000 cas d'ESP spontanée analysés aux Etats-Unis, plus des deux tiers avaient trait aux rêves, et l'on retrouve une proportion similaire dans un millier d'exemples recueillis en Allemagne. Dans une enquête, comprenant 300 cas et réalisée en Grande-Bretagne, 40 % se rapportaient à des expériences oniriques. En Inde, un sondage effectué auprès d'une population d'écoliers indiqua que la moitié des expériences d'ESP vécues par les sujets étaient des rêves [12].

Comme il a été dit plus haut, la mort et les situations d'angoisse sont de loin les thèmes les plus courant des rêves télépathiques spontanés. Que les récits de rêves entrant dans cette catégorie soient proportionnellement plus nombreux, peut être dû à leur impact émotionnel. La plupart des gens auraient certainement l'impression d'être ridicules s'ils communiquaient un rêve télépathique concernant un événement mineur ou banal.

Les liens affectifs semblent être ce qui provoque avant tout les rêves télépathiques. Pourtant, si une personne voit en songe un inconnu, il est invraisemblable qu'elle soit en mesure d'apprendre que son rêve correspond à la situation de quelqu'un dont elle ignore l'identité. Le rêve faisant intervenir le romancier Kurt Vonnegut Jr, cité au chapitre 1, appartient à cette catégorie rarissime, puisque le percipient (Alan Vaughan) et l'écrivain ne s'étaient jamais rencontrés. Dans ce cas, la cause a, selon toute apparence, été l'intervention de Vonnegut à la télévision. Les pionniers de la recherche psychique ne pouvaient évidemment imaginer un contact de ce genre.

Un autre élément dont nous n'avons pas encore parlé est le lien particulier qui unit le psychanalyste et son patient. Ainsi que nous allons le voir maintenant, les rêves « disent les choses les plus éhontées ». En effet, à l'instar des enfants, ils ont une façon à eux d'exprimer des vérités souvent embarrassantes — notamment quand il s'agit de rêves télépathiques.

3

Psychanalyse et perception extrasensorielle

Il est bon de rappeler à une génération, aux yeux de laquelle la psychanalyse représente en grande partie l'orthodoxie thérapeutique en matière de maladies mentales, que son fondateur, Sigmund Freud, fut contraint de mener un combat acharné pour faire admettre les idées hautement non conformistes qu'il professait. Son ouvrage intituél *Interpretation of Dreams* (*l'Interprétation des rêves*), daté de 1900, fut publié le 4 novembre 1899, mais il fallut huit ans pour en épuiser un premier et modeste tirage de 600 exemplaires. Alors qu'une seconde édition était enfin sous presse, Freud lança cette remarque caustique : « Les psychiatres, mes confrères, ne semblent pas s'être donné la moindre peine pour surmonter la méfiance initiale que ma nouvelle conception du rêve a suscité chez eux. »

Il lui fallut donc une somme considérable de courage pour oser faire preuve d'encore plus de non-conformisme quand il s'attaqua à un sujet qui devait fatalement éveiller une méfiance accrue : les rêves paranormaux. On ne saurait dire que Freud aborda ce domaine avec le zèle d'un croyant. Ce fut au début avec une attitude sceptique et ambiguë, ou même hostile, qu'il en vint à ce qu'il appelait l' « occulte ». Dans la *Psychopathologie de la vie quotidienne* (1904), il cite plusieurs expériences pseudo-paranormales, et en conclut que toutes les expériences réputées paranormales sont pareillement explicables.

C'est ainsi que, peu de temps après que lui eut été conféré

son titre de professeur, alors qu'il marchait dans une rue, Freud s'abandonna à un « fantasme de vengeance enfantin » à l'endroit d'un couple dont il estimait qu'il lui avait manqué de respect. Il s'imaginait répondre moqueusement à l'homme et à la femme qui le suppliaient de s'occuper d'un cas : « Maintenant que je suis professeur, vous avez confiance en moi. Ce titre n'a rien changé à mes aptitudes. Si je ne vous intéressais pas quand j'étais assistant, vous n'avez qu'à vous débrouiller sans moi à présent... » [1]

A ce moment, un sonore « Bonjour, monsieur le professeur » interrompit sa rêverie : c'était le couple sur lequel il exerçait ces représailles imaginaires. D'abord étonné, Freud ne tarda pas à se rendre compte qu'il avait dû remarquer inconsciemment que le couple venait à sa rencontre, et que c'était précisément cela qui avait déclenché le fantasme. Cet incident survint apparemment en 1902, un an avant la publication de l'ouvrage de F.W.H. Myers, *Human Personality,* où les expériences pseudo-paranormales de ce genre étaient définies comme une catégorie de phénomènes de perception subliminale.

Ses thèses psychanalytiques gagnant du terrain, Freud commença à pousser plus avant ses incursions dans l' « occulte », encore que ses sentiments sur ce sujet demeurassent placés sous le signe de l'ambivalence. Il fit état de ses opinions partagées dans une étude intitulée *Psychanalyse et Télépathie,* qu'il prépara en 1921, mais qui ne fut publiée qu'en 1941, deux ans après sa mort, et dans laquelle on lit :

Il est probable que l'étude des phénomènes occultes aboutira à faire admettre que quelques-uns... sont réels. Mais il est vraisemblable également que beaucoup de temps s'écoulera avant que l'on puisse formuler une théorie acceptable rendant compte de ces faits nouveaux... Personnellement, ma position... reste hésitante et ambivalente. [2]

On découvre, dans le texte d'une communication rédigée en termes plus circonspects et que Freud présenta en 1921 devant le congrès international de psychanalyse [3], l'une des raisons fondamentales de sa répugnance à admettre les rêves télépathiques : il n'en avait jamais eu lui-même. Néanmoins, il s'intéressa à cette possibilité lorsqu'il eut connaissance d'un cas où il

semblait que ses théories psychanalytiques pussent s'appliquer :
la télépathie dans les rêves accuse en effet des distorsions très
voisines de celles que subit le matériel des rêves ordinaires.
Un homme d'âge mûr lui écrivit qu'il avait rêvé — de façon
très précise — que sa femme donnait naissance à des jumeaux.
Peu de temps après, il avait reçu un télégramme de son gendre
lui annonçant que, la nuit même où il avait fait ce rêve, sa
fille avait accouché de jumeaux. C'était une naissance préma-
turée ; elle se produisait avec un mois d'avance, et l'on n'attendait qu'un seul bébé.

Ce qui éveilla la curiosité de Freud, c'était la substitution de
l'épouse à la fille dans ce rêve. Selon l'interprétation psychanalytique, l'amour du père pour sa fille, poussé jusqu'à sa conclusion érotique par l'inconscient, est refoulé hors du conscient. La
femme se substitue donc à la *fille* pour que l'épisode puisse
être accepté par la conscience du rêveur.

« Dans notre exemple, dit Freud, la manière dont le message, avec l'aide d'un désir refoulé latent, se remanie pour
réaliser le souhait, est évidente. »

Le dépistage d'éléments télépathiques dans les rêves conduisit
Freud à considérer comme un « fait incontestable » que « le
sommeil crée des conditions favorables à la télépathie », point
de vue que l'examen de cas d'ESP spontanée vient confirmer.
Plus tard, Freud émettra l'hypothèse que la télépathie :

pourrait être la méthode archaïque originelle grâce à laquelle
les individus se comprenaient les uns les autres, et qui a été
repoussée à l'arrière-plan au cours de l'évolution phylogénétique
(développement de l'espèce) sous la pression d'un meilleur moyen
de communication fondé sur l'appréhension de signaux par les
organes sensoriels. Mais de tels moyens, plus anciens, peuvent
avoir subsisté en arrière-plan et se manifester encore sous certaines conditions... [4]

Interrogé en 1935, trois ans avant sa mort survenue à l'âge
de quatre-vingt deux ans, par l'écrivain hongrois Cornélius
Tabori qui lui demandait ce qu'il pensait des phénomènes paranormaux, Freud répondit : « La transmission de pensée, la possibilité de percevoir le passé ou l'avenir ne peut pas être simplement accidentelle. Certains, ajouta-t-il en souriant, disent que je

suis devenu crédule en vieillissant. Non... je ne le crois pas. J'ai simplement appris tout au long de ma vie à accepter les faits nouveaux avec humilité et bonne grâce [5]. »

Récapitulant la contribution de Freud à la parapsychologie, le psychiatre et parapsychologue contemporain Jule Eisenbud écrit : « L'un des plus grands progrès — le plus grand, à mon sens — dans l'étude de la télépathie et des phénomènes associés, est intervenu quand Freud a fait cette simple observation que la psychanalyse était capable de démasquer un événement télépathique qui, autrement, n'aurait pu être reconnu comme tel. [6] »

Le Dr Sandor Ferenczi, l'un des disciples préférés de Freud, et qui partageait l'intérêt que celui-ci portait à l' « occulte », entretint avec le maître une longue correspondance traitant de différentes aventures psychiques. Son exécutieur testamentaire littéraire, le Dr Michael Balint, révéla à feu Nandor Fodor l'une des expériences que Ferenczi avait classées sous la rubrique « ESP et psychanalyse » :

Une fois, je crois que ce devait être avant 1914, Ferenczi fut en butte à un clairvoyant qui le harcelait pour qu'il fasse des essais avec lui. Après avoir un peu résisté, Ferenczi accepta. Il fut convenu qu'à un moment donné, immédiatement après le déjeuner, il se concentrerait sur quelque chose, et que le clairvoyant lirait dans ses pensées.

En arrivant à l'heure dite à son cabinet, Ferenczi prit une statuette figurant un éléphant, et il s'étendit dix à quinze minutes sur son divan en la serrant entre ses mains.

Quelques minutes plus tard, son ami Robert Barany (Bereny) lui téléphona pour lui dire qu'il avait fait un rêve terrifiant : Ferenczi se battait dans la jungle avec toutes sortes d'animaux sauvages, dont un éléphant.

La lettre du clairvoyant, qui arriva par la suite, contenait les pires sornettes. [7]

Bien que ce compte rendu de seconde main soit irrecevable en tant que preuve scientifique, on peut imaginer la réaction qu'eut probablement Freud lorsque Ferenczi lui en fit part. Les éléphants sont rares en Hongrie — particulièrement les éléphants oniriques en train de mettre un Ferenczi à mal, juste après l'heure du déjeuner ! L'échec du clairvoyant et le succès télépathique obtenu, sans qu'il l'ait cherché, par l'ami de Ferenczi, confirment un élément qui se retrouve constamment dans les recherches psychiques : ce sont souvent les résultats inattendus qui sont les plus intéressants.

Peu d'incidents imprévus eurent plus d'influence que certaines mystérieuses détonations qui retentirent en 1909 et furent le signal de la rupture entre Freud et son disciple, Carl G. Jung. Une vive discussion à propos des phénomènes paranormaux, en particulier de la précognition, que Freud rejetait avec véhémence, opposait alors les deux hommes. Soudain, un bruit violent, provenant d'une bibliothèque toute proche, les alarma. Jung prétendit que c'était là un exemple de « phénomène dit d'extériorisation catalytique ». Balivernes, rétorqua Freud. Mais à peine Jung eut-il prédit que la chose allait se reproduire, qu'une autre détonation résonna, à la stupéfaction de son interlocuteur.

Jung pensait que ce phénomène psychokinétique * avait été déclenché en lui par l'archétype du fils rompant avec le père ou, en l'occurrence, de l'élève rompant avec le maître. Il appela cette classe de phénomènes inexplicables *synchronicité*. A ses yeux, les événements paranormaux, physiques aussi bien que mentaux, se satellisent autour de telles situations archétypes à forte charge émotionnelle. Jung donne, dans son essai *La Synchronicité, principe de liaison acausal* (1952), des exemples de rêves à la fois prophétiques et télépathiques, survenant dans ces conditions.

Une personne de ma connaissance, écrit Jung, a rêvé de la mort soudaine d'un ami, avec tous les détails caractéristiques. A l'époque, le rêveur était en Europe et l'ami en Amérique. La mort fut confirmée le lendemain par télégramme et les détails par lettre, dix jours plus tard. La comparaison des fuseaux horaires montra que le décès était intervenu au moins une heure avant le rêve. Le rêveur s'était couché tard, et ne s'était pas endormi avant une heure du matin environ. Le décès survint à peu près une heure plus tard. *Il n'y a pas eu ici synchronisme* entre la vision onirique et la mort. Des rêves de ce genre ont fréquemment lieu un peu avant ou après le moment critique [8].

* Déplacement d'objets en l'absence d'agents physiques connus. (N.D.A.)

Cette observation de Jung, selon laquelle le fait télépathique présente fréquemment un décalage dans le temps — l'expérience ayant lieu juste avant ou juste après l'événement — est étayée par les cas de rêves spontanés recueillis par les parapsychologues. Il est à noter que Freud admettait que les rêves télépathiques sont généralement postérieurs à l'événement, et surgissent dans la conscience après une période dite de latence. Toutefois, il niait catégoriquement cette observation également vérifiée : de tels rêves se produisent souvent juste avant le fait réel. L'idée de précognition éveillait chez lui une si grande aversion et un si vif agacement, qu'il lui arrivait fréquemment de citer dans ses conférences des cas de prophéties clairvoyantes qui s'étaient révélées erronées, ou de rêves apparemment divinatoires engendrés, en réalité, par un souvenir inconscient.

Jung, en revanche, avait eu lui-même, semble-t-il, des rêves prémonitoires, et ce serait trop peu que de dire qu'il était ouvert à cet aspect énigmatique de l'ESP.

Dans tous les cas, qu'il s'agisse d'ESP spatiale ou temporelle, écrit-il, on constate qu'il y a simultanéité entre l'état normal ou ordinaire, et une autre condition ou une autre expérience, qui ne peuvent être causalement dérivées du premier. Leur réalité objective n'est qu'ultérieurement vérifiée. On doit garder cette définition présente à l'esprit, tout particulièrement quand il est question d'événements futurs. A l'évidence, ils ne sont pas synchrones, mais *synchronistiques,* puisqu'ils sont perçus comme des images psychiques *présentes,* comme si l'événement objectif existait déjà. [9]

Pleinement conscient des obstacles logiques que soulevait son argumentation, Jung ajoutait que, dans tous ces cas, il semble qu'il y ait une connaissance *a priori,* causalement inexplicable, d'une situation à ce moment inconnaissable. La synchronicité comporte donc deux éléments : a) une image inconsciente, qui envahit le conscient, soit directement (c'est-à-dire littéralement), soit indirectement (de façon symbolique ou suggérée), sous la forme d'un rêve, d'une idée ou d'une prémonition ; b) une situation objective, qui coïncide avec ce contenu. Chacun de ces facteurs est aussi déroutant que l'autre. Comment l'image inconsciente se manifeste-t-elle ? Et de quelle façon la coïncidence se produit-elle ? Je ne comprends que trop bien pourquoi les gens préfèrent douter de la réalité de ces choses. [10]

Bien qu'il eût élaboré son hypothèse de la synchronicité depuis longtemps, Jung ne publia ses thèses sur les phénomènes de perception extra-sensorielle qu'au début des années 1950. Aussi ne remporta-t-elle guère d'adhésion, hormis celle des adeptes de l'école de psychiatrie jungienne. Un de ses représentants, le psychiatre jungien M.L. von Franz, nous montre par cet exemple comment on peut utiliser cette théorie :

Une femme qui présentait un puissant complexe de supériorité, associé à une attitude « dévorante » envers autrui, avait rêvé qu'elle voyait trois tigres menaçants accroupis devant elle. Son analyste interpréta ce rêve en essayant, à l'aide d'arguments qui remontaient à la cause, de faire comprendre à sa patiente l'attitude dévorante qu'elle manifestait. Un peu plus tard, le même jour, accompagnée d'une amie, elle se promenait au bord du lac de Zurich. Toutes deux remarquèrent qu'une foule de gens contemplaient trois tigres enfermés dans une grange : c'étaient là des occupants peu ordinaires pour un bâtiment suisse [11] !

Les trois tigres se trouvaient là parce qu'un cirque faisait étape dans la ville. Cependant, comme Franz le souligne, « la coïncidence hautement improbable entre les tigres intérieurs et les tigres extérieurs dans la vie de cette femme... lui fit inévitablement l'effet d'être " plus qu'un simple hasard ", d'être " signifiante " ». C'est-à-dire qu'il y avait synchronicité. Nous pouvons imaginer que la patiente dut prendre conscience de l'interprétation faite par l'analyste de son « attitude dévorante », lorsqu'elle se trouva face à face avec les tigres, les symboles de son rêve devenus réels. Bien entendu, un parapsychologue aurait simplement classé cet incident dans la catégorie des rêves précognitifs — explication à laquelle l'analyste n'a apparemment pas songé.

Toutefois, devant une pareille correspondance entre le rêve et l'événement, on est frappé par la relation signifiante qui relie l'état psychique intérieur du percipient et l'événement objectif faisant office de symbole rêvé. Au lieu d'être choisie au hasard, il semble que la scène paranormalement perçue soit déterminée par les besoins profonds du percipient, et reflète des angoisses et des conflits émotionnels. Jung aurait employé l'expression de « situation archétypique ».

Et Alfred Adler, sans doute, celle de « balivernes ». Le troisième père de la psychanalyse accordait une importance considérable à la constellation sociale, qu'il mettait en rapport avec la psychopathologie individuelle. Pour lui, les événements paranormaux étaient à fourrer dans le même sac que la superstition et le mysticisme, voire l'auto-illusion et la fraude. Il raillait ceux qui les prenaient au sérieux, car ce « folklore crédule » faisait obstacle à une approche réaliste des problèmes de la vie.

Pour la psychanalyse traditionnelle, les symboles dont on rêve proviennent de choses vues et vécues dans le passé. Qu'ils puissent aussi découler d'expériences futures ou encore propres à quelqu'un d'autre, c'est là une thèse qui n'est acceptée que par une faible minorité d'analystes. Mais c'est vers cette minorité que nous nous tournerons pour trouver des exemples de télépathie en situation analytique, d'ESP sur le divan.

La psychanalyse freudienne est capable de produire des situations extraordinairement explosives. Les patients peuvent se sentir menacés, violentés, vindicatifs, aimés, et ils manifestent souvent des sentiments d'une véhémence outrée envers l'analyste. Geraldine Pederson-Krag, une patiente chez laquelle avait été discerné ce symptôme freudien, l' « envie du pénis », essaya de montrer dans un rêve à son analyste, semble-t-il, ses frustrations :

Je rêvais que je recevais des gens à dîner... Je ne savais plus à quel saint me vouer. Un homme méchant et brutal associé à mon père était là. Il y avait beaucoup d'invités. Je m'aperçus que je n'avais pas mis le couvert. Il manquait au moins une rallonge centrale à la table, et je la remplaçai par un plateau. *Je mis les couteaux, les fourchettes, etc., sur ce plateau. L'argenterie était en désordre. Y en aurait-il assez ?* L'homme méchant et important regardait ma table avec dédain.

Les associations de la patiente étaient les suivantes : « La table avec le plateau entre deux rallonges ressemblait aux bacs à lessive de la maison de mon enfance. On plaçait toujours mes cadeaux de Noël dans celui du milieu. Je voulais un arbre de Noël, mais je n'en ai jamais eu. *Je ne sais pas pourquoi je me tracassais pour l'argenterie. J'en ai plusieurs services, plus que je ne peux en utiliser* [12]. »

Selon le commentaire de l'analyste, la puissante envie de pénis de la patiente se « manifestait par le désir, jamais satisfait, d'avoir un arbre de Noël, par la rallonge manquante au milieu de la table, et par le sentiment que l'homme représentatif du père la méprisait parce qu'elle n'était pas prête. Par le transfert, elle s'identifiait à moi-même, bien que tout rapport entre nous fût dénié... ».

L'analyste était seule à savoir qu'il y avait effectivement un rapport entre elle et le rêve de sa patiente. La veille, elle avait invité quelques amis à dîner chez elle, mais elle s'était inquiétée de son manque d'argenterie. Elle s'était inquiétée de savoir s'il valait mieux remplacer sa coûteuse argenterie ou se « servir de couverts de qualité inférieure ». Ce problème l'avait tourmentée plus que de raison.

Il semble que ce rêve télépathique, qui reproduisait une situation précise, était presque une réfutation du diagnostic : les associations de la patiente paraissaient signifier : « Je n'aurai peut-être jamais d'arbre de Noël (de pénis), mais, en tout cas, je n'ai pas à m'inquiéter comme vous de ne pas avoir assez d'argenterie. Et voilà. »

Le Dr Pederson-Krag rapporte aussi des rêves d'autres patients qui épient sa vie privée dans leurs songes. L'un d'eux rêva une nuit qu'il amenait sa fille dîner dehors. *Elle mangea pour environ sept dollars, alors que son repas lui coûta seulement deux dollars.* Il était assez furieux, mais il se tut.

Nous ignorons si le Dr Pederson-Krag rougit ou verdit quand son patient lui relata ce rêve, mais elle indique ce qu'elle avait fait ce soir-là : « Nous rencontrâmes, mes enfants et moi, un confrère au restaurant. Il voulait payer pour tout le monde. J'insistai pour régler ma part, qui revint à un peu plus de six dollars, alors que la sienne ne fut que de deux dollars. Je trouvai cette situation déplaisante, du fait de certaines implications que j'oubliai bientôt. »

L'analyste soulignait que les rêves de ce sujet reflétaient souvent sa frustration : il était déçu que les femmes ne lui accordassent pas assez. « Dans chacun de ses rêves, il utilisait telle ou telle émotion refoulée qui m'agitait alors, pour dévoiler un sentiment qu'il niait habituellement. » Là encore, le patient paraissait trouver sournoisement le moyen d'embarrasser l'analyste — ou sa revanche par l'ESP !

Le Dr Pederson-Krag observa que de tels rêves se produisaient surtout quand elle ressentait un « désir légèrement refoulé » de déceler justement des rêves télépathiques. Les rêves de ses patients étaient liés pour la plupart à des situations désagréables, et par là censurées, de la vie personnelle de l'analyste qui se mêlaient (*dovetailed*) aux angoisses qu'elle éprouvait elle-même. Il est caractéristique, enfin, que « ces incidents interviennent dans les rêves de mes patients au moment exact où je m'efforçais de les éviter ».

Les exemples de télépathie onirique cités par le Dr Pederson-Krag entre elle-même et ses clients paraissent fort directs. Cependant, deux autres psychanalystes ouverts à la parapsychologie, Nandor Fodor et Jule Eisenbud ont évoqué des possibilités de corrélations plus élaborées et plus complexes entre le rêve et l'événement. L'itinéraire du premier l'avait fait successivement passer du journalisme au spiritisme, en passant par la recherche psychique, avant d'aboutir à la psychanalyse. Pour apprécier pleinement les développements hardis et la subtilité de ses interprétations des rapports freudiens par le truchement du rêve télépathique, il faut lire ses propres comptes rendus [13]. Toutefois, il convient pour cela d'être soi-même un psychanalyste d'obédience freudienne. Car, autrement, ce labyrinthe de symboles, qui mettent en cause la sexualité refoulée, combiné à l'interprétation mystique des nombres, risque d'être difficile à suivre, et de ne pas emporter l'adhésion.

Pour se faire une idée plus juste de la magistrale contribution de Jule Eisenbud à la télépathie onirique, il ne me sied pas, non plus, d'avoir une optique freudienne. Mais cela ne suffit pas pour s'assurer de la conversion du lecteur à la télépathie. A la fin de 1940, et pendant plusieurs années, la « controverse Eisenbud-Pederson-Krag-Fodor-Elis » [14] fit rage dans les publications psychanalytiques. Le « Ellis » en question n'est autre que le Dr Albert Ellis, psychologue bien connu, et qui niait la télépathie, onirique ou pas. Il attaqua les conclusions du groupe pro-télépathie en arguant que ces auteurs témoignaient déjà d'un préjugé favorable à l'endroit de l'hypothèse ESP, qu'ils pouvaient peut-être avoir mis leurs patients sur la piste d'un thème onirique, et que des coïncidences fortuites expliquaient les correspondances bizarres entre les rêves et les événements.

Reprenant à son compte les objections de Cicéron, Ellis s'élevait contre :

l'emploi de techniques de recherche et de méthodes d'observation inadéquates, incontrôlées... L'hypothèse d'un fait télépathique, expliquant les séquences rêvées et relevant de la coïncidence, que l'on mentionne, n'en est qu'une parmi d'autres, également (ou plus) plausibles. Les enchaînements télépathiques *pourraient* être le résultat d'un traitement psychanalytique ; mais aucune preuve *scientifique* venant étayer cette théorie n'a été proposée jusqu'ici [15].

Une chose gênait tout particulièrement Ellis : la plupart des rêves dits télépathiques ne se produisaient pas simultanément. Eisenbud citait l'exemple de deux patients qui lui avaient relaté des rêves d'une similitude frappante : une personne surprise par une averse allait s'abriter dans un château dans un cas, dans une cabane dans l'autre. Un seul point commun entre les sujets : ils avaient l'un et l'autre le Dr Eisenbud comme analyste. Ils ne s'étaient jamais rencontrés et leurs rêves avaient eu lieu à une nuit d'écart. La coïncidence particulièrement étrange qu'Eisenbud avait notée était que le nom du premier patient était presque le même que celui de la personne qui cherchait un abri dans le rêve du second, quelque chose comme Selma ou Selda.

Télépathie, affirmait Eisenbud. Coïncidence due au hasard, rétorquait Ellis. Un analyste jungien aurait sans aucun doute parlé de coïncidence *signifiante* ou de *synchronicité*.

Alors qu'Eisenbud mettait la dernière main à sa réfutation des arguments d'Ellis, un autre patient lui rapporta un rêve où revenait le thème de la pluie. Dans une importante analyse, Eisenbud montre combien le contenu latent de ce rêve (les pensées dissimulées derrière les symboles) correspondait à sa vie privée et faisait partiellement intervenir le conflit qui l'opposait à Ellis.

Après la publication de cette riposte, Ellis répliqua à son tour par une *Réanalyse d'un prétendu rêve télépathique*. Reprenant l'exemple du rêve du patient d'Eisenbud, il montrait, en employant une technique identique, que le même rêve correspondait : a) à sa propre vie ; b) à la vie du patient d'un autre analyste ; et c) à celle du héros d'un roman récent. Etait-ce « le quadruple phénomène de télépathie le plus stupéfiant, le plus colossal, le plus miraculeux de tous les temps » ? Ellis ne le pensait pas.

Cependant, l'explication qu'il apportait, à savoir que l'on avait affaire à une coïncidence due au hasard, n'emporte pas la conviction. Jusqu'à quel point peut-on user et abuser du « hasard » pour expliquer une coïncidence signifiante ? C'est là un paramètre que l'on ne peut vraisemblablement pas calculer. Pour certains, les exemples cités par Ellis tendraient à confirmer l'hypothèse jungienne de la synchronicité — une constellation complexe de coïncidences probantes groupées autour d'une situation émotionnelle. Le plus singulier, assurément, est qu'Ellis semblait avoir vécu une expérience similaire non seulement à celle d'Eisenbud, mais aussi à celle du patient du troisième analyste, et même, en un sens, à celle du héros du roman. Aussi, avec une rectification adroite, Jung aurait-il peut-être parlé de « phénomène de *synchronicité* quadruple ».

Mais, à cette date, vers la fin des années 1940, il n'avait pas encore inventé ce terme. Sinon, il aurait pu l'utiliser pour décrire les coïncidences insolites qui commençaient à faire tache d'huile au sein d'un petit groupe de psychiatres, que les éléments paranormaux des rêves de leurs patients intéressaient. Tout se passait comme si, dès que l'on envisageait la possibilité des rêves télépathiques, les patients s'empressaient d'en relater. A la demande du Dr Gardner Murphy, alors vice-président de l'American Society for Psychical Research (ASPR), cette société créa en 1948 une section médicale, spécialement chargée d'étudier ces phénomènes. Elle se réunissait une fois par mois pour faire le point sur les faits paranormaux enregistrés dans le cadre psychanalytique, et discuter des découvertes ainsi faites à la lumière de la psychiatrie. Le groupe de New York, qui poursuivit ses travaux jusqu'en 1954, comptait, entre autres, parmi ses membres, les docteurs Jan Ehrenwald, Jule Eisenbud, Montague Ullman, Robert Laidlaw, Geraldine Pederson-Krag, Joost Merloo et Gothard Booth.

Etant l'un des principaux matériels du psychanalyste, les

rêves tenaient la première place dans les discussions. Dans son livre *Telepathy and Medical Psychology* (1947), Jan Ehrenwald montrait comment la télépathie était assujettie aux mêmes lois psychologiques que celles qui régissent les rêves et les symptômes névrotiques. Puisant dans un fonds très riche d'expérience neurologique et psychiatrique, il y décrivait avec un grand luxe de détails convaincants nombre d'échanges télépathiques soigneusement observés entre les patients et le médecin par le canal des rêves des premiers. Ehrenwald notait que les manifestations télépathiques étaient parfois conditionnées par un amoindrissement fonctionnel *(minus function)* chez le patient, c'est-à-dire une anomalie ou une déficience comme la cécité ou la surdité. Il notait aussi la curieuse « contagion émotionnelle » des effets télépathiques, la façon dont les échanges d'ESP faisaient boule de neige et touchaient un ensemble toujours plus large d'événements et d'individus émotionnellement liés.

Le même auteur apporte dans *New Dimensions of Deep Analysis* (1954) des éclaircissements sur les rapports entre la télépathie et diverses écoles d'interprétation des rêves.

Lorsqu'un patient traité par un analyste freudien, adlérien ou jungien, dit-il, rêve qu'on lui a volé son automobile, le contenu manifeste de son rêve est de toute évidence culturellement déterminé... L'interprétation d'un tel rêve en termes de peur de la castration, de complexes d'infériorité, etc., relève pour une large part du parti pris personnel de l'analyste. En dernier ressort, il est peut-être impossible de parvenir à un accord unanime sur la signification « réelle » d'un rêve de ce genre.

Toutefois, le vrai contact télépathique [entre l'analyste et le patient] se situe au-delà du conditionnement culturel. Par exemple, à certains moments correspondant aux recherches personnelles de Jung, ses patients semblaient lui apporter des preuves abondantes de capacités accrues et d'hyperfonctions singulières de l'inconscient. Parfois, (leurs rêves) contenaient de grandioses allusions à l'Egypte et à l'Assyrie antiques, ou à des textes hindous. D'autres fois, ils paraissaient corroborer les chimères des astrologues et des alchimistes du Moyen Age. Aucun analyste freudien ou adlérien, que l'on sache, n'a jamais fait état d'un matériel de ce genre. Or, j'ai moi aussi remarqué des changements particuliers dans l'imagerie onirique de mes propres patients, liés à différentes phases de mes travaux analytiques. Ces modifications s'avéraient largement déterminées par l'intérêt que je portais au matériel onirique sur lequel travaillaient diverses écoles analytiques. Les conséquences télépathiques manifestes de l'attention plus récente que j'accorde au problème de la télépathie sont amplement démontrées (antérieurement dans le même ouvrage) [16].

Avant d'examiner les cas du Dr Ehrenwald, notons un point très important. Si l'analyste est freudien, son patient tendra à rêver en termes de symboles freudiens. S'il est jungien, le sien rêvera de symboles archétypiques jungiens. Et si, comme le suggère Ehrenwald, il s'occupe de perception extra-sensorielle, son patient pourra, complaisamment, faire des rêves télépathiques. Ainsi, il semble que la sensibilisation de l'analyste à la télépathie soit un important facteur de production de tels rêves chez ses clients. Cela explique peut-être pourquoi ceux du Dr Ellis s'abstenaient de rêver ainsi. Ellis objecterait peut-être qu'Ehrenwald incitait verbalement ses patients à lui présenter des rêves touchant à sa vie personnelle. Mais, au contraire, Ehrenwald n'aborde avec eux le problème de la télépathie qu'avec la plus grande circonspection.

Une certaine « Ruth » lui rapporta le 10 mars 1948 cette visite faite en songe d'un appartement inconnu :

... Il comprenait un grand et beau salon, bien proportionné, spacieux et haut de plafond, donnant sur une jolie terrasse baignée de soleil. Elle était longue. Elle s'étirait sur toute la façade de l'immeuble... une quinzaine de mètres. Il y avait un mur de briques, et le plancher était constitué de lames de parquet séparées par des rainures. Il n'y avait pas beaucoup de meubles dans la pièce, moins qu'il y en aurait eu si on l'avait soi-même décoré. On n'y trouvait pas de moquette, rien que des tapis orientaux, dont un grand au milieu aux motifs identiques à celui que vous avez dans votre cabinet. Il y avait d'autres tapis plus petits au fond. Mais ils ne couvraient qu'une partie du plancher, dont une importante surface restait nue. Le mobilier comportait aussi quelques sièges d'acajou et une cheminée. Une porte et deux fenêtres à la française s'ouvraient sur la terrasse. Un petit hall défraîchi conduisait à la chambre à coucher et à une salle de bains. J'ai pensé que c'était un appartement que j'aimerais habiter, sauf qu'il n'y avait ni chambre de bonne ni salle de bains supplémentaire... [17].

Ruth ne disait pas grand-chose du loyer, mais c'était à peu près le seul détail qui manquait à sa description de l'appartement où Ehrenwald avait emménagé pas plus tard que la semaine précédente. Le soir du rêve, il faisait fièrement faire le tour du propriétaire à quelques proches, chose dont Ruth ne pouvait avoir eu connaissance par des moyens ordinaires. Ehrenwald nota treize points de concordance entre l'appartement du rêve et le sien, depuis le salon spacieux et haut de plafond, les portes et les fenêtres à la française et la grande terrasse jusqu'à la regrettable absence d'une chambre de bonne et d'une autre salle de bains.

Ses rêves antérieurs permettaient peut-être de se faire une vague idée du stimulus inconscient qui fit accomplir un pareil tour de force télépathique à Ruth : « Vous étiez contrarié de ce que je ne faisais pas suffisamment d'efforts. J'avais peur que vous ne m'abandonniez, en me disant qu'il fallait que j'arrête, et que continuer de venir ne serait qu'une perte de temps et d'argent. »

Ruth démontrait de la sorte à un psychiatre que fascinait l'idée de la télépathie qu'elle pouvait rendre des points à tous les télépathes — et il y avait peu de risque que Ehrenwald laissât tomber une super-vedette du rêve télépathique. Dans son analyse, Ehrenwald faisait observer que si l'on ne faisait pas entrer « son origine télépathique en ligne de compte, une grande partie du rêve demeurait incompréhensible ». Néanmoins, avec la prudence qui le caractérisait, il ne dit pas à Ruth que c'était son propre appartement qu'elle vit en songe.

Quand un autre patient lui relata un peu plus tard une expérience similaire, Ehrenwald voulut vérifier à titre d'épreuve si le sujet était capable de reconnaître le lieu de son rêve. C'était un homme d'âge mûr, qui entamait la seconde semaine de son traitement. Voici le rêve qu'il avait fait un lundi matin :

Je marchais le long d'un canal. Il était tout à fait rectiligne, et il y avait des barrages des deux côtés. Il ressemblait à un lac. Deux femmes et un petit garçon de cinq ans environ se promenaient avec moi. Puis j'essayais de téléphoner à quelqu'un, je ne sais pas qui, car la communication fut coupée. Mais je trouvai les fils, les raccordai et pus la rétablir. Ensuite, je faisais le tour d'un square large comme plusieurs pâtés de maisons. Je crus distinguer au loin quelque chose comme la Tour Eiffel et les Champs-Elysées. Le sol du barrage faisait penser à de la terre fraîchement labourée, mais non arable. Tout le terrain était constitué d'une succession de creux et de bosses à l'infini, comme des dunes en bord de mer, ou le sable du désert. [18]

Il n'y avait pas eu de Tour Eiffel dans la vie d'Ehrenwald le dimanche précédant la vision mais, chose fort bizarre, il y avait des « Champs-Elysées » dans la campagne de Queens. Il écrit :

Il se trouva que, dans la matinée du dimanche, avant le rêve, j'avais emmené ma femme et ma fille se promener dans le quartier. Nous voulions voir de près ce que nous avions coutume d'appeler nos Champs-Elysées privés, c'est-à-dire une zone boisée, située derrière la partie périphérique de Queens Boulevard où l'on devait construire une nouvelle route desservant l'aéroport d'Idlewild. D'énormes monticules de terre se dressaient sur la colline... Quand le regard s'abaissait pour contempler la partie nivelée du terrain où les eaux de pluie s'étaient accumulées, on avait effectivement l'impression d'un barrage en cours d'édification. Les monceaux de terre arrachés par les bulldozers avaient la couleur du sable. Quittant notre « barrage », nous poursuivîmes notre promenade en longeant le cimetière attenant de Maplegrove, dont la superficie est celle de plusieurs pâtés de maisons ; puis nous rentrâmes. En reportant notre itinéraire sur un plan du quartier, on obtiendrait un rectangle d'environ 2,5 km². Je pourrais peut-être citer également le grand château d'eau qui s'élevait sur le bord opposé du « barrage » [19].

En identifiant les éléments « traceurs » ou manifestes, d'origine télépathique, Ehrenwald suggère que le petit garçon de la vision onirique était le rêveur lui-même, car ce dernier avait associé au rêve les promenades qu'il faisait en famille dans son enfance. Et nous savons naturellement qui étaient l'homme adulte et les deux femmes. L'identification du château d'eau avec la Tour Eiffel paraît évidente, une fois que l'on est remis du choc provoqué par la stupéfiante correspondance entre les deux « Champs-Elysées ». Ehrenwald ne parla pas de sa promenade dominicale à son patient, mais, quelque temps après, il montra à ce dernier dix photographies de paysage, dont celle du « barrage ». Quand il lui demanda si l'un de ces clichés lui rappelait un rêve récent, le patient désigna celle du « barrage », sans se rendre compte que c'était là une preuve du phénomène télépathique.

Le seul élément déconcertant de l'imagerie de ce rêve est l'épisode où le rêveur cherche un téléphone, s'aperçoit que les fils sont coupés, et les raccorde pour « rétablir la communication ». Mais ce symbolisme n'avait rien de mystérieux pour les membres de la commission médicale de l'ASPR. Plus précisément, Jule Eisenbud avait souligné que l'action de téléphoner, comme tout autre emblème de communication indirecte ou inhabituelle, était souvent le symbole de la transmission télépathique. Et il n'est guère douteux que, dans ce cas, le rêveur avait bien « établi la communication ».

La manière dont le rêveur réalise la transmission télépathique varie non seulement avec le sujet, mais aussi avec le psychiatre. Chacun semble avoir son propre mode d'interaction télépathique, qui est fonction de l'école d'analyse à laquelle il adhère, ainsi que le note Ehrenwald, mais aussi, plus spécifiquement, de ses centres d'intérêt personnels.

Jule Eisenbud, qui utilise les techniques freudiennes d'interprétation des rêves, a sans aucun doute enrichi plus que tout autre psychiatre la littérature parapsychologique en fournissant de nombreux rêves paranormaux. Leurs thèmes fréquemment sexuels sont compliqués, mais le livre d'Eisenbud, *Psi and Psychoanalysis,* ne risque guère d'ennuyer le lecteur.

Eisenbud a démontré que l'on peut effectivement appliquer l'hypothèse de la télépathie onirique dans une situation psychanalytique donnée, pour accélérer la guérison du malade. Dans l'un des exemples cités, une patiente raconte un rêve qui semble relié à celui qu'une autre de ses clientes lui avait relaté la veille. Les deux femmes ne s'étaient jamais rencontrées. Mais lorsqu'Eisenbud rapporta à la seconde le rêve de la première

— dont l'un des éléments, un vol de maïs non comestible, était étrangement associé à l'impuissance d'un premier mari —, elle put se débarrasser d'un blocage de longue date, en se rappelant un événement censuré, où intervenait justement un vol de maïs non comestible et l'impuissance de son premier mari.

Comment les patients réagissent-ils devant ce matériel d'origine psi* ?

Ils tendent à répondre, dit Eisenbud, en manifestant les signes, bien connus, qui attestent l'exactitude de l'explication — le rire, une animation joyeuse, l'étonnement, la disparition d'un symptôme ou d'une résistance et la libération de nouveaux matériels —, et que l'on retrouve de manière caractéristique dans le cas d'une interprétation ordinaire réussie. On peut constater parfois une légère accentuation de la crainte que provoquent l'omnipotence et l'omniprésence de l'inconscient. Mais je n'ai jamais vu de patients présenter de signes d'anxiété consécutifs à une interprétation s'appuyant sur l'hypothèse psi, ou à la propension de l'analyste à penser en ces termes [20].

Ce sentiment d'effroi caractéristique qu'éprouve une personne confrontée à des coïncidences extraordinaires et signifiantes, Jung l'a baptisé « numinosité » (du latin *numen* : volonté divine). C'est cette numinosité, donc, qui impressionne le patient en face de la corrélation révélatrice que présentent son rêve et la réalité extérieure. L'impact émotionnel de cette « volonté divine » grave de façon indélébile l'expérience dans sa conscience, et il prend très à cœur le message contenu dans le rêve. Sans s'attarder trop longtemps, sans doute, à se demander avec perplexité *comment* cela s'est produit.

L'hypothèse télépathique traditionnelle finit par être poussée trop loin dans nombre des cas cités par Eisenbud. Lorsque des patients qui ne se sont jamais vus ont, à plusieurs jours de distance, des rêves qui s'imbriquent, et que ces rêves ne deviennent signifiants que quand on en fait part au trait d'union, à savoir le psychiatre, on commence à se demander qui, au juste, envoie des messages télépathiques à qui.

De telles expériences indiquent peut-être que psi est extraor-

* Lettre grecque utilisée pour désigner globalement tous les types de phénomènes psychiques. (N.D.A.)

dinairement plus complexe qu'on ne l'imagine communément, car il n'est pas facile d'établir de relations de « cause » à « effet » entre les événements psi. On peut supposer que les rapports humains sont guidés et influencés par une force sous-jacente, qui se révèle parfois à la conscience sous forme d'événements psi, en particulier dans des situations à forte charge émotionnelle. Qui sait si, dans ces circonstances, une conscience collective ne surgit pas, réunissant les individus concernés ?

Chaque analyste tendant à avoir ses propres modalités d'interaction télépathique avec ses patients, il n'est pas surprenant que tous aient une théorie particulière sur le comment et le pourquoi du phénomène. Néanmoins, ils partageraient sans doute dans l'ensemble l'avis de l'éminent psychanalyste et para-psychologue italien, le Dr Emilio Servadio, célèbre depuis le milieu des années 1930 pour les recherches qu'il a entreprises afin de rattacher les éléments de rêves télépathiques aux composantes, encore énigmatiques, du « transfert ». Cette notion recouvre un rapport particulier entre le patient et l'analyste, qui renvoie à des modes de comportement infantiles du premier dans des situations où intervient l'image du père. Le Dr Servadio énumère les conditions favorables à la télépathie, et susceptibles d'intervenir au cours d'une analyse :

(Elles) sont liées à une situation particulière de transfert ou de contre-transfert ; le patient se sent alors frustré par le manque d'attention de son analyste, qui est préoccupé par des questions personnelles dont l'orientation et le contenu les rendent très proches des propres problèmes du sujet. Les autres formes d'expression et de communication étant bloquées, le patient, frustré, a recours à des moyens plus directs et plus primitifs, comme la télépathie ou même la précognition (oniriques ou non). Ainsi peut-il pénétrer les « secrets » de l'analyste, lui montrer qu'il les connaît, orienter sa libido selon son propre bénéfice, lui reprocher son manque d'amour et son agressivité, L'analyste, à son tour, semble être dans la situation la plus favorable à l'extériorisation de tels phénomènes quand, inconsciemment, il « s'écarte » trop des désirs « infantiles » de son patient, quand il a des soucis et des sujets de préoccupation complémentaires, mais qui détournent son attention, ou même lorsqu'il existe un élément de contre-transfert hostile [21].

4

Le chat alcoolique

L'aptitude paranormale des patients à faire des rêves télépathiques se rapportant à la vie privée de leur psychanalyste se révéla pour la première fois au Dr Ullman, en 1947, alors qu'il était lui-même en analyse — en effet, tous les psychanalystes sont tenus de se faire psychanalyser.

De retour de deux mois de vacances, Ullman fit le rêve suivant à propos de son analyste, auquel il le raconta lors de la séance du 4 septembre :

J'entrai dans la salle d'attente et m'aperçus immédiatement que la disposition des meubles étaient tout à fait différente. Je fus frappé par l'éclat des couleurs, l'absence du gros canapé capitonné et la présence de plusieurs petites chaises de style moderne, bien mises en valeur. Je pénétrai alors dans le cabinet de l'analyste, et notai à nouveau une différence concernant aussi le mobilier. Le divan de cuir plat dont j'avais l'habitude n'était plus là. Un autre le remplaçait... Mais je fus frappé par le fait que je n'étais pas couché dessus, mais à demi allongé, presque assis, et que j'étais face à l'analyste au lieu de regarder de côté. A ce moment, il y eut une interruption, et plusieurs hommes entrèrent. Ils semblaient être des gens importants et riches... Tandis que l'analyste conversait avec eux, je me dirigeai vers une autre partie de la pièce, et parlai avec un jeune homme qui était arrivé avec les trois messieurs. Quand l'analyse reprit après cet intermède, j'éprouvai une certaine anxiété liée à l'analyste, et un sentiment de contrariété, peut-être parce qu'il s'était trop occupé de ces personnes pendant ma séance.

On ne parla pas davantage du rêve pendant cette séance-là, et Ullman l'oublia jusqu'à celle du 18 septembre quand, entrant dans le salon d'attente, il constata que le gros canapé capitonné avait disparu. Son absence mettait davantage en évidence les petites chaises aux couleurs vives. Quand il pénétra dans le cabinet de l'analyste, il remarqua que le divan plat qui se trouvait d'ordinaire là n'y était plus. Le canapé du salon d'attente le remplaçait. L'analyste, auquel il fit part de cette observation, lui expliqua qu'il avait envoyé le divan habituel chez le tapissier pour le faire recouvrir.

Vers le milieu de la séance, le téléphone sonna. C'était le directeur de l'hôtel où résidait le praticien, et il s'ensuivit une conversation longue et embrouillée au sujet d'un changement d'appartement : l'analyste désirait en obtenir un autre, plus vaste. Contrairement à ce qui se passait toujours dans des circonstances semblables, celui-ci ne chercha pas à abréger ; la conversation devenait de plus en plus confuse et la contrariété de l'analyste grandissait. Ullman écrivit alors sur une page de son calepin que son oncle, qui possédait de gros intérêts dans un autre hôtel, pourrait peut-être l'aider, et il lui tendit son calepin. L'analyste lui demanda si l'oncle en question n'était pas un certain magnat, Ullman répondit qu'il était seulement un ami dudit personnage, ce qui les amena à faire l'un et l'autre quelques remarques sur la psychologie des grands brasseurs d'affaires.

Pendant cette conversation, l'analyste ne cessait de tripoter le carnet, et Ullman commença à craindre qu'il ne tombât sur des notes touchant à la recherche psychique et à la psychothérapie, sur lesquelles son confrère risquait de se méprendre.

Ce fut alors qu'il se remémora ce dont il avait rêvé quinze jours auparavant. La modification de l'agencement du cabinet était presque analogue à celle du rêve. Même la substitution du canapé, de la salle d'attente, sur lequel il était impossible de s'allonger, à celui du cabinet, recoupait la réalité. Les gens « importants et riches » qui étaient entrés correspondaient aux magnats dont les deux hommes s'étaient entretenus. Et, bien sûr, était également présente l'anxiété contenue d'Ullman tenant au fait que l'analyste « s'était trop occupé de ces personnes pendant (sa) séance ».

Il rappela son rêve au praticien, et tous deux discutèrent de son possible contenu parapsychologique. L'analyste révéla à Ullman qu'il avait déjà décidé de faire recouvrir son divan avant le rêve, ce qui pouvait être considéré comme de la télépathie. Quant à l'interruption de la séance par l'intrusion des gens riches, elle pouvait être interprétée comme un phénomène de précognition. Ils consacrèrent ensuite beaucoup de temps à parler de l'intérêt qu'Ullman portait aux recherches psychiques. Ce dernier avait le sentiment que l'élément déterminant de son rêve avait été pour une part le besoin de convaincre son analyste que les phénomènes psychiques étaient réels, afin de renforcer sa propre conviction.

Cette sorte de besoin profond, associé à une légère angoisse, continuait de colorer les rêves du Dr Ullman lorsqu'il commença à participer aux travaux de la section médicale de l'American Society for Psychical Research. Il n'avait jamais été capable de surmonter le sentiment d'être « dans le pétrin » lorsqu'il faisait une communication orale, et cette légère anxiété le hantait ce dimanche 25 avril 1948. Il passait alors en revue les rêves d'un de ses patients, susceptibles de lui fournir des exemples de télépathie onirique pour la conférence qu'il devait faire devant l'ASPR le 6 mai. C'était la première fois qu'il prenait la parole sur ce sujet. Mais les rêves qu'il examinait ainsi n'étaient plus des cas de télépathie aussi frappants et aussi convaincants qu'ils lui avaient paru l'être à l'époque où ils s'étaient produits. Le Dr Ullman avait omis de noter les analyses et les introspections auxquelles il s'était livré : elles auraient pu avoir une valeur corroborative non négligeable. La tâche qui consistait à éliminer le hasard et les autres théories explicatives excluant l'hypothèse de la télépathie lui semblait plus formidable que jamais. Quelque peu déçu par le matériel dont il disposait, le Dr Ullman souhaitait désespérément que sa patiente eût de nouveaux rêves télépathiques avant la date fatidique de sa conférence, prévue quinze jours plus tard. (Ce qui suit est extrait d'un compte rendu personnel d'expériences psi impliquant cette patiente et quelques autres, rédigé par le Dr Ullman au moment où étaient intervenues ces expériences.)

Alors que je travaillais à ma communication, je me rappelai que j'avais promis à quelqu'un de rechercher des documents que je possédais concernant les débuts de la société d'histoire médicale de New York (New York Society for Medical History). Ils étaient rangés dans une armoire dont une porte était fermée à clé. Comme je n'avais pas sur moi la clé qui m'aurait permis d'accéder à cette partie de l'armoire, je cherchai ces papiers dans celle qui était ouverte. Je ne les trouvai pas, mais mes yeux tombèrent sur un gros coffret de bois dans lequel je conservais des microfilms. Il y avait des mois que je n'avais pas regardé à l'intérieur et, en le revoyant, un souvenir me revint à l'esprit : j'avais ce coffre avec moi alors que je servais en France, pendant la guerre, et je me l'étais fait expédier par la poste.

Le lendemain, qui était un lundi, ma patiente télépathe vint pour sa séance d'analyse. Spécialiste de l'histoire de l'art, elle avait vingt-neuf ans et était mère d'un enfant. Je la traitais depuis six mois. Lors de cette séance, elle me rapporta une série de rêves qui semblaient avoir été inspirés par mon désir farouche de disposer d'exemples convaincants de rêves télépathiques. Voici ce qu'elle avait rêvé plusieurs heures avant que je fouille dans l'armoire :

« M.E., qui était une sorte de chargé de cours, venait à la maison pour expliquer le fonctionnement d'un appareil nouveau. Ses gestes étaient très précis. Il y avait des gens au salon. C'était lors d'une réunion ou d'une soirée. Il alla à l'armoire de l'antichambre et y prit un gros coffret de bois. Il en souleva le couvercle et en sortit, très lentement et très posément, un appareil photographique... Je dis que mon mari avait expédié ce coffret d'Allemagne. Puis M. E. passa à sa démonstration. Il regarda en bas, dans la rue, à travers ce qui semblait être un objectif stéréoscopique (un dispositif optique très particulier)... L'image, en noir et blanc, était insolite parce qu'en relief. Cet objectif permettait de distinguer à des kilomètres des choses que l'on ne pouvait pas voir à l'œil nu... M.E. montra comment marchait ce merveilleux instrument... »

La patiente m'identifiait à « M. E. ». Elle établissait une correspondance entre « voir plus que ce qu'embrasse le regard » et l'analyse, bien que le reste du rêve ne suscitât pas d'autres associations. Néanmoins, les correspondances avec ma vie personnelle étaient plus nettes :

Le chargé de cours exposant le fonctionnement d'un « appareil nouveau » aux personnes réunies dans le salon me représentait développant mes théories sur la télépathie devant un groupe de personnes réunies dans le salon d'attente de l'un des membres de la section médicale de l'ASPR.

Le gros coffret de bois dans l'armoire était identique au mien. Le mari de la patiente l'avait fait expédier d'Allemagne, le mien avait été envoyé de France. Le sien contenait un appareil photographique, le mien des microfilms. L'objectif spécial qui prenait des clichés en relief à des kilomètres de distance évoquait symboliquement la caractéristique particulière à la télépathie, puisqu'on distingue à des kilomètres des choses invisibles à l'œil nu. Ce rêve, en fait, me donnait la possibilité de faire la démonstration de « ce merveilleux instrument ».

La complaisance de ma patiente à exaucer mes vœux intérieurs serait à rattacher à l'une de ses compulsions : elle donnait en effet indistinctement satisfaction aux exigences d'autrui. A l'insu de l'un comme de l'autre, elle avait comblé mon ardent désir de disposer d'un meilleur matériel télépathique. Son rêve s'avérait ainsi, bien entendu, être en partie précognitif.

Le thème de perception extrasensorielle était également dans l'air le 28 février 1950, quand une dame d'une quarantaine d'années, que je traitais, vint me trouver. « Il y a peut-être quelque chose dans l'ESP », déclara-t-elle tout à fait spontanément au début de la séance. Nous n'avions jamais abordé ce sujet précédemment, et je lui demandai pour quelle raison elle avait fait cette remarque. Le vendredi 24 février, répondit-elle, alors qu'elle pensait à un médecin qu'elle n'avait pas vu depuis deux ans, il lui téléphona. Il s'agissait probablement d'une coïncidence, mais quand même...

Elle raconta ensuite deux rêves dont elle s'était souvenue en se réveillant le lendemain matin :

« ... Il y avait sur la table une bouteille contenant un liquide blanc et mousseux, composé d'alcool et de crème... Je regardai l'étiquette : elle portait la mention : " nausée plaisante ". J'avais l'intention de le boire au moment où nous irions nous coucher... »

« J'avais un petit léopard. Il était très dangereux... » Pour le premier rêve, la patiente associa le mélange alcool-crème et la crème de menthe, liqueur qui provoquait chez elle un léger mal de cœur. L'étiquette « nausée plaisante » lui rappelait la répulsion que lui faisait éprouver l'acte sexuel. « Quand je suis très excitée, je suis malade. »

J'eus toutes les peines du monde à m'empêcher de faire moi-même quelques rapprochements avec ses rêves. Le vendredi 24 février, date du rêve, je m'étais rendu avec ma femme à l'académie de médecine de New York pour écouter une confé-rence du Dr Jules Masserman sur les névroses chez l'animal. Il avait présenté un film sur la névrose induite chez le chat. Une séquence inoubliable montrait comment on rend un chat alcoolique. Lorsqu'un chat alcoolique avait à choisir entre un verre de lait et un verre rempli moitié de lait et moitié d'alcool, il se dirigeait droit sur le second.

On est en droit de se demander si, après avoir bu plusieurs verres de ce mélange, le chat alcoolique n'a pas l'impression d'être un « petit léopard », ou si, comme son homologue humain après l'ingestion de quelques *grasshopers* (cocktail à base de crème de menthe et de crème de lait), il n'a pas le sentiment que cette plaisante mixture finit par lui soulever le cœur.

Il se peut que cette correspondance directe entre les rêves de ma patiente et mes propres activités ait été en partie condi-tionnée par les hypothèses qu'elle avait émises ce jour-là sur la perception extrasensorielle. Un autre facteur qui avait peut-être joué, avait été son attitude de repli à mon égard, provoquée par l'échec d'une analyse antérieure, et le mépris dans lequel elle tenait son ancien mari, psychanalyste de son état. L'épisode du « chat alcoolique » fut la première d'une série de corres-pondances télépathiques la mettant en contact avec ma vie personnelle : il paraissait inaugurer un nouveau mode de commu-nication entre elle et moi.

Le lundi 4 décembre 1950, elle me fit part du rêve suivant :

« Tout le monde me félicitait parce que j'avais écrit un article sur les beautés du Michigan. Je savais quant à moi qu'il n'en était rien, mais il semblait que j'en étais l'auteur. Des gens me rapportaient ce que disaient les critiques. Je demandai ce qu'ils pensaient du style. Puis j'avouai : " En réalité, je n'ai rien écrit. " »

La patiente n'avait aucune association en ce qui concernait l'article car, effectivement, elle n'avait rien écrit. Le Michigan, où elle était née, lui rappelait la vie de famille de son enfance, qu'elle détestait à cause de sa froideur et de son manque d'affection mais qui lui laissait néanmoins le souvenir d'un sentiment de « splendide isolement ».

Le samedi précédant la séance où elle m'avait raconté ce rêve, j'avais été invité à une réception à laquelle assistait aussi un groupe d'éminents professeurs de médecine exerçant à la faculté où j'avais sollicité une chaire d'analyse. Plusieurs d'entre eux avaient été juges d'une communication sur le détachement que j'avais présentée quelques jours plus tôt. Je m'étais enquis avec tout le tact possible de ce que les « critiques » en pensaient. A mon vif soulagement, ils me firent des compliments sur mon « article ».

La patiente avait eu, semblait-il, télépathiquement conscience du fait que le thème de ma communication, le détachement, concordait avec l'association qu'elle faisait entre le Michigan et son « splendide isolement ».

Un autre rêve apparemment télépathique qu'elle me raconta le mercredi 24 janvier 1951 permet d'entrevoir comment elle put finalement parvenir à faire la liaison avec moi :

« Je mangeais... Vous étiez avec moi, ainsi qu'un jeune couple marié que j'aime beaucoup, Joe et Jean. Dans mon rêve, Joe et Jean étaient tous deux vos patients. Nous mangions du poulet et du riz dans une cocotte. Une discussion s'était élevée entre vous et Joe, que vous poussiez à manger un peu. Il disait : " Il n'y a pas à revenir là-dessus. " Vous répondiez " Si ". J'étais heureuse d'être votre patiente et me sentais en sécurité, sachant que ces amis étaient aussi vos patients... »

Ses associations étaient directement centrées sur le dimanche précédent : elle avait fait du poulet en cocotte au riz pour un jeune couple marié, Joe et Jean. Cependant, ni Joe ni Jean n'avaient jamais subi de traitement psychanalytique.

Mais le plus singulier était le net parallèle avec ma propre vie. Le soir même où ma patiente avait fait ce rêve, j'avais dîné dans un restaurant chinois avec un jeune ami. Plus familier que lui de la cuisine chinoise, j'avais commandé pour nous deux : du porc pour moi, du poulet pour lui, le tout accompagné des traditionnels bols de riz. Selon la coutume, le porc et le poulet avaient été servis dans des espèces de cassolettes. Habitué que j'étais aux restaurants chinois, j'hésitais moins que mon convive à partager les mets, et je dus insister pour qu'il puisât dans mon plat comme je puisais dans le sien. Puis la conversation vint à tomber sur sa femme. Mon ami me demanda si je pouvais la traiter de façon à poursuivre un traitement psychothérapique commencé avec un autre analyste. Et, à mon grand étonnement, il émit le souhait d'entreprendre une cure psychothérapique avec moi.

Ainsi, sur un arrière-plan de poulet et de riz mangés dans une petite marmite, mes deux jeunes amis souhaitaient devenir mes patients. Le rêve rapporté utilise les expériences concordantes du sujet et de moi-même, afin de renforcer des rapports constructifs avec moi, des rapports où la patiente pourrait aussi être une amie.

Mes expériences télépathiques avec elle illustrent la façon dont, dans une situation thérapeutique, l'élément psi est susceptible de prendre des connotations à la fois négatives et positives. Son aspect négatif se manifeste chez les patients qui éprouvent le besoin de se cacher et de se retrancher. Du point de vue positif, il représente un moyen de communiquer avec le monde réel.

Il ressort de mon expérience personnelle que l'élément psi apparaît soit sporadiquement, soit de façon constante : sporadiquement quand les autres modes de communication se trouvent passagèrement bloqués du fait d'une situation analytique conflictuelle ; de façon permanente quand existe une résistance préétablie, qui fait obstacle à la communication normale — c'était le cas de cette patiente, que la méfiance et la froideur empêchaient d'avoir des contacts normaux avec son environnement.

Lorsqu'on a affaire à des patients chez lesquels on découvre que le facteur psi opère de manière permanente, les problèmes que pose l'analyse sont extraordinairement difficiles. Le sujet dispose d'un moyen de connaître la réalité — si aléatoire, inadéquat et incontrôlable qu'il puisse être —, capable d'opérer hors de son champ de conscience et, par conséquent, incapable de porter atteinte à ce qui est le plus précieux pour lui, à savoir son détachement.

Freud a souligné qu'il incombe à l'analyste de dominer ses

propres conflits refoulés. Les phénomènes télépathiques viennent spectaculairement appuyer cette mise en garde. L'analyste ne peut dissimuler aucune de ses défaillances que le patient choisit d'exploiter.

Le repli, l'agressivité, la méfiance, l'évasion sont des attitudes qui n'ont rien d'exceptionnel, et que le patient peut manifester vis-à-vis de l'analyste s'il est constamment sur la défensive face au monde extérieur. Les analystes ont l'habitude de tels sujets. Mais quand l'ESP intervient, c'est comme si l'on avait affaire à un super-espion. Le patient télépathe a une façon bien à lui de fondre sur un événement de votre vie, parfaitement « innocent », mais qui exige, en réalité, une sérieuse dose d'arguties spécieuses pour être rendu tel. Le psychiatre, en principe « bien analysé », adoptera avec confiance une conduite voisine de celle dont Mae West donne l'exemple dans un vieux film :

MAE : J'ai longtemps eu honte de ma façon de vivre.
LUI : Vous voulez dire que vous vous êtes corrigée ?
MAE : Non, j'ai cessé d'avoir honte.

Aussi est-ce sans la moindre gêne que je vais relater « l'histoire du porte-savon chromé ». Mon « super-espion » de patient, un représentant en vêtements pour enfants d'une quarantaine d'années, me raconta le lundi 24 décembre 1951 ce rêve qu'il avait fait dans la nuit du vendredi au samedi, et dont il s'était souvenu en se réveillant :

« ... J'emballais quelques échantillons qui avaient été mis en vitrine, et je me préparais à partir. Quelqu'un me donna, ou je pris, un porte-savon chromé. Je le lui tendis ; il s'en saisit : je fus surpris. Je lui demandai s'il était collectionneur, lui aussi. Puis, avec un sourire maniéré, je lui dis d'un air entendu : " Je vois, vous construisez une maison. " Il ricana avec affectation, et continua de tirer sur son cigare. »

Le porte-savon chromé n'évoquait aucune autre idée, bien que le patient se rappelât avoir « chipé quelques serviettes » dans un hôtel où il était descendu une fois à l'occasion d'une foire-exposition. Jadis, il avait aussi reçu une raclée, parce qu'il avait « piqué quinze cents à (sa) tante pour aller au cinéma ».

Les associations que je pouvais faire, quant à moi, avec le

porte-savon, n'étaient pas aussi indirectes. Le jour où le patient avait fait ce rêve, un ami m'avait déposé en voiture à mon cabinet de New York. Je lui avais parlé des difficultés que j'éprouvais à faire installer une baie panoramique dans la nouvelle maison que j'avais fait construire en même temps que la sienne, un an et demi plus tôt. Je me remémorai alors un incident dont je ne lui soufflai mot. La semaine précédente, quelques ouvriers de l'entreprise qui avait bâti la maison étaient venus voir ce que l'on pouvait faire pour cette baie, dont l'encadrement s'était disjoint quand on avait posé les fondations. Nous étions descendus au sous-sol, et l'un d'eux avait remarqué un porte-savon chromé inutilisé. Il m'avait été expédié par erreur à l'époque de la construction et, poussé par un sentiment d'agressivité malhonnête due aux frais croissants que me coûtaient les travaux, j'étais bien décidé à ne pas le retourner à qui de droit. L'ouvrier plaisanta sur ce larcin. Comme il y avait belle lurette que je m'étais persuadé qu'il ne s'agissait pas d'un vol, je me trouvai quelque peu embarrassé, et ne pus que sourire d'un air penaud, encore que je n'eusse point un cigare entre les dents.

Apparemment, mes « tendances de collectionneur » avaient été révélées par une boutade lancée à un patient, qui avait ainsi trouvé un point vulnérable pour se défendre contre les empiétements de la thérapie. Le porte-savon chromé, superflu et sans rapport aucun avec le reste de la maison, représentait un emprunt qui servait admirablement ce dessein. Cet objet est destiné à contenir une substance qui nettoie ou qui guérit. Détaché de son contexte et placé dans un cadre inapproprié, ce symbole — qui était, en outre, un article volé — exprimait la méfiance profonde du patient à l'égard de son médecin, et son refus d'être considéré comme un accessoire inutile dans la maison d'un collectionneur (de l'analyste).

Il y avait de nombreux points communs entre le patient du « porte-savon » et la femme du « chat alcoolique ». Ils en étaient arrivés tous deux à un point critique, car ils s'efforçaient de garder le contact avec les gens — avec moi. Caractérisés tous deux par un manque de réactivité émotionnelle, ils étaient, de façon marquée, portés au détachement, à la résignation, au cynisme, et nourrissaient un vif sentiment d'impuissance. Ce sont là des signes distinctifs d'un état schizoïde — c'est-à-dire à la limite de la schizophrénie —, lequel semble substituer les perceptions télépathiques aux moyens de communications normaux, qui sont coupés.

Le sujet qui passe cette frontière et sombre dans la véritable schizophrénie paraît perdre son aptitude à la télépathie. Des tests expérimentaux d'ESP sur des schizophrènes l'ont montré [1]. Ils prétendent fréquemment qu'ils possèdent des facultés d'ESP, qu'ils sont capables d'agir sur les autres — ou d'être influencés par eux — par le truchement de leur activité mentale. Cela prend souvent la forme d'un délire persécutif, le malade ayant alors l'impression qu'on l'agresse.

Il est possible que cette revendication (détenir des dons d'ESP) ait sa source dans le souvenir de véritables expériences de ce genre, qui seraient intervenues quand le schizophrène, au stade prépsychotique, au moment de perdre contact avec la réalité, avait dû recourir à un système d'échanges secondaires (la télépathie).

Il ne faudrait naturellement pas en conclure que tous les rêveurs télépathes sont promis à la schizophrénie. Bien au contraire, les tests ont démontré que les sujets les plus doués en matière d'ESP ont tendance à avoir une personnalité saine, intégrée et ouverte. Le schizoïde ne manifeste de talents télépathiques que dans des situations d'angoisse et de repli : c'est une ultime tentative de relation.

Jule Eisenbud a été le premier à observer que le processus télépathique est souvent symbolisé dans les rêves par le fait de téléphoner ou d'user d'autres modes de communication. Une de mes patientes captait régulièrement dans ses rêves la légère angoisse que je ressentais lorsque je devais faire une conférence sur la parapsychologie. J'y étais toujours représenté par son frère, qui se livrait alors à des activités visant à communiquer de façon étrange — comme écrire en chinois sur un tableau noir, par exemple. Or, aux réunions de la commission médicale de l'ASPR, il m'arrivait parfois de me servir d'un tableau noir pour y tracer les signes de cette science étrange et nouvelle : la parapsychologie.

Quand la commission médicale se mit à fonctionner au ralenti en 1954, mes confrères et moi-même notâmes un curieux phénomène : l'appauvrissement parallèle de notre moisson de rêves télépathiques chez nos patients, ce qui contrastait de façon frappante avec la situation de l'époque héroïque, en 1948, quand nos observations communes, exaltantes et inédites avivaient si spectaculairement notre curiosité. Il n'y avait pas alors pénurie de tels rêves. Nous commencions même à constater que nos expériences de groupe et celles que nous avions, chacun de notre côté, avec nos patients s'entremêlaient parfois — ce que Jan Ehrenwald appelait la « contagion télépathique ».

En situation analytique, trois principaux facteurs favorisent la production de rêves télépathiques : l'*intérêt* du psychiatre envers ces phénomènes ; l'imbrication de son propre *besoin* et de celui du patient ; la conjonction de leurs *angoisses* réciproques.

La relation très particulière entre le couple patient-médecin constitue un lien potentiel puissant qui stimule la télépathie si les conditions ci-dessus énumérées sont réunies.

L'avantage unique qu'offre l'analyse pour la détection des rêves télépathiques réside essentiellement en ceci que le patient rapporte régulièrement ses rêves à l'analyste. Nulle part ailleurs dans notre culture, ils n'acquièrent une telle importance. En général, on ne discute pas de cela. On n'incite les gens ni à se les rappeler ni à y chercher une signification profonde, et encore moins des correspondances paranormales avec des événements extérieurs.

Qu'arriverait-il si on les notait régulièrement pour les comparer avec les événements concrets de l'existence de quelqu'un d'autre, ou même avec les rêves d'autrui ? Une vive curiosité scientifique serait-elle une motivation suffisante pour déclencher des rêves télépathiques ? Et quel genre de correspondances pourrait-on obtenir ?

DEUXIÈME PARTIE

Les recherches expérimentales

5

Premières reconnaissances : de « Raf » à Ralph

Le Dr Ullman n'était pas le seul à être fasciné par l'idée d'une possible induction expérimentale du rêve télépathique : Mme Laura A. Dale, associée de recherches de la société américaine de recherche psychique et, plus tard, rédactrice en chef du *Journal* de l'ASPR, l'était aussi. Mme Dale, qui connaissait bien les cas de télépathie onirique rapportés par les psychiatres, avait parfois noté également des éléments paranormaux dans ses propres rêves.

Le plus étonnant d'entre eux fut sans doute celui qu'elle eut dans la nuit du 19 décembre 1942, après une tentative d'expérimentation décevante — pour ne pas dire mortifiante — placée sous l'égide de l'ASPR, et dirigée par le Dr Gardner Murphy : on avait fait absorber à Mme Dale un produit provoquant un état de dissociation mentale. Les opérateurs espéraient que, sous l'effet de cette drogue, des phénomènes ESP se manifesteraient peut-être. Quand elle fut sous son influence, Mme Dale déclara d'une voix pâteuse qu'elle en savait plus long sur la recherche psychique que Mme Sidgwick, l'un des pionniers de la société britannique de recherche psychique, qu'elle tenait en grande estime.

« Que savez-vous ? » lui demandèrent les expérimentateurs.

Et, plusieurs minutes durant, elle débita des absurdités incohérentes, au vif amusement des assistants. Grande fut sa mortification quand on lui narra ce qui s'était passé, après qu'elle eût recouvré son état normal. Mais, selon toute apparence, son subconscient estima qu'une extraordinaire prouesse paranormale devait être accomplie pour sauver la face et, la nuit même, elle eut un rêve long et précis, si insolite que, le lendemain matin, elle appela la secrétaire générale de l'ASPR pour le lui rapporter :

Je me trouvais dans une grance pièce, au rez-de-chaussée d'une maison que je suppose être en Floride... Ma petite chienne Myra était couchée sur une chaise près d'un des murs, et il y avait plusieurs personnes présentes... Je passais l'aspirateur sur un tapis. Soudain se produisit une chose qui me remplit d'une terreur indicible — l'aspirateur devint vivant, habité d'une volonté malveillante. Il se mit à se boursoufler et à s'aplatir, à se gonfler et à se dégonfler... et je compris que je courais un grand danger, car il allait éclater. Je lâchai la poignée et me précipitai vers la porte. Tout en courant, je savais que je faisais quelque chose d'infâme : j'abandonnais Myra, que l'explosion allait tuer. Néanmoins, je ne m'arrêtai pas pour aller la rechercher, et, juste au moment où j'atteignais la porte, il y eut une terrible déflagration silencieuse. Je me retrouvai saine et sauve sur la pelouse. La séquence suivante est moins nette. C'était en substance ceci : l'un des assistants avait tenté de sauver Myra. On me dit qu'il avait été tué. Puis je tenais Myra. Elle remuait, elle était brûlée, elle souffrait, mais, en même temps, elle était morte... [1].

Deux jours plus tard, Mme Dale et sa mère, qui était venue à New York lui rendre visite, décidèrent d'aller dans un cinéma, l'Embassy Theater, 42ᵉ rue, spécialisé dans les actualités. Au moment où elles s'installaient, on passait un dessin animé intitulé *Le Corbeau* : un chien bâtard et un corbeau se rendaient chez un terrier écossais (Myra était un terrier bostonien) pour lui présenter des aspirateurs. Tandis que le corbeau passait à l'aspirateur le tapis d'une vaste pièce au rez-de-chaussée, le bâtard monta au premier, dans l'intention de fracturer le coffre-fort du terrier. Soudain, l'aspirateur s'anima, et il entreprit d'absorber le contenu de bouteilles qui se trouvaient derrière une grille encastrée dans le plancher. Puis il commença à se boursoufler, à se gonfler et à se dégonfler et, finalement, il projeta en explosant le terrier à l'autre bout de la pièce. Pendant que l'appareil se contorsionnait de la sorte, au premier, le bâtard allumait un bâton de dynamite et la déflagration ébranlait la pièce.

Ainsi, un rêve hautement improbable, qui mettait en scène un aspirateur vivant et attaquait un chien se répétait deux jours plus tard dans la vie réelle, pour effacer l'angoisse que le fiasco d'une expérience d'EPS avait engendrée chez Mme Dale.

Au début de 1953, au cours d'une discussion sur leurs rêves paranormaux, celle-ci et le Dr Ullman conçurent un projet d'expérimentation à long terme : chaque jour, ils noteraient leurs rêves pour déceler des correspondances paranormales avec les événements de leur vie personnelle. Mais le problème était de trouver le moyen de rattacher leurs rêves à un même élément. Pour le résoudre, ils firent appel à l'hypothèse exposée par un auteur britannique, Whately Carington, dans un livre intitulé *Telepathy* (publié en 1946 aux Etats-Unis sous le titre *Thought Transference,* « La Transmission de Pensée ») [2]. Selon l'auteur, des associations communes à deux esprits facilitaient l'échange télépathique. Selon sa « théorie de l'association », si une idée ou un mot (appelé « objet K ») était soumis à une personne en un rapport télépathique avec une autre (c'est-à-dire s'il y avait communauté de conscience), cette dernière se mettrait mentalement en rapport avec l' « objet K ». Si l'on prononçait devant la première le mot « chien », la seconde penserait « aboyer, mordre, os », comme si l'une et l'autre ne formaient qu'un seul et unique esprit.

Que se passerait-il, se demandaient Ullman et Mme Dale, si le même mot-clé était soumis simultanément aux deux personnes ? Il était évidemment impossible d'employer comme stimulus des termes conventionnels puisque « chien » évoquerait chez l'une et l'autre « aboyer, mordre, os ». Non, il leur fallait un concept inconnu d'eux, une syllabe dépourvue de sens, comme « raf », par exemple.

Dans l'espoir que des associations communes provoqueraient une expérience télépathique partagée, Ullman imagina le système suivant : deux magnétophones équipés d'un compte-temps (cet appareil conçu pour développer la mémoire, appelé *dormiphone*) prononceraient à la même heure une syllabe arbitraire, dépourvue de sens pendant qu'ils dormiraient. Après s'être procuré les mêmes dormiphones, ils régleront la sonnerie sur une heure déterminée, de sorte que le haut-parleur placé sous l'oreiller reproduise le message enregistré. Pour s'assurer de l'utilité du dormiphone, ils prévurent également une série d'expériences de contrôle sans lui.

L'opération débuta en décembre 1953. Les premiers jours furent surtout consacrés à se familiariser avec le dispositif qui devait les réveiller au milieu de la nuit. Le mot-clé originel était « raf », et s'accompagnait de cet ordre : « Quand vous vous réveillerez, vous vous rappellerez votre rêve. »

Le 1er décembre, à trois heures du matin, Ullman fit le rêve suivant :

J'ai entendu la bande, mais c'était un dialogue en français, presque tout le temps une voix de femme, interrompue par moments par une voix d'homme... J'étais consterné, pensant qu'une erreur avait été commise, que la bande n'avait pas été effacée ou que l'on s'était trompé... J'étais terriblement déçu par l'« échec » de l'expérience. Janet (l'épouse d'Ullman) me demanda quel était le stimulus. Je lui répondis en plaisantant qu'il était en français, et qu'il y avait une machine à traduire dans l'appareil. Ma réponse la laissa sur sa faim...

Le rêve de Mme Dale cette nuit-là n'avait guère de rapport avec l'expérience, mais celui du 3 décembre faisait davantage mouche :

Il me semblait que Janet me parlait et me disait comment Monte réagissait à sa bande stimulus, laquelle était différente de la mienne — elle comportait beaucoup plus de choses. Elle (Janet) me la passa. Il y avait beaucoup de bruit et beaucoup de cris. Cela me contraria, car j'avais peur de ne pas entendre mon propre enregistrement que je croyais sur le point de démarrer. Janet et Monte paraissaient penser tous les deux qu'il y avait quelque chose de très intéressant sur sa bande à lui, mais tout ce que j'entendais se bornait à du bruit et à des cris.

C'était là un début intéressant, encore qu'il y eût un décalage de jours. Pour Ullman, le « français » qu'il avait entendu en

82

rêve sur l'enregistrement correspondait à une langue étrangère qui symbolisait pour lui la communication psi, à l'instar des caractères chinois qu'écrivait son patient dans son rêve. Eisenbud, à qui il fit part quelques jours plus tard de cette interprétation, répliqua par une autre suggestion : le français était le langage de l'amour...

Au cours des deux années que dura l'expérience, Ullman et Mme Dale se retrouvèrent tous les vendredis pour comparer leurs notes concernant leurs rêves et d'autres événements de leurs vies. Ensuite, Mme Dale tapait le compte rendu de la séance. Celle du lundi 14 décembre fut exceptionnelle : Remarquable aussi encore que banal, était le rêve qu'elle avait fait la nuit précédente :

« J'étais sur la pelouse d'une amie. Un homme vint planter des arbres. Il avait une planche en bois et il y perçait des trous pour marquer l'emplacement de ces arbres, leur espacement... »

La veille — un dimanche — Ullman s'était demandé comment faire pour fabriquer un abreuvoir pour les oiseaux. Il avait pensé à forer trois trous dans le mur de la maison et y enfoncer des boulons en plastique. Les trous de Mme Dale étaient destinés aux arbres, ceux d'Ullman aux oiseaux, mais les croquis qu'ils firent de ce qu'ils avaient vu offraient des similitudes remarquables.

Le mot-clé, cette nuit-là avait été « zivid ». La poursuite de l'expérimentation, tantôt avec un stimulus, tantôt sans, fit apparaître que, en fait, la différence entre les résultats était minime.

Le 13 janvier 1954, lors d'une période de contrôle (sans mot-clé), Mme Dale eut un rêve exceptionnellement net et désagréable :

« J'ai eu l'impression terriblement précise qu'une de mes molaires supérieures gauches allait tomber. Je la fis bouger entre le pouce et l'index comme le font les enfants, et elle finit par sortir. Je sentais le trou sous ma langue et j'avais un goût de sang dans la bouche. Vive impression de réalité. »

Ce rêve de Mme Dale, bien que considérablement dramatisé, était lié à un événement réel. Ce soir-là, Mme Ullman avait oublié une prothèse mobile — une dent inférieure gauche — dans la salle de bains. Le Dr Ullman l'avait retrouvée et la lui avait rapportée. Il est possible qu'elle ait senti le trou avec sa langue, mais il n'y avait évidemment pas de sang.

De tels événements banals semblèrent tout d'abord dominer les échanges apparemment télépathiques. Un soir où Mme Dale admirait à une exposition automobile une Rolls-Royce de 30 000 dollars, avec chauffeur et valet de pied en livrée, le Dr Ullman rêva de « ... deux hommes en livrée au premier plan et (de) l'image vague d'une femme derrière eux ».

Cependant, le 11 février, le Dr Ullman fit un rêve plus proche de ces rêves de « crise » que les gens rapportent le plus souvent aux parapsychologues :

« ... J'étais dans ma voiture. Une enfant du nom de Jane Morey sauta du haut de l'auto et se blessa à la tête. Elle souffrait d'une fracture du crâne... »

Jane Morey était la fille d'un médecin qui habitait près de chez le Dr Ullman. Le 27 février, seize jours plus tard, la vraie Jane fut grièvement blessée alors qu'elle essayait d'éviter une automobile qui arrivait droit sur elle. Le véhicule la heurta à la jambe gauche, occasionnant plusieurs fractures.

Mme Dale eut elle aussi des expériences de précognition apparente. Dans son rêve du 1er mars, « il était question de savoir si j'étais ou non enceinte. J'entrais en travail... Puis des médecins qui étaient présents dirent... (que) s'il y avait un bébé, il serait très petit. J'espérais qu'il n'y en aurait pas, car je n'en voulais pas, et l'idée seule m'affolait. J'étais incapable d'imaginer comment j'étais tombée enceinte ».

Après avoir noté son rêve, Mme Dale sortit pour acheter le *New York Herald-Tribune* et la première nouvelle qui lui tomba sous les yeux fut celle-ci :

SURPRISE D'UNE MÈRE : ELLE MET AU MONDE
SON SECOND BÉBÉ

John L., 40 ans, peintre, se promenait hier soir en auto avec sa femme Caroline, 25 ans, et leur petite fille Marianne, 18 mois, quand Mme L. se plaignit soudain de douleurs.

Le couple habitait Bell Boulevard, et M. L. se précipita dans la maison la plus proche, celle de l'agent de police Christian S., 40 ans, qui accoucha Mme L. d'une petite fille de 10 livres... Mme L. déclara aux infirmières qu'elle ne savait pas qu'elle était enceinte.

La surprise éprouvée par Mme L. en apprenant qu'elle était enceinte d'un enfant de 10 livres a presque de quoi éclipser l'étrangeté du fait que Mme Dale ait rêvé de l'événement.

Peu de temps après, ce fut au tour d'Ullman de rêver d'un article de journal qui relatait une histoire peu banale. Voici son rêve du 22 mars : « On trouvait un serpent sur le terrain de golf. Il y avait une discussion pour savoir s'il fallait se servir d'un bâton fourchu pour le capturer. Puis quelqu'un écrasa la tête du serpent en la lui enfonçant dans le sol, et tout ce que l'on pouvait voir était les deux trous à l'endroit où les dents avaient disparu. »

Le lendemain, dans un entrefilet daté du 22 mars, le *New York Post* annonçait qu'un expert en serpents avait été mortellement mordu par un crotale. « Au moment où Johnson se préparait à passer un nœud coulant autour de la tête du serpent, celui-ci se libéra et lui mordit le dos de la main. Il se projeta si violemment en arrière que les crochets restèrent plantés dans la chair. Sparks tua le serpent avec une pierre tandis que Johnson retirait les crochets... » Les détails concomitants (la tête du serpent qu'on écrase et les « deux trous à l'endroit où les dents avaient disparu ») confèrent à cette expérience plus qu'un parfum d'authenticité.

Un événement bizarre de la vie personnelle d'Ullman détermina pareillement chez Mme Dale un rêve qui se rattachait à la classique télépathie de crise. La femme d'un de ses voisins était atteinte de paralysie fonctionnelle des membres inférieurs, d'origine apparemment hystérique. Dans la soirée du dimanche 13 juin, elle eut une crise d'hystérie et son mari demanda à Ullman de l'aider. Quand Ullman arriva, la femme le supplia de lui couper ses jambes hors d'usage avec une hache. Elle lui avoua sous le sceau du secret qu'elle était préoccupée parce qu'elle nourrissait des pensées agressives envers ses enfants.

Confrontons cet incident au rêve que Mme Dale fit le 14 juin : « Un horrible cauchemar. Un bébé avait été amputé du bras. Le bras desséché était dans un étui de cuir. On devait me couper le mien et le greffer au bébé, puis me greffer à moi le membre racorni du bébé. On m'affirmait qu'il se développerait normalement, et j'étais disposée à accepter l'opération. Mais le médecin commença l'opération sans m'anesthésier. Je hurlais, je me débattais en réclamant à grands cris que l'on m'insensibilisât, et je me suis réveillée terrifiée et couverte de sueur. »

L'affaire de la voisine psychopathe semble avoir constitué un bon support pour le cauchemar de Mme Dale, qui se trouvait à trente kilomètres de là, et l'on est fondé à se demander quelle est la fréquence des cauchemars reflétant effectivement les pensées psychotiques d'un tiers. Moins pénibles, mais cependant douloureuses, les visites de Mme Ullman chez son dentiste trouvaient plus souvent leur écho dans les rêves de Mme Dale. Heureusement pour elle, ceux-ci étaient généralement symboliques : il s'agissait de plombages et non de la véritable souffrance qui accompagne les soins stomatologiques.

Quand on tente de déterminer les correspondances entre un rêve et un événement réel, il est évidemment difficile d'avoir la certitude que la corrélation relevée n'est pas le fruit du hasard. On doit s'attendre à ce qu'il y ait parfois des rapports avec des sujets banals et les activités quotidiennes des gens. Mais le thème philosophique du « temps » apparaît-il très souvent ? Le 2 juin 1954, Ullman eut une discussion avec un confrère à propos des travaux du Dr Joost Meerloo, qui s'intéressait tout particulièrement au concept métaphysique de sa nature. Son essai, *The Time Sense in Psychiatry* (« *La Notion du temps en psychiatrie* »), s'achève par ces mots : « Seul l'homme espère, et seul l'homme a la notion du temps et de la mort. Bien que le temps demeure pour lui un *memento mori* [rappelle-toi qu'il faut mourir], l'homme créateur construit sa propre dimension temporelle » [3].

Le rêve que fit Mme Dale, le même jour semblait répondre à Meerloo : « Le stimulus me réveilla, mais c'était comme un roulement de tambour et une musique éclatante, atteignant un crescendo assourdissant, avec une voix d'homme qui répétait ces mots : " Le temps et l'espace sont peut-être éphémères, mais la personnalité est immortelle. " »

Des déclarations de grande portée accompagnées de sonnerie de tambours sont très rares en l'occurrence, et il est plus fréquent de rêver de ses collègues. Le 25 juin 1954, Mme Dale eut un bref rêve dans lequel elle regardait « un exemplaire du livre de Gertrude Schmeidler. Assez mince, il avait une couverture rouge, et les marges étaient remplies d'annotations au crayon. » Le Dr Schmeidler, psychologue et parapsychologue en poste au City College de New York, n'avait pas écrit d'ouvrage répondant à cette description, mais, ce jour-là, le Dr Ullman, souffrant, était resté au lit et il avait lu un volume recouvert en rouge qu'il avait emprunté. Il se rappela avoir regretté qu'il ne lui appartînt pas car il avait éprouvé l'envie d'y porter des notes en marge. Apparemment, Mme Dale avait exaucé son vœu.

Une série de rêves liés à des événements débuta le 6 juillet 1954, date à laquelle la chatte d'Ullman eut quatre petits. Deux jours plus tard, Mme Dale, qui était amateur de chiens et possédait plusieurs boxers, fit ce rêve : « Tina accouchait de quatre beaux petits chiots, tous femelles. Toutefois, il était possible que l'un d'eux eût une malformation oculaire congénitale. Dans ce cas, j'aurais été obligée de le sacrifier. »

Bien des mois plus tard, au cours du printemps 1955, Tina, qui était une chienne primée, fut atteinte d'une grave affection oculaire qui contraignit Mme Dale à aller fréquemment chez le vétérinaire et lui causa beaucoup de souci. On lit dans son journal du 19 avril 1955, à propos d'un rêve dans lequel il était question de cécité : « J'avais le thème de la cécité en tête à cause de l'état de l'œil de Tina. » Et, à la même date, dans le journal d'Ullman : « Le petit chat blessé à la patte a été piqué hier. »

Ces correspondances sont conformes à la théorie de l'association de Carington. La naissance des quatre petits chats d'Ullman déclenche, par enchaînement d'idées, le rêve de Mme Dale, à propos de la naissance de quatre petits chiens. Les associations paraissent aussi se prolonger dans l'avenir en anticipant la maladie de Tina et le sacrifice de l'un des petits chats. Ce qui corrobore encore cette théorie, c'est le souci que se fait Mme Dale pour l'œil de sa chienne : il ressort en rêve le jour même où le chat a été piqué parce qu'il était blessé. Sa propre inquiéude au sujet de sa chienne a pu servir, en quelque sorte, de pont psychodynamique la reliant à celle des Ullman pour le petit chat.

Le thème des animaux familiers sembla revenir à la charge le 9 avril 1955, quand Ullman rencontra par hasard dans la rue Mme Dale qui ne s'attendait pas à le voir et en fut surprise. Il se rendait chez un jeune homme qui avait la phobie des chiens, pour l'assister de ses conseils.

La nuit suivante, Mme Dale fit ce rêve : « J'étais dans mon bureau à l'ancien siège de l'ASPR. Gertrude Schmeidler entra... Elle m'annonça que Gardner Murphy lui avait dit : " Laura (Mme Dale) a psychiquement guéri le delphinium du médium Margery. " J'étais furieuse et je répondis que j'ignorais tout de cela, je n'avais jamais psychiquement guéri ni rien ni personne, et encore moins la plante de Margery. En guise de preuve, je précisai que je n'avais jamais vu cette femme. »

Au premier abord, il semble extrêmement improbable que ce rêve absurde et amusant ait pu correspondre si peu que ce soit à la réalité. Margery était le plus célèbre médium de son temps. L'ASPR avait consacré dans les années 1920 et 1930 plusieurs tomes de ses *Proceedings* à ses activités médiumniques — encore que, par la suite, il fut révélé que quelques-uns, au moins, des phénomènes dont elle se targuait étaient truqués. Néanmoins, si vaste que fût la gamme de ses dons, la guérison psychique n'en faisait pas partie. On avait parlé d'elle quelques jours auparavant, puisque Mme Dale avait dû répondre à une question relative à la date de sa mort (1941).

Il était parfaitement exact que Mme Dale n'avait jamais rencontré Margery, mais elle connaissait un autre médium célèbre, Mme Eileen Garrett, présidente de la Parapsychology Foundation. Un mois après ce rêve, le hasard voulut qu'elle tombât sur Mme Garrett dans la rue, et elle lui fit part des soucis que lui causait l'état de l'œil de sa chienne Tina. Le vétérinaire trouvait que l'animal ne faisait guère de progrès. Mme Garrett lui proposa alors de lui envoyer sa personnalité seconde, « Abduhl Latif », pour soigner psychiquement Tina, car les guérisons faisaient partie de ses talents à elle. (Le traitement ne fut apparemment pas entièrement satisfaisant.)

Cet incident suggère une explication possible du rêve : le traitement psychique de la plante d'un médium devient celui d'un animal par un médium. Le fait que, dans son rêve, Mme Dale se déclarait incapable d'opérer des guérisons psychiques, peut être rattaché à la frustration qu'elle éprouvait d'être incapable de soigner sa chienne. Les sceptiques ne manqueront pas d'objecter qu'il est difficile de mettre sur un pied d'égalité les delphiniums et les chiens, et il est certain qu'on ne saurait escompter que l'amour porté à une plante soit aussi intense que celui que l'on voue à un chien. Pourtant, la plante de l'une peut valoir l'animal familier de l'autre. Que les symboles oniriques de Mme Dale proviennent de l'avenir est embarrassant pour la pensée psychanalytique traditionnelle, mais pas plus que la plupart des phénomènes rassemblés dans ces pages.

Peut-être les psychanalystes se sentiront-ils en terrain plus familier avec les rêves du 1er mai 1955, qui paraissent constituer le véhicule de symboles sexuels.

Mme Dale rêva qu' « une femme inconnue était dans une voiture avec Tina. Tina avait un collier et une laisse en cellophane. La femme portait un sac à main qui s'ouvrait et se fermait électriquement. J'essayais de le refermer, mais il n'y avait rien à faire. La femme dit qu'elle ne trouvait pas les clés de sa voiture. Aussi, je repris Tina et nous partîmes à pied pour nous rendre à notre destination ».

Rêve d'Ullman : « Il y avait une voiture arrêtée. Je devais brancher un long tuyau d'incendie à une prise d'eau. Je ne savais pas comment faire. J'enlevai le couvercle de la prise d'eau. Je fus surpris par la délicatesse et la complexité du mécanisme intérieur. C'était comme un moteur qui devait être mis en marche. Je réussis finalement à le faire démarrer, mais il s'arrêta. Deux hommes âgés découvrirent le défaut : il fallait coller ensemble des ressorts en caoutchouc. J'essayais d'effectuer la réparation. »

On trouve à chaque fois une voiture immobile (non fonctionnelle). Chez Mme Dale, un symbole sexuel féminin (un sac à main qui s'ouvre et se ferme électriquement), et chez Ullman, un symbole sexuel masculin (une prise d'eau munie d'un long tuyau d'incendie) ne fonctionnent ni l'un ni l'autre. Mme Dale rêve de deux femmes et d'un animal femelle, Ullman, de trois hommes. Le symbolisme global porte sur des tentatives d'activation sexuelle (« la délicatesse et la complexité du mécanisme ») qui n'aboutissent nulle part — (« elle ne trouvait pas les clés de sa voiture », « je réussis finalement à le faire démarrer mais il s'arrêta »). La seule indication dont nous disposons pour expliquer pourquoi tout a subitement pris un tour psychanalytique est qu'Ullman avait assisté la veille à un dîner dansant réunissant des psychanalystes et leurs épouses. La discrétion nous interdit d'en dire davantage...

Des correspondances de rêve à rêve eurent lieu à plusieurs reprises au cours de l'expérimentation Ullman-Dale. Ce n'était parfois rien de plus qu'un mot ou une idée communs, mais une émotion sous-jacente servait souvent de trait d'union entre les rêveurs. Dans son rêve du 2 avril 1955, Mme Dale allait « voir un docteur. Il s'avéra être un petit bonhomme miteux qui avait un cabinet minable... J'attendis longtemps mon tour. Enfin, le docteur me reçut. Ses fautes de grammaire me choquèrent. Je ne me souviens plus de quoi je souffrais, mais il me dit que je n'avais rien et appela le malade suivant ». Associations de Mme Dale : elle était allée se faire examiner un mois plus tôt et le médecin lui avait dit que son ouïe était normale. Toutefois, c'était quelqu'un de tout à fait respectable qui ne présentait aucun des attributs négatifs du docteur de son rêve.

La même nuit, Ullman fit le rêve suivant : « Je crois que j'essayais de me rappeler le nom d'un médecin avec lequel j'avais fait mon internat, qui avait été dans la marine et s'était spécialisé dans la psychiatrie. » Il n'avait pas de sympathie pour ce personnage et il se peut que cela ait joué pour discréditer le docteur de Mme Dale. Néanmoins, la coïncidence et le hasard pouvaient rendre compte de correspondances aussi ténues.

Une corrélation similaire apparut chez les deux protagonistes le 15 juin 1955. Mme Dale rêva qu'elle était « dans une station balnéaire — un petit hôtel ou une pension de famille — Atlantic City ? », alors qu'Ullman, lui, se trouvait en songe sur une plage. Le lendemain, il rêvait qu'il marchait « sur un caillebotis ». Atlantic City est, bien sûr, célèbre pour ses hôtels, sa plage et ses « planches ». Chose curieuse, un lien plus direct avec le rêve de Mme Dale était intervenu dans un rêve qu'Ullman avait fait plus d'un mois auparavant, le 4 mai 1955 :

Il y avait un morceau de papier déchiré. Quelque chose à propos d'une entrevue avec le FBI à Atlantic City. Il portait ces mots : « Il parlera. » J'y allai par le métro et j'entrai dans un hôtel à Atlantic City. Ils allaient être étonnés de voir que je ne me laisserais pas faire.

Si les deux rêves où il était question d'hôtels à Atlantic City avaient eu lieu la même nuit, cela aurait été une preuve magistrale de télépathie. Mais, survenus à plus d'un mois de distance, ils demeurent énigmatiques.

Le rêve fait par Mme Dale le 20 mai 1955 montre comment le subconscient du dormeur réagit à ces « loupés » décevants :

Je parlais avec Mme A. (une parapsychologue). Je lui disais que *tous* nos rêves expérimentaux étaient télépathiques et hautement significatifs. Si Monte Ullman rêvait de sexe, je rêvais de sexe. Si je rêvais d'argent, M. U. rêvait d'argent. Je fanfaronnais beaucoup et Mme A. avait l'air très impressionné.

De tels moments de triomphe devaient demeurer à l'état de vœux pieux, car des correspondances aussi nettes étaient rares. Toutefois, lorsqu'elles se produisaient, elles étaient très frappantes. A titre d'exemple, nous citerons deux rêves ayant eu lieu à vingt-quatre heures d'intervalle. Ils faisaient l'un et l'autre intervenir de la musique vocale, des élèves qui apprennent le piano et des gens ayant B. R. pour initiales.

Mme Dale rêva d'une petite fille à qui elle avait donné des leçons de piano plusieurs années auparavant :

Une fillette nommée Betsy Richards me donnait l'analyse écrite d'un morceau populaire. Cet air était apparemment d'une forme tout à fait inhabituelle. Elle étudiait plusieurs formes typiques, puis la chanson en question...

Le lendemain, Ullman vit ceci :

Je sortais avec Bernie Robbins. J'étais ensuite dans un théâtre où j'assistais à un concert. Mon ancien professeur de piano, Shaffer, que j'assimilais dans mon rêve à (Léonard) Bernstein, donnait un concert. Il s'agissait de musique vocale et non de piano.

La bizarrerie de ces deux rêves réside dans le fait que des pianistes s'adonnaient à la musique vocale. Dans le rêve de

Mme Dale apparaît l'élève à qui elle apprenait le piano et, dans celui d'Ullman, son professeur de piano. L'un et l'autre font resurgir des souvenirs vieux de plusieurs années, remontant à l'époque où les rêveurs apprenaient et enseignaient, respectivement, la musique. Comme il en va pour beaucoup de ces exemples, le temps est désarticulé. Pour quelle raison les deux rêveurs se sont-ils « accordés » sur cette curieuse expérience commune ? Cela reste un mystère.

Le 6 juin 1955 fut marqué par un cas encore plus séduisant de télépathie apparente. Ullman avait eu avec un confrère une discussion portant sur les moyens d'empêcher les patients schizophrènes de se suicider. Elle eut peut-être pour effet d'éveiller télépathiquement de douloureuses réminiscences chez Mme Dale, dont la sœur s'était tuée quelques années plus tôt en se jetant par la fenêtre. Dans le rêve qu'elle eut cette nuit-là, elle était en compagnie d'une femme qui lui rappelait sa sœur :

Je me trouvais en haut d'un bâtiment élevé. Quelqu'un dit que D.B., dans une pièce, deux étages plus bas, voulait sauter par la fenêtre. Bien que j'aie terriblement peur de l'altitude, je descendis du toit en rampant et pénétrai dans sa chambre pour la dissuader de se suicider.

Comme c'est le cas de beaucoup d'exemples cités, une expérience du Dr Ullman donnait l'impression de se répercuter dans les rêves de Mme Dale. Ullman semblait être un « agent » ou émetteur télépathique naturel et Mme Dale réussissait particulièrement bien comme percipient ou récepteur. Ils décidèrent de se lancer dans une nouvelle série de tests, Mme Dale devant tenter de rêver de certains événements précis qui intervenaient dans la vie personnelle d'Ullman. A partir du 15 juin 1955, ce dernier noterait chaque jour un événement marquant de son existence et enregistrerait sur magnétophone un mot-clé axé sur cet événement. Puis Mme Dale essayerait de rêver de ce mot-clé que, bien entendu, elle ignorait totalement. Comme cette brève série d'expériences portant sur seize nuits ressemble plus ou moins à celles qui se déroulèrent par la suite, nous allons l'examiner plus en détail.

Le premier jour, le 15 juin, Ullman prit la résolution de cesser de fumer. Aussi, le mot-clé de cette nuit fut le mot *fumer*. Mme Dale eut deux rêves. Dans l'un, elle allait chercher sa chienne à la clinique sans l'autorisation du vétérinaire ; dans l'autre, elle se trouvait en compagnie de son frère (qui représentait toujours Ullman, à qui il ressemblait physiquement) chez quelqu'un d'autre. Pas de correspondance.

Le 16 juin, Ullman se rendit chez un ami pour récupérer son chien qui s'était échappé : la situation était identique à celle du rêve de Mme Dale allant chercher sa chienne à la clinique. Le mot-clé du jour était *chien perdu*. Ullman continuait d'essayer de ne plus fumer.

Mme Dale rêva qu'elle « se rendait dans une salle de conférences où elle devait prendre la parole. Mais le président ne l'appela pas. Il fit venir un homme qui débita un long discours qu'il illustrait au tableau noir. J'étais vexée de ne pas avoir été désignée mais, en même temps, soulagée de ne pas avoir à être face au public... Sur un escalier, il y avait des groupes de gens *en train de fumer*... ».

Cette référence subsidiaire à l'acte de fumer arrivait avec un jour de retard, mais elle était intéressante : rien de ce genre n'avait jamais été évoqué jusque-là dans les rêves de Mme Dale. Mais que penser de l'épisode du président qui omet de l'inviter à faire sa conférence ? Il pouvait être l'écho de la vague angoisse d'Ullman, qui devait prononcer une causerie à bref délai, mais aussi être lié à une lettre que Mme Dale avait reçue d'Angleterre quelques jours auparavant. Elle devait présider un colloque sur les maisons hantées, organisé en Grande-Bretagne. Or, on lui annonçait qu'un parapsychologue européen siègerait à sa place. Comme dans son rêve, Mme Dale nota dans son journal : « Vif soulagement pour moi. »

Le 18 juin, Mme Dale ne se remémora aucun rêve. C'était l'échec intégral.

Mais, le lendemain, le mot-clé choisi par Ullman fut *soirée réussie*, allusion au succès d'une réception à laquelle sa femme et lui avaient assisté ce jour-là. A noter que les Ullman n'avaient pu se rendre à deux autres réunions auxquelles ils avaient été conviés le même soir. Mme Dale fit ce rêve : « Je me trouvais dans une maison très chic, assise dans la cuisine avec mon frère. Une joyeuse *soirée* se déroulait en haut... Mon frère n'y avait pas été invité, et je lui disais qu'il ferait mieux de partir... » Coup au but !

Le mot-clé du 20 juin fut *Ralph,* nom du fils de gens que connaissait Ullman. Il leur avait rendu visite, et avait été scandalisé en constatant que le garçon était enfermé dans sa chambre. Mentalement arriéré, son comportement était excentrique et imprévisible, surtout en présence d'étrangers. Il était frêle, noué d'embarras et de crainte.

Cette nuit-là, Mme Dale fit le rêve suivant : « Je me rendais dans une prison, et l'on me conduisit dans une cellule où un jeune homme en proie à la douleur gisait sur une couchette. Je distinguais très nettement son visage... maigre, tendu... en attente... et son corps frêle. C'était un drogué, qui attendait les horreurs du manque. Il n'en était pas encore arrivé au point culminant, mais il était plongé dans une profonde terreur. »

Cette correspondance étroite avec la cible constituait l'une des plus intéressantes de cette série d'expériences. De tous les événements dont avait été tissée la vie d'Ullman ce jour-là, seul l'événement choisi pour cible — le jeune garçon séquestré — avait surgi dans le rêve de Mme Dale, avec un minimum d'élaboration.

Le lendemain, on ne releva guère de corrélations avec le mot-clé — le nom d'un des patients d'Ullman — et les jours suivants en furent, eux aussi, dépourvus.

Le mot-clé du 27 juin, cependant, fut *Alfresco,* allusion à un *alfresco,* un pique-nique à l'occasion duquel on avait en guise de calembour, en quelque sorte, exposé une grande toile peinte, une « fausse fresque » *(Fake fresco).* Cette même nuit, Mme Dale rêva qu'elle visitait « un beau château en France. J'admirai la pelouse et fis part de mon émerveillement à quelqu'un qui était avec moi. Puis je l'examinai plus attentivement et m'aperçus qu'elle était fausse, que c'était en réalité un énorme tapis vert... ». La fausse pelouse semblait bien recouper le pique-nique sur l'herbe *(alfresco)* agrémenté d'une « fausse fresque » *(fake fresco).*

Mme Dale ne se rappela pas ses rêves des deux nuits suivantes mais, le 30 juin, elle fit celui-ci : « J'étais en Angleterre chez des gens dont l'enfant handicapé vivait dans un fauteuil roulant. Il était né sans jambes... »

Rien d'aussi abominable n'était intervenu chez les Ullman, mais il existait peut-être un rapport entre ce rêve et le mot-clé, *chirurgie,* évoquant une opération subie la veille par la belle-sœur d'Ullman, qui devait passer sa convalescence chez lui.

La nuit qui devait marquer la fin de la série, le 1er juillet, Mme Dale ne vit rien qui présentât apparemment de rapport avec le mot-clé (le nom d'un ami qui avait rendu visite à Ullman ce jour-là), mais son rêve était cependant étrange :

Nous assistions, mon frère et moi, à un congrès médical à Atlantic City. Nous nous y rendions et constations qu'il n'y avait que très peu de personnes... Le stimulus se déclencha et me réveilla. J'entendis la voix de Monte, très claire, qui disait : « Donnez-moi ma médaille », au lieu des mots enregistrés sur la bande.

Il semblait presque que Mme Dale eût fait le rêve d'Ullman. Elle n'avait jamais participé à un congrès médical à Atlantic City, mais tel avait précisément été le cas d'Ullman. En fait, ce rêve paraît quasiment prolonger celui qu'il avait fait le 4 mai 1955 — celui où il avait affaire au FBI à Atlantic City. Le « donnez-moi ma médaille » s'éclaire quand on fait l'association avec le FBI : on donne une « médaille » à Ullman pour le récompenser d'avoir tenu tête.

De telles spéculations tâtonnantes à propos d'une possible corrélation entre l'existence et les rêves de deux personnes ne quittent pas le terrain des impressions subjectives : il n'y a apparemment aucun moyen d'établir entre eux un rapport objectif ou statistique. En tentant de détecter des correspondances entre les rêves et les événements, Ullman s'attachait au contenu manifeste non déductif plus qu'aux correspondances symboliques.

Sur un total de 501 rêves (283 pour Mme Dale, 218 pour Ullman), ils notèrent que 58 (environ 10 p. 100) étaient probablement paranormaux. En ce qui concerne la dernière série, un mot-clé étant utilisé pendant seize nuits consécutives, on constatait un bon rapport pour quatre nuits, un autre, plus faible, pour deux nuits, et aucun pour les dix autres : sur six de ces dix nuits, Mme Dale ne nota aucun rêve. Donc, sur les dix nuits pendant lesquelles elle rêva, six semblaient révéler une certaine relation paranormale. C'était là une proportion très élevée, comparée à celle des tests antérieurs.

Le stimulus vocal enregistré et l'ordre qui l'accompagnait de se rappeler le rêve faisaient-ils une différence ? Apparemment oui, encore que l'ordre eût peut-être plus d'importance que le mot-clé lui-même. Sur ces 58 rêves significatifs, 45 furent enregistrés alors que le stimulus opérait.

Les rêves de Mme Dale et ceux d'Ullman se caractérisaient par une différence intéressante : Mme Dale rêvait plus souvent d'Ullman (ou de son frère, symbole de celui-ci) qu'Ullman ne rêvait de Mme Dale. Il semblerait qu'il y ait là un lien avec l'aptitude plus prononcée de cette dernière à incorporer dans ses rêves des événements de la vie personnelle du premier, comme si elle était plus douée pour « capter » et, inversement, Ullman, pour « émettre ».

La fréquence des rêves de Mme Dale se référant à des événements de l'existence de Ullman pourrait, du point de vue de la psychanalyse, se rattacher au système triangulaire que constitue un échange entre un homme et une femme et dont est exclue l'épouse du premier. D'autres thèmes particuliers auxquels elle était sensibilisée étaient liés à des événements générateurs d'angoisse ou chargés d'un puissant contenu émotionnel.

Si précieuse qu'elle fût pour sonder les possibilités du rêve télépathique, cette expérimentation exploratoire présentait plusieurs inconvénients. Il n'y avait pas moyen de savoir quand le dormeur rêvait. Bien souvent, le sujet ne se rappelait pas ses rêves. Il était apparemment impossible d'opérer une analyse statistique du matériel : la critique de Cicéron était donc toujours aussi valable. Et pourtant, il y avait des correspondances dont le hasard seul *semblait* vraisemblablement ne pas pouvoir rendre compte.

Le temps constituait un problème supplémentaire. Bien que les corrélations paranormales entre les rêves et les événements fussent regroupées sur le même axe temporel (de façon à être interprétées comme des phénomènes télépathiques), beaucoup d'entre elles s'étalaient dans le temps, avant et après. Cette découverte recoupait celle de Whately Carington, qui observa des décalages identiques dans ses expériences de télépathie effectuées à partir de dessins. Mais, pour pouvoir démontrer expérimentalement l'existence de la télépathie onirique, il était nécessaire de resserrer la marge de simultanéité entre le rêve et l'événement. Pour cela, il était indispensable de déterminer le moment *exact* du rêve afin de pouvoir « émettre » la cible à cet instant précis.

6

Le témoignage oculaire

L'étude du sommeil et du rêve fit un colossal bond en avant dans les années 1950, quand les chercheurs de l'université de Chicago découvrirent que le rêve présentait d'indubitables répercussions sur le plan physiologique. Eugene Aserinsky, jeune physiologiste appartenant à l'équipe du Dr Nathaniel Kleitman, dont les travaux sur le sommeil font autorité, observa en 1952 que lorsqu'on enregistrait en permanence pendant toute une nuit les ondes cérébrales d'un sujet au moyen de l'électroencéphalographe (EEG), on notait périodiquement des mouvements oculaires rapides, et que ce phénomène était associé à une activité électrique du cerveau, proche de celle qui caractérise l'état de veille. Si on réveillait le sujet à ce moment-là, il était en mesure de raconter un rêve.

Aserinsky et Kleitman publièrent en septembre 1953 dans la revue *Science* [1] leur première étude expérimentale à ce propos sous le titre : « Apparitions régulières de périodes de mobilité oculaire et phénomènes concomitants pendant le sommeil * ». Ces « apparitions régulières de périodes de mobilité oculaire » sont maintenant dénommées mouvements oculaires rapides *(Rapid Eye Movements,* ou REM) et les « phénomènes concomitants » sont depuis toujours appelés rêves.

___

* *Regularly Occuring Periods of Eye Mobility and Concomitant Phenomena During Sleep.*

97

Dans les années qui suivirent cette découverte, d'énormes progrès ont été réalisés pour élucider la nature physiologique du sommeil et du rêve. En ce qui concerne la recherche sur les rêves eux-mêmes, il y eut aussi une innovation importante : l'ancienne méthode des essais et des erreurs, utilisée pour recueillir le matériel onirique, céda la place à des techniques plus sophistiquées. L'électroencéphalographe (EEG), indiquait le moment le plus favorable pour réveiller le sujet afin qu'il relate son rêve.

Il sera peut-être intéressant d'ajouter à ce propos que c'est l'Allemand Hans Berger qui imagina en 1929 l'électroencéphalographie. Le procédé permet d'amplifier et d'enregistrer les infimes ondes électriques cérébrales. Il espérait en fait que ce dispositif mettrait en évidence l'énergie sous-tendant les phénomènes de télépathie. On sait aujourd'hui que les courants électriques extrêmement faibles émis par le cerveau ne peuvent rendre compte de l'ESP à grande distance et que, ainsi que l'a démontré le parapsychologue soviétique Léonide Vasiliev [2], l'ESP n'est pas affectée par les écrans électriques.

Bien qu'il ne soit pas aussi mystérieux que l'ESP, le phénomène dit des mouvements oculaires rapides qui accompagne le rêve n'en est pas moins toujours controversé. Pour certains auteurs, qui s'appuient sur des expériences contrôlées, les mouvements latéraux des yeux viennent du fait que le dormeur suit le déroulement d'une action dans son rêve. Si l'on rêve qu'on assiste à un match de tennis où la balle va et vient, les yeux suivent le même mouvement. Si l'on rêve de quelqu'un qui monte et descend un escalier, ils bougent de haut en bas.

D'autres spécialistes lient le phénomène REM à l'activité de « balayage ». Quand nous entrons dans une pièce que nous ne connaissons pas, notre regard se déplace dans tous les sens pour enregistrer le plus de détails possible. Cette action de « balayage », que nous partageons avec d'autres mammifères, constitue peut-être un reste de l'instinct de conservation, une vigilance périodique qui persiste même dans le sommeil.

Certains chercheurs, qui se sont penchés sur les différences que présentent sous ce rapport les amphibiens, dont les yeux sont situés de part et d'autre de la tête, ont avancé une autre hypothèse : ces mouvements oculaires rapides ont pour but d'habituer les yeux des mammifères à travailler conjointement.

Les amphibiens, dont les globes oculaires sont disjoints, n'ont que peu de mouvements oculaires rapides.

L'érection du pénis chez l'homme, qui accompagne le rêve, constitue un autre phénomène physiologique concomitant qui ne laisse pas d'intriguer. Il n'est pas lié au contenu érotique du rêve, mais semble être une simple réaction physiologique, ce qui suggère l'existence d'une aire cérébrale commune, influençant à la fois l'activité onirique et l'excitation sexuelle.

Les mouvements oculaires rapides ne sont pas à eux seuls suffisants pour indiquer le rêve. Il faut aussi que le dormeur en soit à ce que l'on appelle la phase de sommeil paradoxal. [On subdivise couramment le sommeil en quatre phases, avec, pour chacune, un tracé électroencéphalographique spécifique. Le sujet ne rêve pas au stade I initial (ou descendant). Les rêves surviennent pendant les périodes suivantes (émergentes) de la phase I.] Cela signifie que l'observateur qui surveille le tracé électroencéphalographique d'une personne endormie doit attendre que la courbe indique que celle-ci est entrée en phase I émergente, et que les mouvements des yeux indiquent simultanément qu'elle est en période REM. Il est alors absolument sûr que le sujet est en train de rêver.

Pratiquement tout le monde passe par au moins quatre périodes de rêve dans la nuit. Elles se succèdent approximativement à des intervalles de quatre-vingt-dix minutes. Au début, elles sont brèves, une dizaine de minutes ou moins encore, mais elles s'accroissent considérablement au matin : elles peuvent alors durer une demi-heure ou davantage. Le dernier rêve est celui que l'on a généralement tendance à se rappeler au réveil, et il est susceptible d'être plus élaboré que ceux qui l'ont précédé.

Des nombreuses variables dont dépend le rêve, l'âge est peut-être celle dont les effets sont les plus marquants. Il ressort des études faites sur les nouveau-nés, qu'environ 70 pour 100 de leur temps de sommeil est un sommeil REM, alors que le chiffre tombe à 20 pour 100 environ chez l'adulte et que le pourcentage diminue encore à mesure qu'il vieillit.

Comme on pouvait s'y attendre, l'étude physiologique du sommeil et du rêve a eu un impact énorme sur les théories de la motivation du rêve. Pourquoi rêve-t-on ? La question est encore loin d'être résolue, mais l'on peut au moins établir une distinction entre les paramètres qui *influencent* le rêve et sa *cause* véritable. Les conflits émotionnels, les événements de la journée, les difficultés et les dangers que l'on prévoit ont indéniablement une influence sur le contenu des rêves, mais quelle que puisse être la combinaison de facteurs actifs, le processus régulier et cyclique du rêve demeure immuable.

Les contenus oniriques individuels sont aussi divers que nos caractéristiques psychologiques. Herman A. Witkin et son équipe ont divisé, au moyen de tests psychologiques, les sujets en « plus différenciés » et « moins différenciés ». Ceux de la première catégorie ont tendance à être plus introvertis et moins sensibles aux influences extérieures que ceux de la seconde, qui ont davantage besoin du monde extérieur pour affirmer leur identité. De façon caractéristique, les plus différenciés manifestent une propension à recourir à l'isolement et à l'intellectualisation comme défenses psychologiques, alors que les moins différenciés font plutôt appel au déni et à la censure.

La tendance de ces derniers à refouler les conflits serait liée à leur incapacité à se rappeler leurs rêves tandis que les plus différenciés les relateraient plus fréquemment. L'étude comparative, faite par cette équipe, du contenu des rêves a montré que les plus différenciés avaient aussi des rêves plus imaginatifs.

Certaines personnes, apparemment de la catégorie des moins différenciés, prétendent qu'elles ne rêvent jamais. C'était le cas d'un jeune psychiatre qui était en analyse. Ne pas se rappeler ses rêves était gênant pour quelqu'un appelé à devenir un spécialiste de l'interprétation des rêves. Ce garçon demanda au laboratoire du rêve de l'université de Chicago d'y passer une nuit, pour voir si on ne pourrait pas l'aider. Une heure après qu'il se fut endormi, son électroencéphalogramme indiqua qu'il était entré dans la phase I de sommeil paradoxal, et que ses globes oculaires étaient animés de mouvements rapides. L'assistant attendit quelques minutes avant de réveiller le soi-disant « non-rêveur ». « Tout d'abord, rapporta-t-il, il (le sujet) déclara qu'il ne rêvait pas, qu'il était seulement en train de penser. Puis il dit : " Attendez un instant. Je me souviens d'une conversation. Quelqu'un me traitait de beau salaud (*sad son-of-a-bitch*) [3]". » C'était son premier rêve. Si tous étaient de la même veine, on comprend qu'il les refoulait.

Il semble donc que *tout le monde* fasse des rêves, qu'on se rappelle ou non leur contenu. En vérité, si l'on en empêche une personne pendant un laps de temps suffisamment long, les conséquences risquent d'en être désastreuses : l'intéressé peut se mettre à avoir des hallucinations à l'état de veille.

Certains aveugles (à condition que leurs muscles oculaires ne soient pas atrophiés) présentent également des périodes REM accompagnées de rêves, encore que ceux-ci ne soient pas visuels, à moins qu'ils aient été plus ou moins voyants avant d'être frappés de cécité. Helen Keller, qui avait perdu les sens de la vue, de l'ouïe et de l'odorat dans sa prime enfance cite une émouvante expérience onirique dans son autobiographie :

Une nuit, je rêvai que je tenais une perle dans la main. Je n'ai aucun souvenir visuel d'une vraie perle. Celle que je vis en songe devait par conséquent être une création de mon imagination. C'était un cristal lisse d'un galbe parfait. Je plongeai mon regard dans ses chatoyantes profondeurs, et je fus soulevée d'une tendresse extatique. J'étais aussi émerveillée que quelqu'un qui verrait pour la première fois le cœur frais et suave d'une rose. Ma perle était rosée et feu, elle était le vert velouté de la mousse, la douce blancheur des lis, les nuances et l'embaumement distillé de mille roses. Il me semblait que l'essence de la beauté était dissoute dans son cristallin noyau... [4].

Qu'Helen Keller vît des couleurs en rêve n'est pas de nature à étonner les spécialistes modernes : ils ont en effet constaté que les rêves sont beaucoup plus colorés qu'on ne le pense. La couleur est souvent pour le dormeur un fait allant de soi. Il dira par exemple qu'il marchait sur un chemin herbu. Si l'expérimentateur lui demande s'il y avait de la couleur dans son rêve, il y a de fortes chances pour qu'il réponde avec indignation que l'herbe était verte — bien évidemment. Si certains rêvent toujours en couleurs, la plupart des gens ne le font qu'occasionnellement, ou bien leurs rêves ne comportent que des éléments colorés, encore qu'ils peuvent les avoir oubliés lorsqu'ils se les remémorent au réveil.

On peut s'entraîner jusqu'à un certain point à se rappeler ses rêves par autosuggestion : il suffit de s'en donner à soi-même l'ordre avant de s'endormir. Le lendemain matin, relaxé, on laisse son esprit s'accrocher à la première pensée qui lui vient. Celle-ci peut ramener à la mémoire le dernier rêve que l'on a fait. Les détails affluent de plus en plus nombreux et, de proche en proche, le rêve se reconstitue à partir du dernier fragment remémoré. Essayer cette méthode plusieurs jours d'affilée en notant les rêves aboutit souvent à d'heureux résultats.

La difficulté de se souvenir de ce que l'on a rêvé peut être, pour une part, due à un fait culturel : parler de ses rêves fait l'objet d'un tabou. Si un enfant raconte un rêve à ses parents, ceux-ci risquent de lui dire que cela n'a ni queue ni tête et qu'il ne faut pas y prêter attention. « Ce n'est qu'un rêve. » En revanche, dans une société qui considère que les rêves ont une signification et méritent qu'on en discute, l'enfant peut davantage être capable de les évoquer. Chez les Sénoïs de Malaisie, par exemple, on encourage les gens à raconter leurs rêves, le matin, en famille. Outre que cette coutume développe la mémoire, elle peut être aussi en rapport avec un aspect encore plus bénéfique de la culture sénoï : l'absence de violence et de désordres mentaux que l'on y signale.

On pense couramment que les rêves ne durent que quelques secondes, alors que les événements qu'ils développent s'étalent sur un laps de temps plus long. Cette notion trouve sa source dans un livre écrit au XIXᵉ siècle par le Français Alfred Maury, où il cite un rêve qu'il fit : il était jugé pendant la Révolution et condamné à être guillotiné. Il sentit le couperet s'abattre, mais s'aperçut en se réveillant que c'était la barre de la tête de lit qui lui était tombée sur le cou. Il en conclut que le stimulus physique avait déclenché son rêve, condensant des événements s'étalant sur plusieurs jours en quelques secondes.

Certains individus peuvent-ils accélérer le « temps » dans leurs rêves, à la façon des sujets sous hypnose, qui le déforment en comprimant en l'espace de quelques minutes des événements couvrant des jours entiers ? Ou bien la vitesse d'écoulement du temps demeure-t-elle toujours constante ? Peut-être s'accélère-t-il au commencement ou à la fin du rêve, alors que, dans l'intervalle, il passe plus lentement. La plupart des auteurs modernes ont constaté en utilisant la technique EEG-REM que le temps du rêve recoupe effectivement la durée des événements, bien qu'il emploie souvent le procédé du raccourci cinématographique. Par exemple, en rêve, la traversée de l'Atlantique ne durera pas une semaine : il suffira de « montrer » l'embarquement des

102

passagers, puis leur débarquement après quelques minutes à bord du bateau. De la même façon, dans un film, on accélère l'action en ne montrant que ses éléments essentiels, l'esprit du spectateur effectuant les liaisons nécessaires.

La théorie de Maury selon laquelle les rêves étaient provoqués par une stimulation d'origine extérieure a été maintenant modifiée ; on a démontré qu'ils sont plutôt susceptibles d'être *influencés* par elle. Quand quelqu'un plaçait une allumette enflammée sous le nez de Maury endormi, il rêvait qu'il était en mer et que la soute aux poudres du navire avait sauté. Quand on lui faisait respirer de l'eau de Cologne, il rêvait d'une fabrique de parfums au Caire. Quand on faisait claquer des pinces près de son oreille, il rêvait de balles sifflant dans Paris en émeute. Et ainsi de suite.

On constata un effet analogue dans l'expérience décrite au chapitre précédent, avec le stimulus enregistré qui réveillait Ullman. Le son choisi était un coup de gong chinois. La première fois qu'Ullman tenta l'expérience sur lui-même, il eut le rêve suivant : « Je rêvais que les cloches d'une église proche résonnaient. Je pensai alors que, puisque c'était le cas [que les cloches l'avaient déjà réveillé], le stimulus enregistré ne serait pas nécessaire... Dans mon rêve, j'étais un peu étonné car je ne savais pas qu'il y avait des églises aussi près de chez moi. »

Combien d'entre nous ont eu des rêves similaires en entendant sonner le réveille-matin ? Nous rêvons alors que les cloches carillonnent, que c'est dimanche et que nous n'avons pas besoin de nous lever pour aller travailler.

On a utilisé, pour les expériences exploratoires visant à agir sur le contenu du rêve, la suggestion hypnotique, et des films à forte charge émotionnelle que l'on projetait avant que le sujet s'endorme. Dans le cadre des recherches poursuivies par le Dr Johann Stoyva [5] à l'université de Chicago, on hypnotisait les sujets avant le moment du coucher, on leur commandait de rêver sur un thème déterminé (mais d'oublier la suggestion hypnotique), puis on les laissait s'endormir. Quand l'électroencéphalogramme indiquait qu'ils rêvaient, on les réveillait pour qu'ils relatent leur rêve.

Lorsque l'on ordonna aux sujets sous hypnose : « Cette nuit, dans tous vos rêves, vous grimperez à un arbre », ils firent les rêves suivants :

Sujet n° 1 :

Nous faisions une... excursion et je ne sais pas où nous allions. Nous entrâmes dans la *forêt*. Nous marchions, marchions, marchions. Oh ! C'était très coloré, très...

Mmmmmhh, je suis en train de marcher, je ne sais pas, avec des gens. Je marche dans les *bois*. Ensuite, nous montons sur un pommier pour cueillir de belles pommes bien mûres.

Je rêvais de... l'Egypte, mon Egypte bien-aimée ! Je conduisais des gens à un tombeau situé en Haute-Egypte. Et nous cherchions un peu d'ombre, sans parvenir à en trouver. Puis je les ai faits entrer dans des sépultures royales pour échapper à la chaleur intense.

La scène se passait au cours d'un long voyage sur le Nil ; nous avions soif et nous cherchions de l'ombre, sans pouvoir en trouver. Les *arbres* étaient très rares. Aussi, nous avons visité des mausolées royaux pour échapper à la canicule et je leur montrais à tous quelques belles fresques...

Sujet N° 2 :

Il y avait ce vieil *érable* devant notre maison de Philadelphie. Il frottait contre la fenêtre et, ahhh, nous devions parfois couper les *branches*. Aussi, je ne sais pas, généralement nous montions sur le toit, mais nous *grimpions tous en haut* (de l'arbre) pour les couper. Tous. Toute la famille et ma grand-mère, et il y a maintenant à peu près cinq ans qu'elle est morte. Nous ne pouvions pas l'escalader, et nous le faisions crisser *(sic)* contre les fenêtres.

Il est à noter la manière dont chaque rêveur dispose le thème de l'escalade de l'arbre dans un contexte issu de son expérience personnelle. Apparemment, après avoir réussi à grimper sur un pommier, le sujet n° 1 a estimé que, ayant accompli sa tâche, il pouvait dès lors rêver de choses plus intéressantes, de ses souvenirs d'Egypte, où l'on n'a guère l'occasion de monter aux arbres. Cette activité étant généralement liée à l'enfance, il n'est

104

pas surprenant que le sujet n⁰ 2 ait rêvé d'une scène de ce genre.

Tous les sujets n'incorporaient pas avec autant de succès la suggestion hypnotique à leurs rêves. qui n'avaient parfois qu'un rapport thématique très vague avec celle-ci. C'est ainsi que le sujet auquel on ordonna : « Ce soir, dans tous vos rêves, vous serez dans une barque et vous ramerez », fit ce rêve : « J'étais au bord de notre *piscine* à la maison. Puis je décidai d'appeler ma petite amie pour lui donner rendez-vous. C'est tout ce que j'arrive à me rappeler. »

Dans certains cas, la suggestion fait totalement fiasco. Un sujet à qui l'on avait ordonné de voir une rivière rêva de tout autre chose : « Je subissais un test. Cela ressemblait beaucoup au questionnaire que j'ai rempli ce soir. Vous étiez également présent. Les fils de mon EEG étaient tout emmêlés. »

Il convient de garder à l'esprit le fait que les conditions artificielles qui sont celles du laboratoire du rêve peuvent fortement influencer le contenu des rêves,

Le Dr Charles Tart réalisa à l'université de Californie, à Davis, une expérience analogue sur dix sujets. La suggestion hypnotique enregistrée sur bande magnétique leur ordonnait de rêver d'une situation effrayante. Plus tard, les sujets racontaient leurs rêves dans leur sommeil naturel. Dans cinq de ces dix cas, les visions oniriques ne comportaient pas la moindre trace du stimulus. Les rêves des cinq autres présentaient un rapport avec lui, qui variait du plus vague au très étroit.

Les rêves rapportés, observe Tart, même ceux où la suggestion hypnotique était plus marquée, n'étaient pas des reproductions directes du récit stimulus. Ils offraient au contraire des embellissements considérables. Le meilleur sujet, par exemple, ajoutait constamment une fin heureuse au récit stimulus dont il rêvait afin de ne pas rester dans une situation effrayante [6] !

Un modèle plus proche de situation « normale », que l'on pourrait comparer aux tentatives de transmission télépathique pendant que le sujet rêve, consisterait à lui soumettre oralement une suggestion lorsqu'il est endormi et qu'il rêve. Un « cas spontané » pourrait être un bon exemple.

Vaughan, qui s'était assoupi alors que, dans la cuisine, la radio marchait, fit ce rêve :

Je faisais la queue dans une cafétéria. Une femme est entrée et elle est allée devant, là où c'était éclairé. Le directeur de la cafétéria lui a demandé d'expliquer comment le blocage des prix décrété par le président Nixon affectait le tarif de la nourriture dans les restaurants. Les commentaires de la femme étaient très documentés. Elle parla d'un restaurant où le hamburger était passé de 99 cents à 1,10 dollars. Le directeur de ce restaurant, interrogé sur cette hausse, avait essayé de se justifier en disant que le nouveau prix était celui d'un (hamburger) *spécial*. Alors, le directeur de la cafétéria demanda à la femme combien rapportaient ces hamburgers « spéciaux » que les gens payaient plus cher qu'ils ne le devraient. Elle répondit : « Cinq mille dollars ». J'adressai un sourire à l'homme qui était à côté de moi, et il convint que ces restaurants cherchaient toujours à filouter le consommateur. Quand la femme eut terminé son discours, on l'applaudit et je songeai qu'il était inhabituel d'entendre une si bonne oratrice dans un restaurant. La file se mit alors à avancer très vite, et je finis par être le dernier. Je pris plusieurs plats, mais je ne savais pas ce qu'étaient certains des mets. Puis je me suis réveillé.

A ce moment, le speaker annonçait aux auditeurs qu'ils venaient d'entendre l'interview d'une spécialiste des questions de consommation, à propos des conséquences du blocage des prix dans des restaurants décidé par le président Nixon. Il était fort invraisemblable qu'un établissement puisse faire un bénéfice de 5 000 dollars en augmentant le hamburger de onze cents, mais il ne fait aucun doute que les mots « cinq mille dollars » avaient été prononcés. Comme Vaughan s'était endormi juste avant le dîner, il n'est pas surprenant qu'il ait eu un rêve alimentaire. Ici, comme dans le cas de rêves hypnotiquement suggérés, le rêveur fournit le cadre dans lequel s'insère le stimulus extérieur.

L'expérience la plus voisine de la situation décrite ci-dessus fut effectuée par le Dr Ralph Berger, dans le cadre de ses travaux sur le sommeil. Quand le sujet était en période REM, il prononçait avec insistance un nom de personne. Après, les sujets et des juges indépendants à qui étaient remis les procès-verbaux

106

des rêves, essayaient de faire cadrer ceux-ci avec les noms-stimulus. Les uns et les autres obtinrent des résultats presque aussi bons, avec 32 correspondances exactes sur 78, et une moyenne de réussite de 40 %. Le nom réel n'intervenait que rarement dans les rêves. Il arrivait parfois au sujet de rêver d'une personne appelée ainsi, ou bien il y avait des associations avec le nom de la chose rêvée. Cependant, dans la plupart des tests réussis, le nom-cible était modifié et devenait un vocable phonétiquement semblable (ce que l'on appelle association « klang »). Berger conclut que le monde extérieur est perçu de façon même altérée dans les périodes REM associées aux moments oniriques. Toutefois, l'origine externe de cette insertion du réel n'est pas normalement reconnue comme telle, et le stimulus étranger est incorporé aux événements rêvés. Il semble, en outre, que la conscience perceptive coïncide avec l'analyse corticale du stimulus opérée par le cerveau. Mais elle n'est pas liée à la signification que le rêveur donne à celui-ci... bien que la manière dont le stimulus est intégré donne parfois l'impression d'être fonction du sens qu'il présente pour le dormeur. [7]

Les découvertes de Berger permettent sérieusement de penser que le rêveur explore son environnement pour y recueillir des informations, qu'il réagit aux stimulus et les introduit dans ses rêves d'une façon déguisée et personnelle. Il est certain que le fait de prononcer des noms à son oreille n'est pas suffisant pour éprouver sa vigilance. Que se passerait-il si l'expérimentateur disait : « Je vais vous couper la gorge ! » Nous ne serions nullement étonné si le dormeur se réveillait à ce moment. Voilà une expérience intéressante à faire un jour, intéressante mais pas de tout repos pour le sujet !

Toutes les mères ou presque peuvent témoigner que leurs réponses aux stimulus extérieurs dans le sommeil sont hautement sélectifs. Un camion passe à grand bruit dans la rue. La fenêtre est ouverte. La maman se retourne et continue de dormir profondément. Son bébé se met à pleurer dans la pièce voisine : elle se réveille instantanément.

Bien que, en période REM, le degré d'excitation du cerveau endormi soit extrêmement proche de celui qu'il offre à l'état de veille, l'activité mentale est également présente à d'autres phases du sommeil. Les rêves des dormeurs réveillés alors qu'il ne sont pas en période REM sont plus conceptuels, moins perceptuels, et leur contenu est en général moins net, moins émotionnel et moins déformé. Il semble que dans les « rêves » non-REM les personnages soient moins nombreux, mais la correspondance avec la vie quotidienne du dormeur, plus marquée que dans la phase REM.

Rares sont les personnes qui ont appris à contrôler leurs processus physiques et mentaux : elles ont à un degré inhabituel conscience de leur environnement lorsqu'elles dorment, ce qui a été spectaculairement démontré par le Swami Rama à l'occasion des expériences réalisées par Elmer Green [8] et son équipe au laboratoire de la Fondation Menninger. Quand les ondes cérébrales du Swami étaient très lentes (ce qui témoigne d'un sommeil « profond », où il n'y a pas de rêves), la femme du Dr Green traversait la pièce et se livrait à diverses activités. A son réveil, le Swami Rama racontait de façon détaillée ce qui s'était passé autour de lui, alors qu'il était théoriquement « mort au monde ». La caractéristique du sommeil profond est que l'on ne réagit pas aux événements qui ont lieu autour de soi, et que l'on n'en a pas conscience.

Les variations individuelles qu'accentuent les dons spéciaux des gens, notamment pendant le sommeil, nous ramène au problème essentiel : l'intervention de l'ESP dont le vecteur est le rêve, est-elle un phénomène exceptionnel, qui se manifeste exclusivement chez quelques sujets particulièrement doués ? Ou s'agit-il d'une expérience que tout un chacun peut connaître dans certaines conditions optima ?

La technique EEG-REM de contrôle des rêves a répondu à la demande de Cicéron : « Le rêve est-il susceptible d'être objet d'expérimentation ? » et « Par quelle méthode les rêves, dans leur infinie diversité, peuvent-ils être enregistrés par la mémoire ou analysés par la raison ? »

Le moment est maintenant venu d'aborder cette autre question : est-il possible de provoquer expérimentalement des rêves télépathiques ?

7

Le rêve devient réalité

Montague Ullman estimait que l'apparition de la technique REM-EEG de détection des rêves rendait possible de nouvelles explorations expérimentales de la télépathie onirique. En 1960, il commença à mettre sur pied son plan d'attaque. Il fallait pour cela un électroencéphalographe, un laboratoire du sommeil, une équipe et des sujets d'expérience. Ces derniers pourraient être des volontaires, mais le reste représentait une importante mise de fonds. Ullman fit part de son idée à Eileen Garrett, alors présidente de la Parapsychology Foundation et qui fut jusqu'à sa mort, en 1970, l'un des médiums les plus célèbres. Mme Garrett avait financé par le canal de sa fondation quantité d'expérimentations parapsychologiques et participé en tant que sujet à d'innombrables expériences ESP. Elle avait la conviction que le projet d'Ullman serait d'une grande importance pour la fondation, et qu'il pourrait peut-être éclairer quelques-unes de ses expériences oniriques personnelles, telle celle-ci, qu'elle rapporte dans son livre, *Telepathy* :

A Londres, je m'étais couchée un soir avec le bizarre sentiment que pour ma fille, alors pensionnaire, cela ne tournait pas rond. C'était un dimanche, de sorte que je ne pris pas cette impression au sérieux. Me rappelant qu'elle était probablement en train de m'écrire sa lettre hebdomadaire, je me dis que j'avais « capté » ses pensées. Cependant, je me réveillai à deux heures du matin, avec l'impression qu'elle était dans la maison, qu'un instant plus tôt elle était à côté de moi et me parlait. « Je ne t'ai pas écrit, ma chère maman, m'avait-elle dit en rêve, parce que j'ai mal à la poitrine. Ce soir, je tousse et j'ai de la fièvre. Quand la directrice a découvert que je n'avais pas écrit, elle a été très en colère, elle m'a dit que j'étais négligente et que je manquais à mes devoirs. Mais depuis, elle est venue me voir dans ma chambre et elle comprend que je ne vais pas très bien. »

Bien que je ne fusse pas encore certaine de la validité de cette communication, je décidai de noter ce qu'elle m'avait dit. Le lendemain matin, n'ayant toujours pas reçu de message, je me sentis à nouveau inquiète. Me remémorant mon rêve, je télégraphiai à la directrice de la pension pour lui demander si tout allait bien. Dans sa réponse, elle me déclara que ma fille était couchée avec un gros rhume. En s'excusant à demi, elle poursuivait en rendant l'état de santé de l'enfant responsable de ce qu'elle appelait son « entêtement » à refuser de m'écrire.

Une lettre ultérieure de ma fille laissait entendre qu'elle s'était sentie perturbée, « patraque, peinée et incomprise ce soir-là ». C'étaient ces « sentiments » que j'avais « captés » à l'état de veille avant d'aller me coucher, et le rêve qui s'ensuivit avait révélé et son malaise et la cause de son trouble émotionnel, à un moment où nous dormions toutes les deux... [1]

Fort désireuse de voir des rêves de ce genre scientifiquement vérifiés, Mme Garrett mit à la disposition d'Ullman et de ses collaborateurs deux éminents parapsychologues, Karlis Osis et E. Douglas Dean. Deux pièces de la fondation furent équipées, l'une en salle d'encéphalographie, l'autre en chambre de repos. On installa dans la première un électroencéphalographe (E.E.G.) à quatre canaux et un interphone relié à la seconde, afin de pouvoir réveiller le sujet endormi pour qu'il relate son rêve et que celui-ci soit enregistré sur une bande magnétique.

Mme Garrett accepta d'être le sujet de la première expérience, le 6 juin 1960, qui devait être un essai de télépathie à longue distance. Le Dr Osis choisit comme matériel cible une série de trois photos extraites du magazine *Life*. Il les glissa dans une enveloppe qu'il remit, scellée, à la secrétaire de Mme Garrett, qui habitait à plusieurs kilomètres du lieu de l'expérience, pour qu'elle les emmène chez elle. Elle devait attendre que la fondation lui téléphone pour lui dire quand Mme Garrett commencerait à rêver : alors, elle sélectionnerait une cible sur laquelle elle se concentrerait pour essayer d'établir un contact télépathique.

Mme Garrett arriva à la fondation vers 20 heures. On lui posa les électrodes de l'E.E.G., et elle alla se coucher dans la chambre de repos. Pour cette première tentative, elle n'envisageait de rester que jusqu'à minuit. Elle avait tendance, expliqua-t-elle, à dormir par à-coups, ce que confirma l'E.E.G.. Dean et Ullman, qui surveillaient le tracé, attendirent, mais en vain, que celui-ci indiquât que le sujet rêvait. Déçus par l'échec apparent du test, ils ne téléphonèrent pas à la secrétaire. Ullman fut cependant surpris quand, à 23 heures, Mme Garrett annonça qu'elle se souvenait d'un rêve : elle voyait des chevaux gravir une colline au grand galop, et cela lui rappelait la course de chars de *Ben Hur,* le film qu'elle avait vu quinze jours auparavant.

Ce ne fut que deux semaines plus tard qu'Ullman apprit que l'une des images cibles découpées dans *Life* était une photo en couleurs représentant la course de chars de *Ben Hur.* Cette stupéfiante correspondance parut encourageante, encore que Mme Garrett eût, semblait-il, « accroché » la cible dans son rêve par un phénomène de clairvoyance directe et non de télépathie, puisque sa secrétaire n'avait pas ouvert l'enveloppe scellée.

La seconde expérience, qui eut lieu quelque quatre mois plus tard, dans la nuit du 19 octobre 1960, tourna, elle aussi, autour de l'histoire romaine. Cette fois, Mme Garrett passa toute la nuit au laboratoire et relata six rêves au total. Ullman, qui jouait le rôle d' « agent », installé dans la salle de contrôle électroencéphalographique, devait se concentrer sur une photo choisie au hasard dans un lot constitué par Osis. Vers minuit, alors qu'il attendait encore le premier rêve de Mme Garrett, il pensait vaguement au *Spartacus* de Howard Fast. Ce roman retraçait une révolte d'esclaves, à la suite de laquelle les soldats romains mirent en croix Spartacus et ses compagnons. Ullman se mit à dessiner distraitement des crucifiés, tout en continuant de songer à Spartacus.

Le premier rêve de Mme Garrett, à 1 h 45, fut le suivant : « J'allais voir un film romain... Je crois que c'était *Spartacus.*

Mais je ne suis pas entrée. J'étais debout, à l'extérieur, à regarder des photos de soldats romains, d'invasion romaine... » [2] (Le lendemain matin, Mme Garrett ajouta qu'elle n'avait pas vu le film *Spartacus,* pour lequel on faisait alors de la publicité, mais que, maintenant, elle aimerait assister à sa projection.)

Après que le sujet eut raconté son rêve et tandis qu'il se préparait à se rendormir, Ullman sortit l'image cible : une photo en noir et blanc représentant un médecin en train d'ausculter un malade assis sur la table d'examen. Intrigué par l'apparent succès de la transmission du thème de Spartacus, il eut l'idée de combiner ses propres associations à la cible et dessina à main levée une épée pour Spartacus et un stéthoscope pour le médecin.

Le cinquième rêve de Mme Garrett, survenu environ deux heures plus tard, à 4 h 30, semblait intégrer les images d'Ullman : « J'ai vu mon docteur hier : il était aux jeux Olympiques. Nous en avons parlé ainsi que de Rome... Puis j'ai eu la vision de deux hommes. Ils portaient des épées, mais cela peut encore avoir quelque chose à voir avec lui (le docteur), car il fait de l'escrime. »

Il paraît tout de même hautement improbable qu'un rêve associant Rome, des hommes armés d'épées (au nombre de deux) et un docteur ait pu correspondre aux cibles du seul fait du hasard.

Lors de l'essai suivant avec Mme Garrett, Ullman était encore l'agent. L'image cible était la photo d'un masque indien en or, un visage quelque peu grotesque, les yeux fermés et surmonté de trois cercles. Ullman fut surpris de voir ceux-ci car, avant d'ouvrir l'enveloppe contenant la photo, il avait fait quatre dessins en esquissant des variations autour de trois cercles.

Mme Garrett rêva, non point de trois cercles mais de trois images :

J'ai vu plusieurs images abstraites, et l'une d'elles était fascinante, parce que c'était une sorte de figure à trois dimensions... Elle avait un air mexicain... Sur plusieurs images, il y en avait une qui ressemblait à une percée du soleil, avec beaucoup de jaune... J'ai été très frappée par les trois formes. L'une présentait un aspect mexicain, l'autre était semblable à un soleil, et il y en avait aussi une qui semblait représenter deux personnages dont les visages étaient légèrement altérés, comme

112

s'ils venaient de tomber de fatigue et étaient en quelque sorte en train de dormir...

Mme Garrett avait fragmenté le masque en trois images : en effet, l' « air mexicain », le « jaune-soleil » et les « deux visages... légèrement altérés comme si (les personnages) venaient de tomber de fatigue » le décrivaient avec exactitude. Le deuxième visage fatigué pouvait être celui d'Ullman, car il était quatre heures dix-sept du matin.

Cette même nuit, Mme Garrett eut un autre rêve apparemment lié à des événements qui se déroulaient à quelque 5 000 kilomètres de distance. Le parapsychologue Whately Carington, mort en 1947 en Angleterre, lui était apparu et l'avait pressée d'écrire à sa veuve, en Grande-Bretagne. Il semblait se tourmenter à propos de documents non publiés. Deux autres rêves que Mme Garrett fit dans les jours qui suivirent venant corroborer celui-là l'incitèrent à joindre la veuve de Carington. Ce fut ainsi qu'elle apprit que cette dernière était malade et traversait une situation financière difficile. Mme Garrett la fit hospitaliser, et s'arrangea pour que les documents parvinssent à la fondation. Elle n'avait jamais rencontré personnellement Carington, mais elle avait fait publier son livre, *Telepathy,* aux Etats-Unis.

Les succès obtenus par Mme Garrett sur le plan de la télépathie onirique montraient, semblait-il, que ses dons de perception extrasensorielle, indiscutables aussi bien à l'état de veille que lorsqu'elle était en transe, se manifestaient aussi dans ses rêves. Ses personnalités secondes ont été largement étudiées par les parapsychologues et les psychiatres. Néanmoins, la véritable nature de ses « contrôleurs » demeure insaisissable. Quand Hereward Carrington (qui n'a aucun rapport avec Whately Carington) demanda à sa personnalité seconde, appelée « Uvani », ce qui arrivait à son esprit quand elle s'endormait, il reçut cette réponse :

En grande partie, ce qui se passe aussi lorsque j'entre ; à ceci près qu'il se produit davantage de choses pour elle que pour ceux qui sont moins médiums... Au moment où je prends le contrôle, l'âme s'en va pour acquérir de l'expérience et se reposer. Ce qui survient pendant le sommeil est très proche de cela. Pas dans l'état spirite, ainsi qu'on le suppose généralement. Il n'est pas possible de communiquer pleinement avec les défunts. L'âme peut se projeter dans toute sorte d'expériences et revenir graver ces souvenirs dans la mémoire au réveil [3].

Il convient d'ajouter que Mme Garrett elle-même avait une attitude réservée envers ses « contrôleurs », qu'elle soupçonnait parfois d'être des fragments de son conscient, mais elle respectait ce qu'ils disaient. Il est certain, en tout cas, comme nous le verrons, que ses rêves avaient tendance à contenir plus d'éléments ESP que les rêves de ceux qui possèdent moins de facultés médiumniques.

Pour une autre expérience de télépathie onirique dont le sujet était un psychiatre, la cible sur laquelle Ullman se concentra fut la reproduction d'une mosaïque polychrome. Le violet, qui était la couleur dominante de l'image, revint à deux reprises. Toutefois, une référence plus surprenante semblait se rapporter à un événement qui avait, la veille, troublé l'épouse d'Ullman. Alors que sa chorale répétait un concert qu'elle devait donner pour Noël, elle et les autres chanteurs avaient été consternés lorsque le chef de chœur s'était déclaré très mécontent de leur prestation, et avait menacé de les planter là.

Le rêve du psychiatre (le quatrième de la nuit) comportait l'épisode suivant : « Je rêvais que j'assistais à une causerie ; cela ne ressemblait pas à une salle de conférences mais de concert. Quelqu'un tenait une baguette. » Pressé de donner davantage de précision, il ajouta : « Oui, c'était comme une chorale mais sans cérémonie. Le chef de chorale était en colère... Il allait partir... »

Le même thème se répéta au sixième rêve : « Il y avait un groupe de chanteurs. Le chef d'orchestre devait abandonner le groupe... »

Cette correspondance rappelait les rêves de Mme Dale (voir chapitre 5) où apparaissait Mme Ullman, notamment quand elle se trouvait dans une situation génératrice d'angoisse.

Une relation analogue se manifesta lors de la nouvelle série d'expériences, alors qu'Ullman avait pris la place du dormeur. L'agent était Douglas Dean, qui participait à l'expérimentation comme assistant. Les rêves d'Ullman n'incorporèrent pas la cible mais le suivant était intéressant pour d'autres raisons : « J'écoutais à la radio le reportage du derby du Kentucky, avec toute l'effervescence qui accompagne les courses. Et il y avait tant de vacarme que je ne pouvais entendre le nom du gagnant. Quelque part dans la pièce, sur une étagère, il y avait un chèque dans un vase. Il était en blanc. Je me rappelle m'être demandé ce qu'il faisait là. »

Dean relia au derby du Kentucky un événement de la veille : des amis lui avaient écrit pour lui demander de les conduire à cette réunion. Le « chèque en blanc » du rêve d'Ullman semblait se rapporter à son fils qui, quelque temps auparavant, avait été poursuivi pour émission de chèques falsifiés. Les propres enchaînements d'Ullman avaient trait à son père, passionné d'hippisme, qui allait souvent assister au derby du Kentucky. Comme il l'avait fait remarquer avant de s'endormir, Dean ressemblait physiquement de façon frappante à son père, peut-être ce fait fortuit avait-il facilité l'établissement d'un lien avec le derby, ce qui serait conforme à la théorie des associations de Carington.

Une séance nocturne, au cours de laquelle le sujet était un dentiste et l'agent Ullman, aboutit à des résultats semblables à ceux du rêve de Mme Garrett combinant deux cibles. On utilisa d'abord un modèle réduit de Citroën jaune. Puis une photo représentant un moine en méditation dans l'angle d'un jardin oriental que bordait une allée pavée de larges pierres en forme de losanges. Après un rêve dans lequel intervenaient une route jaune et un véhicule dans le genre d'un tracteur, le dentiste fit celui-ci : « Je m'approche d'un mur de maçonnerie dont les pierres sont disposées très, très régulièrement. Ensuite je suis assis avec quelqu'un à l'avant d'un gros véhicule. On aurait dit qu'un tracteur se dirigeait vers nous à travers le mur... Le mur est gris et les pierres ne sont pas liées au mortier. »

Dans le rêve suivant, le mur était percé de « petits trous en forme de losanges ». La couleur jaune, un véhicule, des pierres sans mortier, un mur, des trous en forme de losanges : les descriptions étaient fidèles.

Dans toutes les séances nocturnes d'expérimentation rapportées jusqu'ici, Ullman visait principalement à explorer les possibilités de transfert direct des images cibles au contenu manifeste du rêve du sujet endormi. Un certain nombre de correspondances

115

saisissantes entre les cibles et les rêves indiquaient que c'était réalisable, mais pas à chaque fois. Cependant, comme différents investigateurs ayant une formation de psychanalystes l'ont montré, le contenu latent des rêves, leur signification symbolique, révélaient souvent d'étroites corrélations avec les conflits sexuels du sujet ou avec d'autres problèmes individuels préoccupants.

Le psychanalyste praticien qu'était Ullman se posait la question de savoir si l'on pouvait influer par la télépathie sur le symbolisme des rêves. Un jour, il dessina un cercle et se concentra sur le symbolisme féminin de cette figure : le dormeur (un psychiatre) rêva qu'il s'enfonçait dans le Holland Tunnel. Lors de cette expérience, d'autres formes géométriques furent utilisées, et le psychiatre se demanda non sans un certain étonnement « Pourquoi tant de dessins géométriques apparaissent-ils dans mes rêves ? »

L'occasion de se livrer à une recherche plus approfondie sur le symbolisme des rêves se présenta quand un agent de publicité théâtrale de quarante-deux ans — nous l'appelerons Joe — se proposa comme volontaire.

Joe, qu'Ullman ne connaissait pas, était traité depuis un an par un autre analyste, auquel il n'avait pas dit qu'il viendrait subir ce test. La séance eut lieu le 11 juillet 1960. Quand on lui demanda s'il avait eu des expériences ESP personnelles, il répondit : « J'ai le sentiment que des choses mystérieuses se sont produites un grand nombre de fois. J'ai l'impression de mener une vie enchantée. Je crois fermement qu'il y a quelque chose (de réel) là-dedans. »

Il relata ensuite un de ses rêves où il était question d'un conflit d'ordre professionnel. Son analyste l'avait interprété comme étant l'expression de la dualité de sa vie sexuelle : Joe était un bisexuel actif.

On lui appliqua les électrodes et il se coucha. Ullman dormit une heure, lui aussi. Quand il se réveilla, il songea à une séance d'analyse qui avait eu lieu le même jour. Son patient ressemblait beaucoup à Joe et était aussi un « bisexuel présentant des conflits homosexuels profonds ». Réveillé après la période REM, Joe ne se souvenait pas de son rêve, mais il déclara que, avant de s'endormir, il avait pensé à la musique. Son association était : « Mon analyste estime que mon intérêt pour la musique est un substitut de la " drague ". »

116

Une demi-heure plus tard, Joe fit ce rêve : « Je couchais avec une productrice. Et aussi avec une actrice noire. J'assistais à une représentation. La pièce s'appelait *La Légende de Lizzie*. Il était question de Lizzie Borden *. »

Ce rêve renforça l'association faite par Ullman avec son patient qui, le même jour, avait fait état de violences physiques dans sa famille, exercées en particulier par sa mère sur son père et également par lui-même sur sa femme. Cet élément revêtit une certaine portée quand l'opérateur de l'appareil encéphalographique lui apprit l'existence de la ballade de Lizzie Borden (*Lizzie Borden took an axe, gave her mother forty whaks*, Lizzie Borden prit une hache, à sa mère porta quarante coups). Le rêve de Joe paraissait exprimer de l'hostilité envers les femmes car, dans la vie, il détestait la productrice et méprisait les Noirs.

A trois heures trente-cinq, Joe relata le rêve suivant : « J'étais à Provincetown (dans le Massachusetts) avec mes amis Mary et Jack. C'était très agréable. »

Coïncidence insigne : Mary et Jack étaient aussi les noms d'un acteur et de sa femme que le sujet avait cherché à se rappeler au cours de l'après-midi. Comme Joe, l'acteur en question était bisexuel.

Au début de la cinquième période REM, Ullman traça un petit cercle sur lequel il se concentra. Dans le rêve que fit Joe, il y avait sa « sœur et un banjo. Elle ne voulait pas m'apprendre à m'en servir. Son mari et elle posaient comme des personnages d'un tableau de Grant Wood, sauf qu'ils utilisaient les banjos comme des fourches. A présent, elle est divorcée. » Le matin, il précisa : « J'aime le banjo. J'ai récemment fait passer des disques de banjo. Ma sœur ne sait pas en jouer. Dans mon rêve, ils se tenaient brusquement droits et rigides, avec une expression sévère peinte sur leurs visages... »

Selon l'interprétation symbolique d'Ullman, le banjo évoquait la sexualisation du cercle (femelle) associé à un symbole phallique. *L'ankh,* la croix ansée de l'Egypte ancienne qui ressemble un peu à un banjo à l'envers, figure traditionnellement les organes sexuels mâles et femelles. Le même symbole est représenté à la place des organes sexuels d'une antique divinité

* Voir ci-après.

indienne bisexuelle.) La difficulté qu'éprouvait Joe à unifier ses composantes viriles et féminines (le banjo) dans ses rapports avec les femmes est illustrée par la réaction de sa sœur : « Elle ne voulait pas m'apprendre à m'en servir. » « Le rêve semblait exprimer une fois encore la supériorité de la femme et sa capacité de refuser à Joe ce qu'il désirait, note Ullman. Si cette explication est exacte, il (Joe) serait passé d'un grossier instrument d'agression à un instrument musical ou sexuel. »

Le rêve qui suivit faisait intervenir un personnage masculin : « Je pensais à Murray, un client, un comédien. » L'association était celle-ci : « Murray est très amusant. Il a environ vingt-huit ans, mais c'est un véritable enfant, il n'a en réalité qu'une douzaine d'années. »

Ce glissement à un personnage masculin chargé d'une tonalité affective positive conduisit Ullman à dessiner un symbole phallique et à se concentrer sur la sexualité.

Quelques minutes plus tard, nouveau rêve : « J'étais avec Al. C'est le danseur principal d'un spectacle qui passe actuellement. Il dansait pour moi. Il me disait : " C'est pour vous. " Nous étions assis dans un bar. Nous buvions. Je l'ai accompagné chez lui mais je ne pouvais pas affronter sa femme. Je me sentais embarrassé pour elle. » Joe expliquera par la suite qu'il avait eu une liaison avec Al, marié depuis dix ans. Les harmoniques nettement homosexuelles de ce rêve paraissaient avoir été déclenchés par la cible sexualisée.

S'il n'est pas possible de tirer des conclusions définitives de cette brève étude, elle n'en laisse pas moins entrevoir des transformations de symboles et des interactions psychodynamiques ayant psi pour médiateur. Une telle technique, qui capte les séquences oniriques à mesure qu'elles se déroulent, pourrait être une occasion unique d'étudier les relations mutuelles intervenant entre la personnalité, la formation des symboles et le rôle de psi dans de telles interactions.

Pendant les dix-huit mois que durèrent ces expériences pilotes à la Parapsychology Foundation, on put constater d'énormes différences dans l'aptitude des sujets à incorporer des éléments télépathiques à leurs rêves. A l'un des extrêmes, il y avait un sujet d'une sensibilité psychique notoire, Mme Garrett, qui apporta la preuve de son grand talent, à l'autre, trois sujets dont les rêves ne révélaient pas de faculté paranormale apparente.

118

Deux d'entre eux avaient été choisis en raison de leur attitude négative envers l'ESP afin de vérifier la théorie de « la séparation des moutons et des chèvres » de Gertrude Schmeidler, selon laquelle ceux qui croient à l'ESP obtiennent des résultats supérieurs à ceux du hasard alors que les résultats de ceux qui n'y croient pas seraient égaux ou inférieurs [4]. Le troisième sujet ne manifestait aucun intérêt particulier pour l'ESP : il voulait seulement enregistrer ses rêves. Comme, à cette étape, il n'existait pas de méthode d'évaluation du rôle joué par le hasard, nous dirons que, selon toute apparence, les sceptiques n'avaient pas de talent d'ESP, ou bien réussissaient à les neutraliser. Comme de telles expériences, qui durent toute une nuit, sont onéreuses — plus de cent dollars par séance —, on estima qu'une exploration supplémentaire pour des effets négatifs, ne se justifiaient pas.

Ces travaux comportaient cependant un aspect encourageant : en effet, certains sujets qui n'avaient pas vécu antérieurement d'expériences psi pouvaient cependant présenter des rêves paranormaux. Une attitude positive à l'égard de l'ESP et de l'étude des rêves, associée à une bonne aptitude à se rappeler ses rêves, semblaient être des conditions suffisantes pour obtenir des réussites, bien que l'on dût s'attendre à enregistrer de considérables variations de sensibilité selon les individus.

Alors que les contrôles auxquels on s'astreignait peuvent paraître adéquats aux yeux de beaucoup de psychologues dans le cadre d'une expérimentation de nature purement psychologique, (si, par exemple, l'agent essayait d'influencer les rêves en parlant à haute voix au sujet), les traditions de la parapsychologie exigent davantage de rigueur. Il importe d'éliminer strictement toute possibilité de fournir des indications sensorielles au sujet. Et, élément d'importance, on doit tenir compte du fantôme de Cicéron qui nous hante depuis deux mille ans.

On peut tout prouver avec des statistiques, dit-on communément. Cependant, le *hic* est que celui qui cite des chiffres est aussi par la force des choses celui qui les calcule ou les choisit. Nous avons sans doute tous connu l'homme du proverbe, qui « se sert des statistiques comme un ivrogne des réverbères, pour s'y accrocher, pas pour s'éclairer ». Mais quand un ensemble de statisticiens travaillant indépendamment arrivent régulièrement au même résultat, il y a lieu d'en tenir compte. On lit à présent sur les paquets de cigarettes « le ministère de la Santé publique a déterminé que fumer est dangereux pour la santé de l'usager ». Pourquoi cette mise en garde ? Parce que des statisticiens dignes de foi ont à maintes et maintes reprises montré qu'il existait une corrélation mathématique entre le tabagisme et le cancer du poumon. Les fabricants de cigarettes ne « croyaient pas » à une telle corrélation, mais les données chiffrées, appuyées d'une ordonnance du gouvernement, les ont « convaincus ».

Dans le monde de la science, le hasard mesure tout. Et plus une chose est improbable, plus elle exige d'être évaluée, ce qui place l'ESP en tête de la liste des disciplines qui ont besoin de preuves statistiques.

Des coïncidences apparemment mystérieuses se produisent plus souvent qu'on ne pourrait le penser. Sont-elles dues à psi ou à sa sœur jungienne, la synchronicité ? Ou s'agit-il du bon vieux *hasard* ? Un exemple récemment survenu illustre bien le problème.

Un soir, Vaughan rentrait chez lui en fredonnant l'air et en pensant aux paroles d'une chanson humoristique où il était question d'une danseuse de hula. Il alluma la télévision pour regarder un film. Quelques minutes plus tard, apparurent sur l'écran des danseuses de hula, tourbillonnant de façon endiablée dans le décor d'une île du Pacifique. Un peu plus tard, Esther Williams, vêtue d'un sarong, plongea dans une piscine entourée d'une végétation exubérante. Vaughan changea de chaîne et quelle ne fut pas sa surprise de tomber sur une scène tout à fait semblable : une jolie fille en sarong, debout dans une piscine, entourée d'une végétation luxuriante.

Les personnes nourrissant un préjugé favorable envers l'ESP décèleront peut-être une signification précognitive dans la corrélation entre une chanson où il était question d'une danseuse de hula et l'apparition de danseuses de hula sur l'écran quelques minutes plus tard. Mais comment interpréteront-elles la coïncidence entre deux femmes en sarong au milieu de la jungle ? Peut-être est-ce singulier, mais l'on peut, sans beaucoup d'effort, l'attribuer au hasard : après tout, Hollywood n'est pas étranger aux scènes de ce genre, et l'on peut escompter qu'une correspondance accidentelle se produira tôt ou tard. Et le sceptique utilisera de manière convaincante le même argument pour réfuter l'épisode des danseuses.

Si les deux images correspondantes avaient été des bagarres de hors-la-loi, nous n'aurions aucune hésitation à faire intervenir le hasard, puisqu'une part importante des programmes de la télévision est consacrée à des productions de ce type. Toutefois, si de telles corrélations entre les chaînes se produisaient régulièrement, nous commencerions à soupçonner les stations d'appliquer délibérément une politique de concertation, de même qu'elles passent les informations aux mêmes heures.

La seule chose à faire est alors de soumettre nos données à un statisticien, afin de voir si une certaine structure n'en émerge pas. Plus elles seront nombreuses, plus nous serons assurés d'éliminer le facteur hasard. Aucun cas d'espèce, si probant qu'il puisse paraître, n'est capable de renverser la charrette de pommes de Dame Fortune : il faut prendre les pommes une à une jusqu'au moment où la charrette, en raison de son poids, basculera du côté du facteur psi.

Pour rassembler la masse des renseignements nécessaires et effectuer à partir d'eux une analyse statistique impartiale, trois conditions doivent être remplies : a) élaborer une expérimentation susceptible d'être répétée, afin de recueillir les éléments d'appréciation ; b) disposer d'arbitres extérieurs pour évaluer les comptes rendus de rêves par rapport à des cibles possibles ; c) juger le travail des arbitres en faisant appel à un statisticien qui appliquera pour ce faire les techniques mathématiques appropriées.

8

Un rêve prend vigueur
à Brooklyn

Le rêve expérimental nourri par le laboratoire de la Parapsychologic Foundation faisait l'effet d'une pousse vigoureuse et viable. Le moment était maintenant venu de la transplanter dans le fertile humus du Maimonides Medical Center de Brooklyn, à New York, dont le département de santé mentale publique est dirigé par Ullman. Grâce à l'aide de Gardner Murphy, alors directeur de recherches de la fondation Menninger, put obtenir en 1962 des fonds destinés à créer un laboratoire du rêve.

Ce laboratoire du rêve du Maimonides Mental Health Center est encore aujourd'hui le seul laboratoire du sommeil exclusivement consacré à la recherche parapsychologique. Son directeur, Stanley Krippner, rejoignit l'équipe en 1964 lorsque débutèrent les premières études officielles portant sur le rêve.

Les conditions de la première série d'expériences avaient déjà été élaborées par Ullman et Sol Feldstein, qui faisait alors ses études de médecine au City College de la City University de New York. Feldstein et un autre membre de l'équipe, Joyce Plosky, feraient tour à tour office d'opérateur et d'agent dans le cadre d'une campagne d'expérimentation de douze nuits impliquant douze sujets, sept hommes et cinq femmes. Le sujet dormirait dans une pièce insonorisée (planche 1), tandis que l'expérimentateur surveillerait son électroencéphalogramme dans une salle voisine (planche 2). L'agent se tiendrait dans une troisième place, acoustiquement isolée elle aussi, à 9,60 m de la chambre de repos (planche 3). (Lors des expériences suivantes, la pièce affectée à l'agent se trouvait à 29,40 m de la chambre de repos, du côté opposé du bâtiment. Maintenant, elle est installée dans une autre aile.)

Une fois le sujet endormi, l'agent choisirait au hasard une reproduction dans un lot de douze images. Il désignerait, les yeux fermés, un numéro sur une table de chiffres aléatoire *, et compterait ensuite les enveloppes jusqu'à ce qu'il arrive à celle correspondant à ce numéro. Il se concentrerait toute la nuit sur la même cible, et noterait toutes les associations qui lui viendraient à l'esprit. Il recommencerait chaque fois que l'expérimentateur l'avertirait que le sujet est entré dans une période REM indiquée par l'électro-encéphalogramme, après laquelle on le réveillerait. Au matin, on rafraîchirait sa mémoire grâce aux notes prises pendant la nuit, que l'on compléterait par les associations du rêveur.

Les sujets, tous des adultes jeunes, furent désignés en fonction de leur aptitude à se remémorer leurs rêves et de leur attitude positive envers l'ESP en général et cette expérience en particulier. L'équipe espérait que cette sélection ferait apparaître un rêveur télépathique spécialement doué, qui pourrait servir de sujet pour une étude plus approfondie. Elle voulait aussi tester les différences de facultés de « transmission télépathique » des deux agents, Feldstein et Plosky.

Les cibles étaient choisies dans un lot important de repro--ductions picturales, dont les critères étaient l'intensité, le pittoresque, les coloris et la simplicité. Il fallait, en outre, qu'elles diffèrent suffisamment entre elles pour limiter au minimum les risques de confusion et faciliter la tâche des juges.

Le lendemain de l'expérience, les rêves étaient transcrits et le document remis accompagné des douze reproductions (la cible et la réserve) à trois juges indépendants, élus pour leur connaissance des procédures psychologiques et parapsychologiques. Il leur était demandé de noter de 1 à 12 les cibles en fonction de leur correspondance avec le compte rendu du rêve: 1 pour la plus précise, 12 pour la plus lointaine.

---

* Liste imprimée de nombres aléatoires, et dont on se sert pour s'assurer que le hasard joue lorsqu'une procédure expérimentale exige une sélection arbitraire. (N.D.A.)

Les sujets notaient de la même façon la corrélation entre la cible et leurs rêves avec l'espoir que « leur » cible serait dans la partie supérieure du tableau, c'est-à-dire qu'elle serait cotée de 1 à 6 : le « *hit* » (coup au but). Un statisticien professionnel se livrait ultérieurement à une analyse mathématique plus subtile. (Voir appendice C, partie II.)

Les travaux commencèrent au cours de l'été 1964. Nous allons suivre cette étude nuit après nuit, compte tenu de la permutation de l'agent. Le premier sujet de Feldstein fut une institutrice. La cible choisie au hasard cette nuit-là était la toile de Tamayo intitulée *Animaux*. Elle représentait deux chiens féroces aux crocs étincelants dévorant des morceaux de viande. Un gros rocher noir est visible en arrière-plan.

L'institutrice décela des symboles freudiens dans son troisième rêve :

J'étais à un banquet... et je mangeais quelque chose comme une côte de bœuf. Et cette amie était là... les gens disaient que ce n'était pas une très bonne convive à inviter à dîner, parce qu'elle avait la très nette impression que les autres étaient mieux servis qu'elle... Ce repas était la partie la plus importante du rêve... Il était probablemnet freudien, comme tous mes autres rêves — le fait de manger, n'est-ce pas ? et tout ça, et un banquet. Et il y avait encore une autre amie dans ce rêve. Quelqu'un avec qui j'enseigne. Elle observait tout le monde pour s'assurer, elle aussi, que personne n'en avait plus qu'elle. Et je mastiquais un morceau de... côte de bœuf. Et j'étais assise à la table et d'autres gens parlaient de cette fille... et ils disaient qu'elle n'était pas très agréable à inviter parce qu'elle se montrait gloutonne ou quelque chose comme ça.

Malgré la transposition des sauvages mœurs alimentaires des chiens en agapes humaines, la similitude de la tonalité émotionnelle laisse à penser que ce rêve avait été télépathiquement déclenché. Même le rocher noir du tableau intervient dans les associations du sujet, relatives à son deuxième rêve : « Et le second... évoquait le Vermont. Black Rock, dans le Vermont... Hier, je suis allée à la plage et j'étais assise sur un de ces rochers... et je me sentais comme la sirène de Black Rock

125

(rocher noir)... » Les juges donnèrent à *Animaux* la note moyenne de 3, un « *hit* » *.

Le second sujet de Feldstein était un jeune psychologue new-yorkais, William Erwin. Il s'intéressait depuis quelque temps à la parapsychologie et, en tant qu'analyste praticien, les mécanismes du rêve lui étaient familiers. La cible de Feldstein, cette fois-là, était *Zapatistas* (les partisans de Zapata) d'Orozco (planche 4). Le tableau représentait des Indiens mexicains partisans du révolutionnaire Zapata. Les révolutionnaires, quelques-uns à cheval, la plupart à pied, se dirigent vers la gauche. Des femmes les suivent. Ils se profilent sur un arrière-plan de montagnes massives désolées et de nuages.

Pour mieux comprendre la tâche des juges, nous allons reprendre les rêves d'Erwin un par un afin de voir les correspondances pouvant exister avec la cible. Bien qu'il soit toujours beaucoup plus facile de les discerner lorsque l'on connaît l'image qui constitue le but, les observations accompagnant chaque rêve permettront de se faire une idée du processus d'évaluation.

Premier rêve	*Correspondance possible*
Une tempête. De la pluie. Cela me rappelle un voyage — une excursion — dans l'Oklahoma, l'approche d'une tempête, des nuages d'orage, la pluie. Impression de distance... C'était sur une échelle beaucoup plus grande que cette tempête. Une scène très éloignée... Elle avait une certaine grandeur... Mes associations évoquent presque une sorte de scène biblique... à peu près comme s'il s'agissait d'un élément primitif de la création... c'était à gauche par rapport à	Le tableau comporte des nuages évocateurs de pluie. Les personnages sont en marche. La scène est représentée en perspective à une grande distance. Elle a une certaine grandeur.
	Les révolutionnaires se dirigent vers la gauche.

---

* Comme les juges étaient au nombre de trois, on prenait la moyenne des notes qu'ils donnaient. Ainsi les notations 1, 2 et 6 faisaient une moyenne de 3 et 1, 2 et 2 une moyenne de 1,7. (N.D.A.)

moi ; en un sens... la direction était importante et la distance également.

J'ai, maintenant, je ne sais pourquoi, le souvenir du Nouveau-Mexique à l'époque où j'y vivais. Il y a beaucoup de montagnes au Nouveau-Mexique, des Indiens, des Pueblos. Maintenant, j'ai presque le sentiment que je pensais à une autre civilisation. L'association avec le Nouveau-Mexique est liée pour une part à une impression que j'avais quand j'y habitais... On est entouré de montagnes... une des chaînes de montagnes du Nouveau-Mexique s'appelle Sundre Christo...

Le Mexique ressemble au Nouveau-Mexique. La scène représente des montagnes et des Indiens mexicains. Ils évoquent une autre civilisation.

Des montagnes les entourent. Sangre de Cristo est un nom espagnol.

Deuxième rêve

... Je pensais à... l'expérience, à cette pièce... un visiteur de l'exposition (internationale de New York) serait heureux de trouver une chambre — un endroit pour dormir... Je pensais aux autres personnes qui avaient participé à l'expérience.

Correspondance possible

Pas de correspondance. Rêve typique de première nuit au laboratoire.

Troisième rêve

... l'action de deux personnes. C'était peut-être un homme... je crois que c'était une femme... Quelque chose est arrivé au temps pendant quelques minutes.

Correspondance possible

Pas de correspondance apparente.

Je rêvais que je rêvais... J'essayais de raconter ce que j'avais rêvé la première fois et je n'y parvenais pas... Il y avait un certain nombre de personnes dans la chambre. En fait, il y en avait deux. Elles passaient toutes les deux à la télévision, ou bien c'étaient deux vieux films, et je traversais un ancien quartier de la ville... les vieux tramways, je regardais une auto tourner dans une rue qui était très étroite. Dans ce rêve, il y avait deux petits enfants qui allaient à la rencontre de cette auto... ils couraient à côté d'elle.

Pas de correspondance. A nouveau, le rêve est polarisé sur la situation expérimentale.

Le film du rêve était étrange... J'avais l'impression de reconnaître Wallace Berry... Il y avait une femme... ils s'efforçaient de convaincre cette femme d'aller dans une direction particulière pour voir quelque chose qui se passait. Je crois que cet épisode me fait davantage penser à Los Angeles, où se sont tournés les premiers films... Je me rappelle maintenant un film de Harold Lloyd... c'était un film muet, mais on savait ce qui se passait.

Le thème du voyage.

La plupart des révolutionnaires sont à pied et marchent à côté d'hommes montés sur des chevaux.

Un film avec Marlon Brando raconte la vie de Zapata : *Viva Zapata !* Les femmes vont dans la direction que prennent les hommes.

La carrière de Zapata coïncida avec les premiers temps du cinéma muet (1914-1915).

Je me rappelle maintenant... un voyage que j'ai effectué quand j'étais plus jeune. J'étais chez les Scouts, et j'ai fait un

Encore le thème du voyage. Comme dans le tableau, on est en pleine nature.

camp d'été... dans la campagne, près d'une rivière. Il y régnait une grande activité... Il y avait beaucoup de bruit dans le rêve, provoqué par cette activité.

L'activité révolutionnaire (coups de feu, etc.) est bruyante.

Cinquième rêve

Lucky Strikes... Je me rappelle quand on a changé la couleur de l'emballage pendant la guerre... et le slogan était « *Lucky Strike green has gone to war...* » (les Lucky Strike vertes sont parties à la guerre).

Correspondance possible

Thème du départ pour la guerre.

Associations

... Mon premier rêve m'a beaucoup impressionné... J'ai passé plusieurs étés à Santa Fé... et beaucoup d'Indiens venaient avec leurs marchandises pendant le carnaval... il semble qu'il y avait de gros nuages par derrière... Peut-être les teintes du Nouveau-Mexique s'accordent-elles, les *mesas* qui escaladent les montagnes... Ici, ça verse dans l'épopée... Une superproduction colossale à la De Mille. Cela m'évoque des idées : par exemple, que les Pueblos remontent au type de civilisation maya-aztèque.

Correspondance possible

Un grand nombre d'Indiens mexicains sont en marche. Il y a de gros nuages derrière. Les coloris sont semblables aux teintes du Nouveau-Mexique avec ses *mesas* et ses montagnes.

Le tableau est du genre épique.

Les partisans de Zapata faisaient remonter leur ascendance indienne aux Mayas et aux Aztèques.

Observations sur la cible

Le premier rêve qui m'a tellement impressionné — le sen-

Correspondance apparente

C'est le premier rêve qui présente le plus de correspon-

timent d'être entouré de montagnes — ne sonne pas tout à fait juste... Je pensais à une automobile, à la conduite... Ce n'est qu'une association, mais cela a quelque chose à voir avec la notion de force ou de puissance, et ça me ramène une fois de plus à ma nuée d'orage et à certains éléments de la nature.

dance avec la cible (les montagnes). Conduire est thématiquement lié à l'idée de voyage. La toile a beaucoup de force. Les gros nuages chargés d'électricité sont peints de façon très prononcée.

Les brefs extraits ci-dessus ont été empruntés à un compte rendu de vingt-neuf pages et c'est ce document que les juges ont dû étudier en le comparant à chacune des douze cibles. Ils accordèrent à *Zapatistas* la note moyenne de 1,7, ce qui est un excellent score. (Le lecteur trouvera en appendice le protocole intégral d'une séance nocturne, ce qui lui permettra de mieux comprendre la complexité du travail des juges et de se faire une idée de la façon dont se déroule une expérience au laboratoire du rêve.)

Le troisième sujet de Feldstein était une artiste, et la cible, *le Poisson sacré*, de Chirico, qui montre deux poissons morts posés sur un plateau de bois devant une bougie. Quelques correspondances relevées dans les rêves du sujet se rapportaient aux thèmes de la mort, de la natation, d'une bougie qu'on allume et il y en avait peut-être même une autre, en forme de calembour, car, dans plusieurs rêves où il était question de la France, revenait le mot « *poise* » (équilibre) qui se rapproche du mot français « poisson ». Ce fut encore un succès : les juges attribuèrent à la cible la note de 2,7.

Le quatrième sujet de Feldstein était un ingénieur chimiste, et le but, la toile de Gauguin intitulée *Nature morte aux petits chiens*. Les petits chiens lapent de l'eau dans un poêlon posé derrière trois verres bleus. Citons parmi les correspondances décelées, l'eau, « des bouteilles bleu foncé » et « deux chiens faisant du bruit ». Note des juges : 5,3, une réussite médiocre.

Le hasard choisit un autre tableau de Gauguin pour le sujet suivant de Feldstein, une secrétaire. *La Lune et la Terre* représente une indigène nue, à la peau foncée, au bord d'un cours d'eau. Au cours de sa seconde période REM, la secrétaire fit ce rêve : « J'étais en maillot de bain... Je poursuivais l'expérience du rêve dans une baignoire pleine d'eau. Nous avions fini, et nous avons dû nous lever et sortir du bain, émerger de l'eau... et nous étions ruisselants... »

Dans son cinquième rêve, « ... quelqu'un fait entrer une jeune fille qui est danseuse... elle arrive et dit : " Oh ! Je veux bronzer. " Elle est très blonde. Et je lui crie de rester au soleil, au lieu d'entrer et de sortir tout le temps en courant ». Le sujet ajoutera plus tard : « Regardez, vos épaules sont bronzées. Si vous prenez votre temps, le reste de votre corps bronzera aussi. »

La jeune indigène n'avait évidemment pas à se soucier de cela puisqu'elle était brune de peau. Ce fut une nouvelle réussite : les juges lui donnèrent 5.

Le sixième et dernier sujet de Feldstein était un mannequin et la cible la *Bohémienne endormie,* de Henri Rousseau (dit le Douanier), une toile assez effrayante où l'on voit un lion rôder autour d'une gitane endormie dans le désert. Le mannequin préféra rêver ,qu'elle était chez elle « et il y avait un petit chat dans la pièce... et ma mère... dormait ». En un sens, cette transposition est analogue aux transformations qu'opérait le sujet du Dr Tart, dont les rêves apportaient toujours une issue heureuse aux situations de peur hypnotiquement suggérées. Néanmoins, la note moyenne attribuée par les juges fut 8,3 : c'était un « *miss* » (coup manqué). Ce fut là le seul de tous les sujets de Feldstein. Qu'était-il arrivé ?

Une source de confusion possible est peut-être attribuable au fait que, ce soir-là, Feldstein préparait un cours de psychologie. Il compulsait un livre traitant, entre autres, du « problème de la double alternative » : c'est un test psychologique de logique simple. Un animal doit effectuer une série de tours, dans l'ordre « droite, droite-gauche, gauche ». On élimine les influences sensorielles, du fait qu'un tournant « à droite » précède un tournant « à droite » alors que, dans la série suivante, la « droite » précède la « gauche », et ainsi de suite. Feldstein était en train de prendre connaissance du dernier paragraphe du texte consacré à ce problème quand, à trois heures sept, le sujet relata ce rêve :

Je pensais, je ne sais pour quelle raison, à (ce que) veulent dire les expressions *côté droit* et *côté gauche* quand les gens les utilisent en référence au corps humain. A quoi ressemble exactement un côté droit ou un côté gauche ? Cela peut paraître étrange, mais quand nous disons l'est ou l'ouest, n'est-ce pas ? nous parlons d'une direction en quelque sorte prédéterminée, qui correspond exactement à des orientations que l'on a établies avec un très grand soin. Mais quand on parle du côté droit et du côté gauche des gens ou des choses, que diable signifient les mots *droit* et *gauche* ? Je ne sais pas. J'étais embrouillée là-dedans. Je ne sais pas ce que ce rêve signifie.

Comme, à cette étape de l'expérimentation, la chambre du sujet était reliée à celle de l'agent par un interphone, Feldstein fut en mesure d'entendre le modèle relater ce rêve troublant, inspiré du problème de psychologie appliquée qu'il étudiait, et c'était particulièrement frustrant, puisqu'il lui était interdit à ce moment de dire à quiconque quelle était la source (hors cible) de ce rêve.

Les lectures de Feldstein firent, semble-t-il, leur réapparition lors d'une autre expérience, à l'occasion de laquelle il surveillait l'E.E.G., Miss Plosky tenant, elle, le rôle de l'agent. Le 7 juillet 1964, au terme d'une période de rêve du sujet, un étudiant en littérature française, Feldstein, se dit qu'il avait le temps de jeter un coup d'œil sur *Life* avant la prochaine période REM. Un article sur le monokini le captiva. L'auteur cherchait des précédents historiques à la mode des seins nus. Deux photos illustrant cet article, l'une d'une déesse minoenne, l'autre d'une prêtresse grecque au buste dévoilé « qui estimaient qu'une poitrine nue leur conférait un charme supplémentaire sans porter atteinte à leur modestie », offraient une étrange analogie avec le rêve que le sujet rapporta une heure plus tard : « Nous étions dans un parc et parlions de deux bustes — des bustes de femmes — antiques. Et nous avions une discussion à ce sujet. »

Il y avait également dans le rêve de l'étudiant une référence au voyage de « Gulliver » à l' « île de Lilliput » dans le Pacifique Sud. Or, le numéro de *Life* qu'avait vu Feldstein contenait un article sur le général MacArthur, accompagné d'une photo le représentant les pieds dans l'eau, en train de

132

s'approcher de la plage d'une île des Philippines. Il dominait de toute sa taille les Orientaux, beaucoup plus petits que lui, qui l'escortaient. Cet apparent phénomène de télépathie « pirate » eut pour conséquence l'interdiction faite au personnel de lire pendant le déroulement des expériences.

En revanche, les rêves que fit l'étudiant cette nuit-là n'avaient aucun rapport avec la cible sur laquelle se concentrait Miss Plosky, *la Nuit étoilée,* de Van Gogh. Pour les juges, c'était un coup manqué, un « *miss* », auquel ils donnèrent la note moyenne de 10,7. Ce fut la plus mauvaise séance de la série.

En général, les tentatives de Miss Plosky pour influencer les rêves des sujets étaient moins heureuses que celles de Feldstein. Son premier sujet, un psychologue, rêva de « quelque chose qui tournoie... (un) objet solitaire... et il tourbillonne comme une toupie » alors que la cible était les *Joueurs de Football* de Rousseau, qui représente une partie de football à la fin du siècle dernier : la balle tournoie effectivement. Cotation moyenne : 8 — un échec.

La cible du second sujet de Miss Plosky, un autre psychologue, était *l'Escalier du Bauhaus,* de Schlemmer. On voit des personnages gravir un escalier. Le sujet rêva de « quelque chose qui s'élève... qui va vers le haut... qui fait l'ascension d'une colline », mais ce n'était pas suffisant car les juges n'attribuèrent à la cible que 9 — encore un fiasco.

Après l'échec décevant qu'elle avait essuyé avec le sujet de *la Nuit étoilée* (son troisième), Miss Plosky commença à opérer sa remontée avec le quatrième, un étudiant en médecine. La cible, *le Départ* de Beckmann, évoque une famille voyageant dans un petit bateau. L'étudiant rêva d'une route, qu'il rentrait de la faculté et qu'il conduisait sous la pluie. Le thème du départ se retrouvait dans son rêve (sa femme et lui déménageaient). La cible frôla le succès avec une moyenne de 6.

Celle du cinquième sujet de Miss Plosky, une étudiante en sociologie, était le *Violoniste vert,* de Chagall (planche 5) : le tableau montrait un homme jouant du violon avec un chien en arrière-plan. L'étudiante rêva d'un chien qui aboyait dans un champ, et elle se demanda plus tard « si la cible n'avait pas quelque chose à voir avec une mélodie ou avec de la musique ». La description était suffisamment précise pour que les juges lui attribuent la note 4,7. C'était une réussite.

Le dernier sujet de Miss Plosky fut un photographe. Sa cible, *le Repos des moissonneurs,* de Picasso, représente un homme et une femme aux mains et aux pieds démesurés, endormis dans un champ. Il y eut dans les rêves du photographe des références à un « paysage vallonné », à des outils proto-américains primitifs ; le sujet « enroulait quelque chose... avec (sa) main droite », et il y avait « un pied qui frappe ou qui remue ». Ce fut encore un coup au but, avec une moyenne de 5,3.

Au total, le verdict des juges s'établit à huit succès contre quatre fiascos, ce qui est compatible avec l'hypothèse de la télépathie, mais ne prouve rien du point de vue de la statistique. Toutefois, lorsqu'on faisait entrer en considération la notation des sujets eux-mêmes, analysée en fonction de critères identiques à ceux utilisés par les juges extérieurs, on obtenait le score de dix victoires contre deux échecs, ce qui apportait la preuve statistique que les rêveurs avaient intégré certains éléments des cibles à leurs rêves.

Quand on compare cette expérimentation et celle de Tart, citée au chapitre 6, dans laquelle les sujets essayaient de rêver des récits qu'ils avaient antérieurement entendus sous hypnose, un fait intéressant apparaît. Dans la moitié des cas (cinq sujets sur dix) étudiés par Tart, on ne notait aucune correspondance entre les rêves et le stimulus enregistré, même lorsque l'expérimentateur cherchait à déceler une version masquée ou déformée du récit. Or, dans les travaux du Maimonides, les correspondances entre les rêves et les cibles télépathiques sont beaucoup plus nombreuses ; on relève même de faibles corrélations pour trois essais sur les quatre classés comme « manqués ».

L'une des différences entre les deux types d'expériences résidait en ceci que les expérimentateurs du Maimonides interrogeaient les sujets sur leurs associations et incorporaient cette donnée aux protocoles qui étaient soumis aux juges, alors que Tart, lui, ne s'astreignait pas à cette procédure.

Les rêves, observait ce dernier, étaient peut-être si parfaitement élaborés que je ne voyais pas le rapport. Mais, si tel était le cas, il est atypique, comparé aux rapports psychanalytiques antérieurs, dans lesquels le lecteur averti pouvait discerner une relation entre les rêves « déguisés » et les récits stimulus, même en l'absence d'associations libres [1].

Dans cette étude initiale du Maimonides, les appréciations portées séparément sur les enchaînements d'idées ne montraient pas de divergence entre les correspondances de la cible et des rêves.

Cette première étude expérimentale du rêve télépathique permettait de penser que la télépathie pouvait peser fortement sur le contenu du rêve, plus puissamment, même, que la suggestion post-hypnotique. Elle autorisait aussi à croire que l'individu moyen est apte à intégrer des éléments télépathiques à ses rêves avec, à tout le moins, un succès modéré, pourvu qu'il soit positivement dirigé vers cet objectif. Peu de sujets brillants avaient eu, à leur connaissance, l'expérience de phénomènes psychiques saillants. Or, tout se passait maintenant comme si, en rêve, quelqu'un pouvait devenir psychiquement doué.

Le fait que les sujets s'efforçaient consciemment de rêver de la cible constituait peut-être une part importante de leur orientation. S'ils n'avaient pas su que quelqu'un essayait d' « émettre » des pensées à leur intention, leurs performances auraient fort bien pu être beaucoup plus médiocres.

Toutefois, le but premier de l'expérimentation était de mettre en avant les facteurs susceptibles de contribuer à démontrer scientifiquement ce fait : on peut effectivement contrôler la télépathie onirique (et, pour le sceptique, que la télépathie onirique existe réellement). Son objectif subsidiaire était de découvrir un sujet particulièrement doué, pour le soumettre à d'autres expériences. Sur ce dernier point, le choix était fait d'avance : l'extraordinaire succès obtenu par le Dr Erwin avec le rêve inspiré par *Zapatistas* le désignait comme celui qui convenait le mieux à la série d'expériences suivantes.

La découverte la plus marquante de la première tentative fut sans doute la mise en évidence de la différence caractérisant les résultats des deux agents : les sujets de Feldstein enregistrèrent cinq succès sur six tests, alors que les six sujets de Plosky n'en marquèrent que trois. Cette variation statistiquement significative * dans l'aptitude à opérer une « transmission »

* Les tests statistiques font appel aux propriétés mathématiques connues des nombres, pour permettre de juger si une différence doit être, selon toute

télépathique était encore plus prononcée si l'on prenait en considération les correspondances télépathiques « pirates » de Feldstein. Son seul sujet à être passé à côté de la plaque avait incorporé dans ses rêves le texte de psychologie qu'il lisait, alors que le plus mauvais sujet de Plosky avait aussi intégré certains éléments des lectures du même Feldstein. Quelles que fussent les qualités nécessaires pour exceller au niveau de la « transmission », Feldstein semblait les posséder.

Il serait prématuré, à cet échelon, de tenter d'identifier les caractéristiques psychologiques prédisposant tel ou tel individu à être un bon agent télépathique, mais il convient de noter que Sol Feldstein portait un vif intérêt à la théorie psychologique et à la pratique psychothérapeutique. Se considérant plus ou moins comme un iconoclaste en matière de psychologie, il était violemment opposé aux traitements fondés sur les tranquillisants et autres approches somatiques. Par la suite, il devait se consacrer totalement à la recherche médicale en psychologie.

Il était tout naturel d'associer le meilleur agent, Feldstein, et le meilleur sujet, Erwin, en vue d'une étude plus approfondie (qui sera décrite de façon exhaustive au prochain chapitre).

Les mânes de Cicéron, peut-être surpris par ces résultats, n'étaient pas encore prêts à trouver le repos. Les sceptiques pouvaient objecter que presque *n'importe quel* rêve correspond peu ou prou à presque *n'importe quelle* cible, et que l'équipe du Maimonides a peut-être bénéficié d'une incroyable série de coups de chance. Cependant, les expérimentateurs élaborèrent des méthodes d'appréciation plus précises et, au bout du compte, se tournèrent vers des cibles d'une plus grande complexité. Après tout, l'impact émotionnel d'une œuvre d'art, bien que considérablement plus grand que celui d'un symbole abstrait comme une croix ou un carré, n'était encore qu'une imitation, à échelle réduite, des épisodes générateurs d'émotion dont est chargé le rêve télépathique spontané.

---

probabilité, imputée au hasard, ou si son ampleur est telle que le hasard semble improbable dans ce cas. Si, sur cent essais, le résultat d'un test donné ne peut être attribué à la chance que cinq fois ou moins, on commence à douter qu'il s'agisse d'une variation aléatoire. Dans les pages qui suivent, on utilisera l'expression « statistiquement significatif » lorsque le résultat d'une expérience ne peut être expliqué par la coïncidence, telle que les techniques mathématiques la déterminent. (N.D.A.)

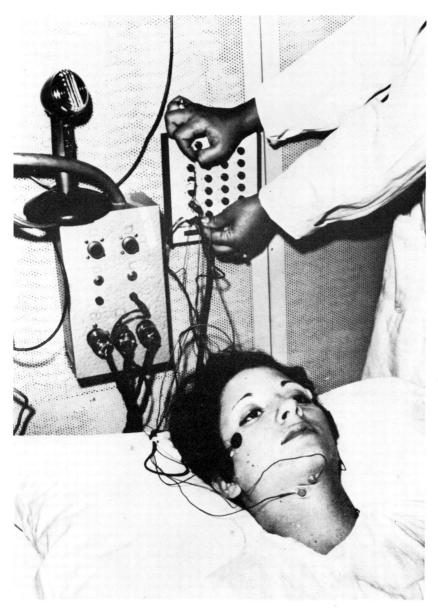

1. Mise en place des électrodes électro-encéphalographiques avant une séance d'étude de rêve. Le sujet est installé dans une chambre insonorisée.

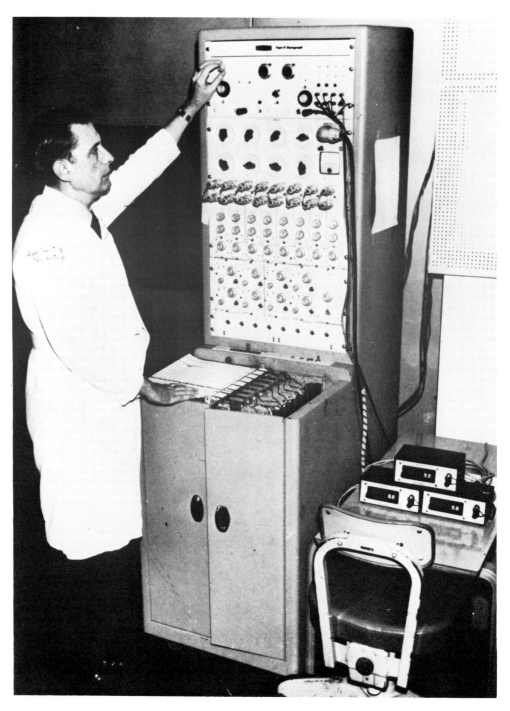

2. Le Dr Stanley Krippner surveille l'électro-encéphalographe, lors d'une expérience.

3. Cet agent dessine la cible pour renforcer l'impact des images envoyées au sujet.

4. *Zapatistas* (Les partisans de Zapata), de José Orozco, 1931, utilisé comme image cible. *(Museum of Modern Art, New York,* don anonyme).

5. *Le Violoniste vert,* de Marc Chagall, 1924-1925 *(The Solomon R. Guggenheim* ▶ *Museum, New York).*

6. *Both members of this club*, par George Bellows *(National Gallery of Art, Washington, D.C.* Don de Chester Dale, 1944).

7. Matériel multisensoriel dont s'est servi l'agent pour accroître l'efficacité de la ▶ planche 6.

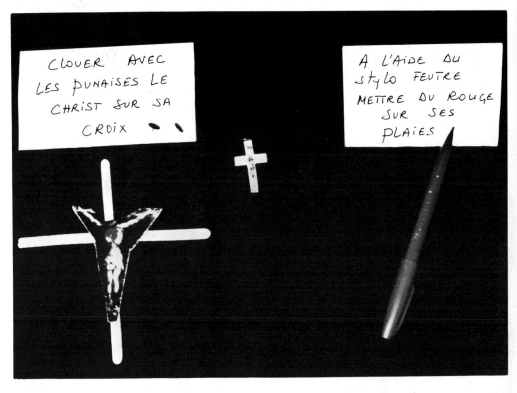

9. Matériel multisensoriel utilisé par l'agent pour renforcer les images de la planche 8.

◀ 8. *Descente de Croix*, par Max Beckman, 1917. *(Museum of Modern Art, New York. Legs Curt Valentin).*

Centre Médical Maimonides

Département de Psychiatrie

Laboratoire du Rêve

Formulaire d'évaluation

Sujet _____   Très grande correspondance

Cible _____

Protocole _____

Juge _____

Date _____

Numéro _____   Grande correspondance

Appréciations

Correspondance moyenne

Correspondance médiocre

Instructions : Avec un crayon rouge
coloriez les cases qui représentent
selon vous le degré de correspondance
entre la cible et le rêve.

Faible correspondance

10. Modèle d'évaluation servant à noter la correspondance entre les rêves d'une séance et la cible.

11. *Le Repas du Lion*, de Henri Rousseau. (*Metropolitan Museum of Art, New York*. Legs Samuel A. Lewinsohn, 1951).

12. Modèle de satellite de communications, autre forme de cible utilisée dans les études de rêves. *(Museum of History and Technology, Smithonian Institution, Washington, D.C.).*

13. *L'Eglise d'Anvers,* par Vincent Van Gogh *(Soho Gallery ltd., Londres).* ▶

14. *Les Sept Chakras vertébraux*, par M.K. Scralian *(The Philosophical Research Society. Inc., Los Angeles)*.

15. *Couloir d'hôpital à Saint-Rémy,* par Vincent Van Gogh. (*Museum of Modern Art, New York.* Legs Abby Aldrich Rockefeller).

16. *Paris par la fenêtre*, par Marc Chagall, 1913. *(The Solomon R. Guggenheim Museum, New York)*.

9

« Mettez du rouge
sur ses plaies »

L'étude de sélection préalable avait permis d'établir un modèle expérimental de base, et de découvrir un sujet particulièrement doué pour la télépathie — le Dr William Erwin. Mais les chercheurs du Maimonides espéraient aussi que la technique de télépathie onirique qu'ils avaient mise au point serait suffisamment efficace pour que Feldstein soit en mesure d'influencer régulièrement les rêves d'Erwin pendant toute une campagne. La « première étude Erwin » devait se poursuivre pendant douze nuits non consécutives. Une reproduction d'œuvre d'art différente était utilisée comme cible à chaque séance. Mais, après la septième nuit, Erwin tomba gravement malade et, ne sachant comment les choses évolueraient, Ullman décida d'interrompre l'expérimentation.

Fin 1966, le Dr Erwin, étant suffisamment rétabli, se proposa pour participer à une nouvelle étude des rêves, et reproduire les excellents résultats qu'il avait obtenus au début de la première, avec Feldstein comme agent. Depuis deux ans, il dormait sans avoir la tête hérissée d'électrodes : il allait à présent devoir s'en coiffer à nouveau pour une série de huit séances, réparties sur une période de quatre mois.

Pour cette nouvelle série, Feldstein, qui pensait que certaines de ses réussites antérieures les plus spectaculaires venaient peut-être de sa participation active, proposa une innovation : il essaierait de crayonner l'image ou de jouer la scène représentée dans la mesure du possible, afin de s'imbiber complètement du thème et du climat de la cible. Peut-être des accessoires destinés à renforcer l'impact du tableau en le rapprochant de la réalité intensifieraient-ils sa participation émotionnelle ? Ullman et Krippner approuvèrent cette suggestion et chargèrent leurs assistants de réunir un matériel « multisensoriel ». Ces accessoires, qui allaient d'un gant de boxe à de petits soldats, accompagnaient un lot de dix reproductions cibles déjà choisies par les psychologues de l'équipe, en fonction de leur contenu émotionnel et de la vivacité de leurs couleurs. Chaque cible s'accompagnait d'un objet multisensoriel qui lui était dévolu. Il était enfermé dans une boîte marquée d'un chiffre en code. Toutefois, on ne mit pas Erwin au courant de ce perfectionnement : ses rêves parleraient d'eux-mêmes — tel était le pari des expérimentateurs. La vie imitant l'art en laboratoire allait-elle engendrer une plus riche moisson de rêves télépathiques ? C'est ce que nous allons voir.

La première séance eut lieu le 30 novembre 1966. Erwin arriva au laboratoire avant l'heure du coucher. Il bavarda avec Feldstein pendant qu'on lui fixait les électrodes, se rendit dans sa chambre où on les brancha, puis s'endormit. Krippner surveillait son électroencéphalogramme dans la pièce voisine. Feldstein, quant à lui, s'était rendu dans celle qui était réservée à l'agent (à présent, à trente mètres de là), pour ouvrir une enveloppe et une boîte choisies au hasard.

L'enveloppe renfermait une reproduction de *l'Orgue de Barbarie,* de Daumier, représentant un groupe d'hommes et de femmes chantant des hymnes autour d'un orgue mécanique, et la boîte, un recueil de cantiques protestants : c'était la première fois que Feldstein en avait un en main.

Dans les rêves d'Erwin, personne ne chanta de cantiques, mais la séance fut indéniablement placée sous le signe de la musique. Dans le second, une « petite fille tapait sur des planches, elle jouait de la musique en quelque sorte... Je ne sais pas où la guitare est apparue. C'était peut-être ce que la petite fille avait, une guitare... Quelqu'un jouait de la guitare ».

Dans son quatrième rêve, dit-il, « je dansais avec... quatre femmes... La danse était vraiment un mouvement, mais collectif. Ce n'était pas une danse, c'était un mouvement... Une petite fille, au bout, ne suivait pas le rythme, parce qu'elle était un peu trop intimidée... juste un mouvement à l'unisson du rythme... ».

Et au matin : « musique de guitare... Il y avait une statue appelée *la Nonne agenouillée*... une formation rocheuse qui ressemblait à une religieuse à genoux... Il me semble que je parlais avec une Française... C'était peut-être à une époque passée... Il devait y avoir quatre femmes, et l'une d'elles était censée être très sensible à ce mouvement... ».

Conjectures d'Erwin : il s'agissait d'un instrument de musique : « La guitare était inhabituelle... Quelqu'un qui joue de la guitare... »

Les juges, qui utilisaient un nouveau système de notation *, accordèrent à la cible une moyenne de 26,3 points (une certaine correspondance). (Deux autres cibles reçurent une note un peu supérieure : 27,7 et 28,7.) Mais, eu égard à l'inexpérience de Feldstein en ce qui concernait les cantiques protestants, la correspondance avec un groupe de Français bougeant à l'unisson semblait encourageante.

Pour la seconde expérience, le 7 décembre, la cible fut *Averse sur Shono,* de Hiroshige, représentant un Japonais muni d'un parapluie qui essaie de s'abriter d'une pluie diluvienne. La boîte d'accompagnement contenait une ombrelle japonaise miniature, et cette consigne à l'usage de Feldstein : « Prenez une douche. » Il passa au cours de la nuit plusieurs moments dans la cabine de douche jouxtant la pièce réservée à l'agent, tout en se félicitant que personne ne pût le voir avec son ombrelle joujou.

Erwin rêva cette nuit-là d' « un Oriental qui était malade... » Dans son cinquième rêve, il y avait « une fontaine... un jet d'eau qui jaillissait... » et, dans le septième, il marchait « dans la rue avec quelqu'un... Il pleuvait... ». Au matin, il se rappela des fontaines à Rome : « Je marchais dans la rue. Il semblait qu'il pleuvait... et la rue était bloquée. Aussi, nous fûmes obligés de la quitter et de faire un détour. »

Il nota dans ses commentaires conjecturaux : « Quelque chose qui a trait à... des fontaines. Peut-être à de l'eau... »

L' « Oriental » et la marche dans la rue sous la pluie furent notées 44,3 par les juges (correspondance modérée) ; ce fut la moyenne la plus élevée obtenue par les huit cibles de la nuit.

(Au cas où le lecteur se demanderait quelle est la fréquence de la pluie dans les rêves, la réponse est qu'un peu plus d'un rêve sur cent en comporte [1].)

La troisième nuit, une semaine plus tard, le hasard choisit une peinture indienne, le *Portrait de Jahangir en jeune prince,* de Bichitr. Le jeune prince, encadré d'un motif de feuillage vert, vêtu d'une élégante tunique flottante, se regarde dans un miroir. Il porte un collier de perles de verre vertes. La boîte contenait un collier de perles vertes que Feldstein devait passer à son cou.

Dans son premier rêve, Erwin vit des « caméras... » et, dans le deuxième, il pensa à « une fête... costumée ». Il semble qu'il perçût le motif de l'encadrement dans le troisième : « des arbres élancés pendant au bord... ».

Dans le septième, la robe flottante du prince lui évoqua peut-être le beau sexe : « Il y avait beaucoup de femmes et elles... se pavanaient... Elles jouaient des saynètes... et, dans le rêve, leurs costumes changeaient... Il y avait toute sorte de mouvements et d'actions colorés... Peut-être portaient-elles des robes flottantes... » Erwin précisera plus tard : « Le dernier rêve dont je parlais était plus ou moins insolite... C'était une scène du XVe siècle. Cela se passait à la cour. Comme la cour de France. Comme l'époque de la Dubarry et de Madame de Pompadour. Les hautes perruques, les bas et les chaussures à boucle... »

C'était bien une scène de cour, mais il ne s'agissait pas de la cour de France.

Les juges attribuèrent au tableau indien la note 26,3, le classant ainsi en deuxième position.

La quatrième cible du 4 janvier se trouvait être *Both Members of This Club,* de Bellows, (planche 6) figurant deux boxeurs qui s'affrontent devant le public. Cette fois-là, la pochette surprise de Feldstein contenait un véritable gant de boxe de cuir sombre.

Dans son premier rêve, Erwin « accrocha », semble-t-il, la foule : « Il y avait beaucoup de gens... C'était très mouvementé... »

Dans le troisième, l'action commence à devenir violente : « Je regardais des voitures, rangées sur la plage, et que l'on concassait. L'une d'elles fut broyée, elle en heurta une autre qui fut complètement réduite en pièces... et l'océan se mit à déferler et martela la voiture et la vague la heurta. Et je pensais qu'elle allait cogner violemment l'autre voiture... »

Le gant de cuir lança apparemment le quatrième rêve d'Erwin sur une fausse piste : « La seule chose dont je me souviens, c'est de cirer une chaussure... Et d'un tigre qui sortait de l'égout... C'était une simple chaussure de cuir noir... »

Le matin, Erwin récapitula ses associations :

Il y avait beaucoup de monde... Il devait se dérouler... une compétition... Des bateaux se faisaient pilonner et étaient précipités sur la plage... L'eau déferlait à une grande distance... Elle s'empara d'une voiture et la lança contre une autre... Les vagues nous cognaient, et nous étions projetés sur une autre voiture... Peut-être que je prenais plaisir à la violence dans ce rêve... La violence... était excitante...

D'où diable venait ce tigre ?

Dans ses conjectures sur la cible, Erwin insista sur les éléments émotifs sous-jacents de ses rêves : « Je pense que je percevais beaucoup de violence, de destruction, d'agressivité... Quelque chose se rapportant à la nature, parce que le tigre est une créature indépendante et puissante qui inspire le respect... J'ai le sentiment de la nature, au sens le plus large du terme. On pourrait dire des aspects bruts de la nature plus que des aspects plus raffinés de l'être humain. »

La métamorphose d'un gant de boxe en scène d'agression et de violence (les deux voitures malmenées) fut aisément identifiée par les juges, qui lui donnèrent la note 78,7 dans la gamme « grande correspondance », en tête du classement.

La cible de la cinquième séance fut la photographie d'une exposition en l'honneur du centenaire de la guerre de Sécession. Elle montrait quatre figures de cire — des soldats confédérés en train de charger un canon. La boîte contenait de petits soldats en caoutchouc, avec lesquels Feldstein devait jouer.

Le troisième rêve d'Erwin sembla se polariser sur la texture de la peau des soldats : « C'est comme si tout est entièrement noyé dans une matière d'une texture très douce. De la peau. Une peau douce... »

Son quatrième rêve se rapportait à « une fanfare militaire...

La fanfare des Marines... L'uniforme semblait être le pantalon bleu et la chemise kaki des Marines... J'ai l'impression qu'ils (les soldats) étaient dehors, sur un champ de manœuvres, plutôt qu'à l'intérieur. J'avais le sentiment qu'ils étaient immobiles... Il n'y avait pas de mouvement... »

Les commentaires associatifs de cette séance furent axés sur la fanfare.

Je ne sais pas comment elle était venue là. Elle y était, c'est tout...

Le fait qu'une campagne militaire était impliquée est la seule association avec la douceur. Bien sûr, je pense que la comparaison avec une chose comme le concept doux-dur est que les femmes sont prises, capturées par ces soldats, les envahisseurs.

J'avais le sentiment de rêver à deux niveaux...

Le thème des soldats en uniforme semblait fort approprié, surtout dans la mesure où il était associé à la notion de « peau douce » et d'immobilité (« Il n'y avait pas de mouvement »).

La photo des soldats de cire obtint 59 de moyenne (catégorie « correspondance modérée ») et la mention « coup au but ».

La cible de la sixième nuit fut la *Descente de Croix* de Beckmann (planche 8), figurant un Christ émacié, au teint brunâtre, que l'on détache de la croix. La boîte d'accessoires multisensoriels renfermait un crucifix, une petite croix de bois, une image de Jésus, des punaises et un stylo feutre rouge (planche 9). Feldstein avait la consigne suivante : « *Clouez le Christ à la croix, et mettez du rouge sur ses plaies.* »

Le quatrième rêve d'Erwin débuta par une soirée d'anniversaire. Puis :

Nous passâmes par un endroit où Winston Churchill faisait un discours... après quoi, nous rentrâmes en voiture et nous revînmes à la maison, dans la cuisine ; il y avait beaucoup de vin, que je goûtai, et je crois que l'on me donna un morceau de gâteau... Churchill était... vieux, émacié... comme desséché. J'avais de lui le souvenir d'un type corpulent, grassouillet et, là, il était vieux, maigre et décharné... Il s'exprimait de la manière mordante, habile et dynamique qui lui était habituelle...

Une cérémonie de sacrifice fut le thème du cinquième rêve.

Cela commença dans une sorte de tribu indigène... On devait nous faire bouillir dans la marmite... Nous allions être offerts en sacrifice, ou quelque chose comme cela, et il y avait des connotations politiques. C'était comme si on leur faisait entendre un discours du président Johnson. J'essayais d'imaginer un moyen de les faire changer d'avis... Il y avait un haut-parleur, et nous décidâmes qu'il fallait feindre d'être des dieux... le leur interdire en s'adressant à eux par le haut-parleur et aussi... nous pouvions employer des fusées de feu d'artifice... Rouge... je pense à du rouge. Autre chose, je crois que je regardais le soi-disant roi, ou chef, quoi que fut l'indigène..., sa peau était chocolat foncé... Il avait une tête très étrange. Quand on le regardait, il ressemblait presque à une de ces divinités figurant sur les mâts totems... Ils célébraient aussi toute une cérémonie pour les dieux. Et l'idée était de les effrayer en les appelant par le truchement du haut-parleur, comme si nous étions des dieux leur interdisant de nous tuer...

Le matin, en approfondissant les choses, Erwin ajouta : « Nous avions simplement conscience qu'ils allaient nous tuer d'une manière ou d'une autre, que cela faisait partie de leur cérémonie... Cela commençait par une atmosphère rituelle. »
Erwin, dans ses commentaires sur la séance de la nuit, rapprocha les éléments communs à ses rêves.

Dans l'épisode Churchill, il y avait quelque chose de cérémoniel, et dans le rêve des indigènes, une forme de rituel se déroulait... dont l'aboutissement, quel que fût le protocole, devait être le sacrifice de deux victimes... Je dirais que, dans le rêve des indigènes, le sacrifice... était plus la volonté du primitif de détruire le civilisé... Il croyait en l'autorité divine... aucun dieu ne parlait. C'était l'utilisation de la peur de cette autorité divine ou de la terreur qu'inspirait l'idée de la divinité qui rétablirait la situation. Pas ce que (le) dieu dirait.

Particulièrement frappant dans son symbolisme était le vieux thème du dieu qui doit être sacrifié pour renaître (d'où la soirée d'anniversaire). Le corps et le sang du Christ prenaient apparemment la forme du gâteau et du vin eucharistiques de l'anniversaire. Churchill, chef de son peuple, apparaissait mystérieusement sous les traits émaciés du Christ de la toile.

Dans le cinquième rêve, on peut peut-être voir dans le président Johnson le pendant de Ponce Pilate qui, en tant que personnage politique, s'efforça de convaincre les Juifs de libérer Jésus « que vous appelez le roi des Juifs ». Mais les Juifs préférèrent libérer Barabbas et laisser crucifier les victimes (comme dans le rêve). La terreur de la divinité était également présente et le « aucun dieu ne parlait » pourrait être l'équivalent de la plainte du Christ : « Mon Dieu, mon Dieu, pourquoi m'as-tu abandonné ? » L'épiderme sombre du « roi » et le parallèle entre le Christ sur la croix et une divinité totémique étaient des transpositions plus littérales de l'œuvre.

Les puissants éléments symboliques et ritualisés des rêves incitèrent les juges à donner la note élevée de 80,7 (très grande correspondance), la meilleure qui fut attribuée à toutes les cibles de la série. L'ordre, « Mettez du rouge sur ses plaies », eut apparemment pour effet d'intensifier l'impact télépathique de la Crucifixion.

En revanche, la cible choisie au hasard pour la séance suivante, l'*Intérieur de la synagogue,* de Katz, était plus facile à évoquer pour Feldstein, car elle lui rappelait des souvenirs d'enfance. Les accessoires multisensoriels d'accompagnement étaient des chandelles semblables à celles du tableau, un candélabre, des allumettes et un bouton portant une inscription en hébreu.

Dans le premier rêve de Erwin, il y avait « quelque chose comme une école » et, dans le second, une petite ville, et il y figurait lui-même, petit garçon. En récapitulant ses rêves de la nuit, il dit le lendemain :

Impression d'école... d'aller à l'école...

Le bâtiment dont je parlais — je suis resté un moment à l'intérieur avec le garçon... Ce pouvait être une expérience personnelle de Sol (Feldstein) parce que c'était une sorte...

d'exploration... Au cours d'une étude... il a parlé d'une synagogue..., peut-être celle où il s'agissait du *Rabbin jaune...*

C'était cela, bien entendu.

Ces références à une « synagogue » et à un « rabbin » permirent aux juges de donner à cette cible la note 62,7 (grande correspondance), à nouveau la plus élevée.

La cible de la dernière nuit de la série était un défi aux talents artistiques de Feldstein : il s'agissait d'une œuvre de Daumier, *Conseils à un jeune peintre,* où l'on voit un homme barbu conseiller un jeune protégé sur sa peinture. Les bruns, les gris et les blancs sont les couleurs prédominantes. Quant au matériel multisensoriel, il se composait d'un attirail de peintre : des couleurs pour aquarelle, un pinceau, une toile, et l'ordre de reproduire l'image cible sur cette dernière.

Dans son premier rêve, Erwin vit les couleurs (« brun, blanc, crayeux, grisâtre ») et pensa à un roman qu'il avait lu récemment, *le Masque d'Apollon,* de Mary Renault. Le quatrième était « un rêve dans un rêve », et l'acteur de cinéma Richard Powell apparaissait dans le cinquième.

Le lendemain, les associations d'Erwin portèrent sur des acteurs, des artistes et un portrait.

Il s'agissait d'un jeune acteur grec d'Athènes... Il rencontrait un homme qui était très proche de Platon...

Je ne sais pour quelle raison, Klee, le peintre, me vient à l'esprit.. Il me semble me rappeler que dans sa première période, Van Gogh a peint des paysans et... (qu') il employait beaucoup de bruns...

J'ai noté que j'avais rencontré Dick Powell plus tôt. C'était dans une pièce, un lieu de réunion... Et c'était comme si je voyais son portrait. Puis je le rencontrai, mais ils (le portrait et le modèle) n'étaient pas exactement pareils... Pourquoi un portrait de lui en même temps que lui, en chair et en os ? Eh bien, je l'ai d'abord évoqué en tant que portrait, et ensuite en tant qu'individu... que président du conseil d'administration. Autrement dit, le portrait de quelqu'un revêtu d'une certaine autorité... Prestige. Une position inspirant un certain respect, un certain accomplissement.

Les correspondances thématiques du jeune homme tombant sous l'influence d'un aîné prestigieux (Platon, qui était barbu) et du portrait d'un personnage en situation d'autorité (de même que les références directes à des artistes et à la peinture) valurent à la cible la note 47,3 (correspondance modérée), une fois de plus le score le plus élevé de la séance.

D'une façon générale, la « seconde étude Erwin » et sa technique « multisensorielle » se soldèrent par des résultats extraordinaires : sur huit nuits, six pleines réussites et deux très hautes notes. Comme précédemment, le système de notation montrait que les associations et les commentaires conjecturaux de Erwin avaient un degré de correspondance supérieur. L'analyse statistique des coefficients de classement démontrait la réalité du rêve télépathique, avec une probabilité de l'ordre d'une chance sur mille.

L'ombre de Cicéron semblait s'éloigner.

---

* Le système d'attribution des notes avait pris sa forme définitive (voir planche 10). Les rêves bruts, les associations et le protocole d'ensemble de l'expérience étaient jugés séparément, en fonction d'une échelle de 100 points ainsi définie :

    1 à 20 : faible correspondance
    21 à 40 : une certaine correspondance
    41 à 60 : correspondance moyenne
    61 à 80 : grande correspondance
    81 à 100 : très grande correspondance.

10

« Le prince des percipients »

A l'occasion d'un symposium sur l'ESP organisé à l'université de Californie à Los Angeles, le Dr Robert Van de Castle, directeur du laboratoire du sommeil et du rêve de l'université de Virginie, révéla les motivations profondes qui l'avaient conduit à poser sa candidature comme sujet d'expérience de télépathie onirique. « A un niveau, j'étais mû par l'esprit de compétition, le goût de l'exploit et l'exhibitionnisme, déclara-t-il. Ma faculté de me rappeler mes rêves avec un si grand luxe de détails à mon réveil en laboratoire, m'avait valu le titre de " roi des rêveurs ". J'en étais fier et je désirais aussi cueillir de nouveaux lauriers en devenant, en outre, le " prince des percipients ". »

Le titre de « roi des rêveurs » n'avait pas été donné à la légère au Dr Van de Castle. Lors de la série d'expériences de télépathie onirique, réparties en huit séances nocturnes, qui se déroula au laboratoire du rêve du Maimonides Institute de janvier à novembre 1967, son aptitude à la remémoration s'avéra dépasser celle des sujets qui l'avaient précédé. Le procès-verbal d'une seule de ses nuits comporte de 60 à 70 pages alors que, pour le commun des mortels, ce document est de l'ordre de 25 à 30 pages. On constata en analysant cinq études officielles visant à rechercher les « unités de signification » — la plus petite unité descriptive —, qu'il était, et de loin, le roi, avec un total de 2 439 unités. Son rival le plus proche était Erwin avec 1 762 unités (seconde étude Erwin).

Mais voyons comment le candidat au titre de « prince des percipients » — spécialiste bien connu du sommeil et du rêve et éminent parapsychologue, de surcroît — s'orienta vers la télépathie onirique. Le Dr Van de Castle nous le raconte lui-même :

Les premières séries d'expériences auxquelles je participai eurent lieu à l'institut de recherches sur le rêve de Miami, Floride. Le Dr Calvin Hall, directeur de cet institut et moi-même, travaillions sur un projet ayant pour objet de comparer les rêves obtenus par la technique REM en laboratoire et les rêves spontanés.

Bien que nous ayons eu, Hall et moi, de fréquentes discussions à propos de l'ESP, on pourrait dire que son attitude était à mi-chemin entre la neutralité et un léger scepticisme. Un jour, le Dr Ullman vint nous rendre visite dans l'intention de nous pousser à tenter d'entreprendre quelques études de rêves télépathiques. Il essaya aussi assez ouvertement de me recruter pour son laboratoire du rêve. Ce fut probablement cette dernière activité du Dr Ullman qui, agissant comme stimulus, incita le Dr Hall à tenter de réaliser des études de télépathie.

Hall et moi étions les sujets de nos propres expériences. Une nuit, je fis le rêve suivant : je déambulais sur le campus d'une université inconnue ; il faisait noir, et je me sentis soudain irrésistiblement poussé à entrer dans un bâtiment particulier. Un ring surélevé était installé dans le sous-sol de ce bâtiment et un match de boxe s'y déroulait. Cela me passionna à l'extrême, et je commençai à prendre fait et cause pour celui des deux adversaires qui avait le dessous. Je me rappelle que je hurlais des encouragements à mon boxeur et que, dans mon enthousiasme, je lançais des coups et des crochets vigoureux pour lui montrer ce qu'il devait faire. Le round prit fin, je sortis du bâtiment et poursuivis ma flânerie sur le campus.

Quand je lui eus raconté ce rêve, le Dr Hall se mit à arpenter la pièce, une bien étrange expression peinte sur les traits. Sans me prévenir, il avait décidé d'animer un peu les heures fastidieuses passées à surveiller le tracé de l'électroencéphalogramme, en essayant de projeter télépathiquement un stimulus cible. La situation qu'il avait choisie était un combat de boxe opposant Cassius Clay à Sonny Liston, qui avait récemment eu lieu à

Miami. Après qu'il m'eut dit ce qui s'était passé, nous avons conclu que cette première expérience de télépathie avait si bien réussi que nous devions persévérer pour voir si nous pourrions obtenir des résultats analogues.

Une autre fois, je rêvai d'une grande foule de skieurs, les uns s'élevant vers le sommet, halés par remonte-pente, les autres effectuant la descente à skis. Le Dr Hall s'était concentré sur une scène de sports d'hiver en guise de stimulus.

Comme notre étude exigeait que tous les sujets consignent régulièrement par écrit les rêves qu'ils faisaient chez eux, nous étions en mesure de noter la fréquence avec laquelle apparaissaient certains thèmes dans des conditions non ESP. En ce qui me concerne, j'avais enregistré environ quatre-vingt-dix rêves « naturels » en l'espace de quelques mois. Ils ne comportaient ni combats de boxe ni scènes de ski, pas plus que dans ceux que j'avais faits en laboratoire, sauf en ces deux occasions où la boxe et le ski avaient été les stimulus cibles. Nous savions grâce à nos autres enquêtes que des thèmes déterminés interviennent avec une très grande fréquence dans les rêves de certains sujets. Si quelqu'un qui rêve régulièrement de football, près d'une fois sur trois, rapportait un rêve touchant à ce sport quand le football est le stimulus cible, ce ne serait pas très convaincant. Comme nous disposions de ces normes extérieures pour mes rêves, nous étions confortés dans notre certitude que ces (deux) rêves-là étaient effectivement de nature ESP.

Le Dr Hall publia son étude réussie (c'est-à-dire statistiquement significative) dans le journal allemand de l'institut (pour l'étude) des zones frontières de la psychologie de l'université de Fribourg [1]. Sur les six sujets masculins qu'elle impliquait, celui qui avait obtenu le meilleur score était « Osceola », nom d'un célèbre chef indien de la tribu des Séminoles qu'avait adopté le candidat au titre de « prince des percipients », Van de Castle. Et voilà qu'avait sonné l'heure du grand défi, celle de la compétition avec les sujets du Maimonides.

Voici ce que dit Van de Castle à propos des motivations qui l'animaient, quand il s'efforçait de réussir télépathiquement au laboratoire du rêve du Maimonides :

J'avais le vif sentiment que chaque nuit devait se solder par un succès, du fait de l'intense préparation que nécessitait chaque séance. Je me rendais par avion de la Caroline du Nord [où il habitait à l'époque où commença l'expérimentation] à New York, pour une prestation d'une seule nuit, et les résultats qui seraient obtenus, quels qu'ils fussent, devaient l'être cette nuit-là. Il n'y avait pas de lendemain, car mes visites avaient lieu à six ou huit semaines d'intervalle. Quand on fait un aller et retour de plus de mille kilomètres, uniquement dans le but d'être le sujet d'une expérience de télépathie onirique, on a le sentiment qu'il est impératif de rêver, et de rêver télépathiquement.

L'un des avantages de ces déplacements peu fréquents était que cela entretenait un haut niveau d'intérêt pour chaque séance. Si les voyages avaient été trop rapprochés, je pense que la tâche serait devenue fastidieuse et routinière. Quand approchait la date de la visite, mon excitation commençait à grandir. Quitter l'atmosphère campagnarde et surannée de Chapel Hill pour me retrouver plongé dans l'ambiance trépidante de l'énorme métropole qu'est New York constituait un changement de rythme bienvenu. Ces visites étaient aussi l'occasion de discuter de parapsychologie avec les gens du Maimonides. L'équipe tout entière me donnait l'impression que j'étais un sultan en visite et on déroulait le tapis rouge avec un panache royal. Il est indéniable que cette complaisance libérale à l'endroit de mes tendances narcissiques entrait pour beaucoup dans mon désir de faire plaisir à l'équipe en réussissant ma nuit de travail.

En outre, celle-ci venait d'achever deux études portant sur les rêves télépathiques avec un autre psychologue (Erwin), qui s'était révélé un excellent percipient. J'espérais surpasser ses prouesses et réaliser une performance imbattable.

Le principe de l'étude Van de Castle était le même que pour les précédentes : on lui demandait d'avoir régulièrement des rêves télépathiques durant les huit nuits que comportait la série. Afin d'approfondir la psychodynamique de ses rêves en liaison avec la cible télépathique, Ullman avait prévu d'avoir avec Van de Castle un entretien à orientation psychanalytique profond, le lendemain du jour où ce dernier aurait évalué ses rêves sur une échelle de 100 points, en fonction d'un lot de huit reproductions cibles. A chaque séance de la série correspondait une réserve spécifique de huit reproductions réunies par un assistant extérieur. Plus tard, un juge, qui n'appartenait pas lui non plus au laboratoire, les classait et les notait. Les essais mettaient en jeu trois agents : Ullman pour la troisième nuit ; une psychologue, Margaret Kinder, pour les deux premières ; et, de la quatrième à la huitième, une psychiatre, assistante sociale du Maimonides, Barbara Lidsky.

Van de Castle, qui avait carte blanche pour choisir les deux agents féminins sur la base du rapport qu'il estimait possible de nouer avec eux, avoua sans fard que leur attirance sexuelle était pour lui un critère de sélection important. « C'étaient des jeunes femmes célibataires, séduisantes et jolies, qu'il était facile de prendre comme objets de fantasmes érotiques, ce que je fis. C'était comme si j'essayais de consommer l'acte sexuel par télépathie, au sens fondamental du terme, c'est-à-dire " parvenir à l'achèvement ou à l'accomplissement ". » Avant chaque séance pour lesquelles les femmes faisaient office d'agent, Van de Castle passait un certain temps en leur compagnie afin de mieux les connaître et de tenter d'établir avec elles des rapports susceptibles de faciliter le rêve télépathique.

La première tentative expérimentale eut lieu le 5 janvier 1967. L'agent était Margaret Kinder et la cible choisie au hasard, la *Découverte de l'Amérique par Christophe Colomb*, de Dali. Cette grande toile, extrêmement élaborée, représente le jeune Colomb rêvant de sa future traversée de l'Atlantique. A pied, il avance vers la plage, portant une bannière à l'effigie de la Vierge. Il est vêtu d'une robe blanche et transparente à travers laquelle on distingue les pointes de ses seins. Derrière, il y a son navire, une église et une rangée de jeunes garçons nus, debout dans l'eau, vus de dos et brandissant des oriflammes. On aperçoit aussi plusieurs jeunes acolytes catholiques en aube blanche qui tiennent des croix.

Dans son premier rêve, Van de Castle « accrocha » apparemment plusieurs éléments du tableau :

Quelque chose à voir avec une mère polonaise... Quelque chose à voir avec la maternité... J'entrais dans la pièce et... on aurait dit... qu'elle était devenue une église... Une grand'messe était en cours. Il semblait maintenant qu'il y avait une... grande église, et elle était pleine de monde de tous les côtés, elle était bondée ; c'était comme si... l'office allait à présent commencer... Quelques personnes dans l'église semblaient être vêtues de robes blanches... Quelques personnages masculins très jeunes... Il y avait cette personne et une autre et elles parlaient maintenant de la fille... d'Atlantic City ou d'Atlantic Beach *...

Le lendemain matin, Van de Castle ajouta :

L'élément qui ne paraissait avoir aucun rapport... (ni) avec la dynamique personnelle (ni) avec la situation expérimentale était la scène de l'église pleine de monde...

C'était tout à fait comme s'il y avait une sorte de sanctuaire ou s'il s'y passait quelque chose d'une importance nationale, quelque chose d'une portée historique. La messe, je crois que je l'associais à l'Eglise catholique, uniquement parce que, dans ma jeunesse, j'avais été élevé quelques années durant dans la confession catholique avant de l'abandonner. Aussi, toutes mes associations paraissent indiquer qu'il s'agissait d'une affaire très élaborée. Il me semble que les gens portaient ces espèces de petites robes blanches que mettent les enfants de chœur, et qu'il y en avait tout une rangée devant... C'était solennel, majestueux et, en un sens, mystérieux...

Dans son troisième rêve, Van de Castle avait l'impression d'être « debout dans le vestibule et... Angela est arrivée. Et Angela semblait être en pyjama, un pyjama qui paraissait soyeux et était à moitié transparent. Elle avait toujours un soutien-gorge et un slip en dessous, mais on pouvait quand même plus ou moins voir à travers le pyjama... et on aurait dit que ses seins n'étaient pas tout à fait aussi gros... ». Il précisa plus tard : « On distinguait en quelque sorte les pointes des seins sous le soutien-gorge, et je me rappelle que je les regardais avec intérêt... »

Angela était une jolie fille qu'il avait vue la veille. Elle revenait dans ses commentaires conjecturaux : « Sous le pyjama,

* *Beach* : plage.

152

ses seins n'étaient pas aussi gros qu'ils l'étaient hier sous son sweater... Il y avait une grande foule... Quelque chose à voir avec l'église, peut-être. Quelque chose à voir avec un grand concours de peuple... C'est ce qui m'a fait l'effet d'être le plus marquant. »

Quand Van de Castle examina, au matin, les huit cibles de la séance, ce fut avec soulagement qu'il constata que, en définitive, les seins d'Angela n'avaient pas vraiment rapetissé : c'était ceux du jeune Colomb. Il donna la palme à la toile de Dali avec 100 points. Il était bien parti pour coiffer la couronne princière.

Sur le plan psychodynamique, le fait qu'il préférait voir des seins de femme au lieu de seins d'hommes à travers la tunique transparente ne semblait pas très mystérieux.

Pour la seconde séance, le 2 février, Margaret Kinder était encore l'agent. La cible était *le Goûteur de vin* de Van Delft. Un couple hollandais en costume d'époque est à une table. L'homme, coiffé d'un chapeau noir, est debout. Il tient une bouteille de vin et regarde sa femme, assise, et qui boit dans un verre. Le mur gauche de la pièce est occupé par une fenêtre à vitraux de couleur. Le sol est constitué de carreaux noirs et blancs, disposés à la manière d'un échiquier. La table est recouverte d'une nappe brodée de fleurs.

Van de Castle commença par rêver de danse : « On aurait dit que l'un des personnages portait une sorte de manteau à damiers, un manteau à damiers noirs et blancs... Une scène de dancing ou de night club. » Le matin, il ajouta : « Cela me faisait l'impression de ressembler à l'une des affiches de Toulouse-Lautrec où... il y a cet homme au menton long et étroit... en costume de l'époque... En pensant à ce type, je crois le voir coiffé d'un melon noir... »

Il résuma ainsi son second rêve le lendemain :

Je me rendais en visite chez des amis... il semblait que si nous restions [chez eux] quinze jours, nous pourrions l'aider [la maîtresse de maison]... aux corvées domestiques... Nous étions dans cette jeep et nous devions nous frayer notre chemin... à travers... des massifs de fleurs aux teintes éclatantes... des rouges, des jaunes, des violettes, presque toutes les couleurs du spectre... cette unique fleur noire... Dans mon rêve, je prenais

153

des cachets contre le mal de tête... Je crois qu'ils étaient dans une bouteille verte... Il me semble que je prenais un verre d'eau pour avaler le dernier comprimé que me tendait la fille... Le rêve avait pour décor la maison des Fox... Nous sommes amis intimes... Nous nous voyons, nous nous réunissons pour boire un verre, etc.

J'aime beaucoup *la Fille au miroir*. J'aime ses couleurs. Il y a des rouges, des bleus, des violets, des jaunes, etc., éclatants. J'en avais une copie accrochée au mur...

Commentaires de Van de Castle pour cette séance :

Il doit y avoir des personnages dans le tableau. A prédominance féminine, je pense. Il y a peut-être aussi des hommes, qui ne doivent pas avoir un rôle aussi actif. Ils devraient plutôt diriger ou observer. Ce sont les femmes qui font ce qu'il y a à faire. Je pense que cela devrait impliquer qu'elles bougent...

Certaines de ces correspondances, noyées dans les rêves longs et détaillés qu'il se rappelait, semblaient être thématiquement fort adéquates. Le « manteau à damiers noirs et blancs » paraissait correspondre au plancher. L'homme de l'affiche de Toulouse-Lautrec au costume démodé et le chapeau noir étaient présents sur la cible. Les fleurs de toutes les couleurs suggéraient la nappe. Le verre dans lequel le rêveur buvait et la bouteille verte figuraient sur le tableau. *La Fille au miroir,* avec ses coloris vifs, semblait correspondre à la fenêtre aux carreaux de couleur. Et ainsi de suite.

Mais ces transformations n'étaient pas non plus sans avoir quelque rapport avec d'autres cibles du lot de réserve, et Van de Castle choisit en quatrième position *le Goûteur de vin,* auquel il donna 28 points. C'était encore un succès, mais il fallait qu'il fasse mieux pour remporter les huit rounds.

L'agent de la troisième séance, le 15 mars, fut Ullman, et la cible, le *Repas du lion* de Henri Rousseau (planche 11), où l'on voit un lion dévorer la petite proie qu'il a tuée. Le sang contraste violemment avec l'idyllique décor naturel, constitué d'arbres et de buissons fleuris.

Relation du premier rêve fait par Van de Castle :

Ils disaient quelque chose à propos de la fille désignée comme la meurtrière...

Maintenant, je sentais que quelqu'un montait avec moi dans le lit. Cela me tourmentait fort, et j'essayai d'empoigner cette personne et... lui entourai le cou de mon bras et commençai plus ou moins à l'étrangler... Et c'était... un jeune... garçon et il dit que son nom... était Doodle ou Poodle... Puis il semble que ce type se mettait plus ou moins à sauter comme s'il était une espèce de grenouille.

Associations de Van de Castle concernant cet épisode : « Il y avait un test de Rorschach portant sur l'analyse du symbolisme de la grenouille. On avait recensé les réponses « grenouille » dans le Rorschach, et on avait constaté, comme on l'avait prédit, que ces gens avaient considérablement plus de problèmes d'ordre alimentaire que ceux qui n'avaient pas évoqué la grenouille. On avait alors fait le rapprochement avec la théorie psychanalytique de l'imprégnation orale... »

Le second rêve était long et complexe :

Des lycéennes... Il allait vraiment falloir obtenir qu'elles changent de costume ou d'uniforme, parce que l'une d'elles trouvait qu'ils étaient très indécents... Une fille... faisait des reproches aux autres...

Il semblait que c'était... une scène d'extérieur. Le soleil brillait... Une machine à karaté... On devait essayer de lui faire une manchette de karaté...

Il semblait maintenant que j'avais une conversation avec une personne dont le nom était George Saute. Je fais l'association entre ce nom et le mot français « *sauter* » (...) et il était debout tout à côté... (d') un... lapin... George... disait quelque chose comme... ce serait bien de retourner (là-bas)... les grands espaces libres... On annonça sa mort... George s'était tué... C'était une grande tragédie...

Et puis, j'étais très intéressé par... trois chiens, des chiens de races et de couleurs différentes... Je crois que je voyais de l'herbe tout autour...

Maintenant, cette autre partie fait intervenir une personne

qui... disait qu'elle avait mis cet autre gouvernement en difficulté, qu'elle avait obligé ce gouvernement étranger à reculer...

Dans le troisième rêve, « il y avait deux chiots. L'un devait être noir et l'autre marron ; nous essayions de nous photographier en tenant les deux petits chiens... Tous deux semblaient s'être battus avant. On avait l'impression qu'ils avaient la gueule ouverte, et l'on voyait leurs crocs... ils continuaient à essayer de mordiller... ».

Van de Castle se remémora une reproduction utilisée dans une précédente série d'expériences, les *Animaux,* de Tamayo. « Ce qui me frappe dans cette cible particulière, c'est l'évocation d'une agression brutale, cruelle. Je ne me rappelle pas s'il y a du sang dans ce tableau, mais c'est presque comme s'il dégouttait de leurs dents... »

Voici les commentaires que lui inspirèrent les rêves de cette nuit :

L'agression semble... réapparaître continuellement... C'était certainement (le thème de) l'agression, à mon premier réveil, quand je prenais quelqu'un à bras-le-corps et le projetais dans le couloir. Agression aussi dans le second, avec ce petit instrument servant à marquer les manchettes de karaté. Il y avait encore agression, avec la personne en uniforme militaire qui avait pris, en quelque sorte, une attitude de faucon à l'égard de l'opposition. Il y avait toujours agression contenue dans le dernier rêve, avec les chiens qui se battaient d'une certaine façon. Donc, l'agression existe... Si l'on considère le suicide comme une agression contre soi-même, il y aurait encore une autre composante. Mais l'agression devrait être déguisée d'une façon ou d'une autre...

Cette dernière conclusion était inexacte, évidemment. Dans le rêve, l'agression était masquée mais, dans la cible, elle était ostensible. Van de Castle choisit le *Repas du lion* en numéro 3 et lui attribua un coefficient élevé de correspondance : 78. Nouveau coup au but.

Ullman analysa ainsi les aspects psychanalytiques de cette séance :

Après avoir revu avec le Dr Van de Castle ses rêves de

156

la nuit et les associations qu'il avait faites, compte tenu de leur contexte aussi bien que de sa relation avec moi, je me suis efforcé de faire le tri entre ce que l'on pouvait considérer comme un contenu motivateur « normal », et ce qui pouvait peut-être ressortir du « paranormal ». Si on laisse la cible de côté pour le moment, il semblerait que le rêveur ait été préoccupé par un thème principal et un certain nombre de contre-thèmes secondaires. L'idée prédominante était la peur occasionnée par des rapports d'intimité avec un personnage masculin. Le danger prenait des proportions effrayantes, mortelles même. Les motifs secondaires étaient axés sur des stratégies de riposte, destinées à atténuer ou à écarter la menace en transformant, par exemple, une situation terrorisante en disposition ludique, et en faisant accomplir l'acte d'agression par des animaux.

En ce qui concerne le rôle éventuel joué par l'ESP, on ne peut que se livrer à des spéculations. Le tableau, si fortement stylisé qu'il soit, n'en est pas moins l'expression sinistre de la loi de la jungle, dans laquelle le faible détruit le fort. Les rêves contiennent des références au meurtre, au suicide, au karaté, à la strangulation et à des morsures aussi bien qu'à des bêtes. On ne saurait affirmer catégoriquement que la présence de la mort dans le rêve et l'apparition de deux animaux, dont l'un a manifestement infligé une blessure mortelle à l'autre en le mordant au cou, ont opéré en tant que résidus télépathiques de la journée, pour faciliter la description du conflit représenté. Tout ce que l'on peut dire est que ces deux éléments sont compatibles.

La quatrième séance eut lieu le 17 mai. Barbara Lidsky prit la place de l'agent. La cible était la toile d'un peintre indien inconnu, *Danseuses de Kathak,* qui figurait deux jeunes filles aux vêtements ornés de rayures vives dansant dans une prairie. Un ciel bleu les entoure dans un ovale et le fond est constitué d'objets dorés en forme d'étoiles.

Dans le premier rêve de Van de Castle, il y avait des « abeilles aux rayures noires et jaunes... Et j'étais étonné de n'en voir que deux... ».

Le second était centré sur Stanley Krippner, qui était chargé de surveiller l'électroencéphalogramme.

(J'étais étendu) dans le labo, il y avait des relevés de notes de frais de Stan, j'en examinais un, et je me sentais coupable parce que cela ne me regardait pas... il semblait qu'il s'agissait de dépenses concernant un voyage en Californie... Il y avait en bas une note disant : « Ce n'est pas assez d'argent. Il faut obtenir vingt-cinq dollars de plus. » Et il me paraissait que je savais, d'une manière ou d'une autre, qu'il ne lui était pas nécessaire de réclamer cette somme, que les vingt-cinq dollars avaient été fournis autrement... le problème avait été réglé.

Van de Castle savait que Krippner s'était rendu en Californie au mois de mars, mais ces frais de déplacement auxquels manquaient vingt-cinq dollars demeuraient mystérieux, jusqu'au moment où Krippner exliqua qu'il n'était pas retombé sur ses pieds faute de vingt-cinq dollars, et qu'un bailleur de fonds les lui avait envoyés.

Son troisième rêve s'ouvrit sur un thème dont on constata ensuite qu'il se rapportait aux associations de Barbara Lidsky : « Je rêvais que... je partais en voyage quelque part... C'était un pays étranger... J'ignore pour quelle raison, (je pensais à) une île des Caraïbes... appelée Andros. » Barbara Lidsky avait pensé à une récente croisière qu'elle avait faite vers une île des Caraïbes appelée Antigua, associée au thème d'un séjour à l'étranger.

Le rêve se poursuivait ainsi :

Des gens qui se levaient et s'étiraient... Je regardais le ciel, qui semblait être plein d'étoiles... de couleur plus ou moins dorée... Puis je regardais une autre partie du firmament... Et c'était comme s'il y avait des millions d'astres, qui étaient très brillants et presque de la même teinte or... Ils ressemblaient davantage à ces étoiles éclatantes qu'on peut voir dans les feux d'artifice...

Commentaires de Van de Castle :

Ce qui était très net... c'est que j'ai vu ces étoiles dorées qui, clairement, ne collent pas... le spectacle du ciel nocturne parsemé d'étoiles d'or... (Une atmosphère) en quelque sorte

158

plus insouciante, ou plus détendue... quand j'étais sur l'île... Il semblait y avoir quelques petites plantes ici et là...

Les abeilles... la manière dont elles dansaient indiquant par là en même temps la direction de la ruche et sa distance...

Je crois que l'un des hommes porte une chemise avec des rayures qui pourraient être comme celles des abeilles. Et ce doit être un pays étranger... Cette impression très nette de nuit noire constellée d'étoiles étincelantes...

Van de Castle avait apparemment fort bien « accroché » dans ses rêves les éléments inusités correspondant à la reproduction, y compris l'intéressante association avec la danse des abeilles. Il classa la cible en deuxième position, avec 52 points. C'était encore un succès. Il avait gagné un nouveau round.

Pour la cinquième séance, le 27 juin, Barbara Lidsky choisit au hasard une toile de Chirico, *l'Enigme du destin* : il s'agit d'un grand tableau triangulaire avec, en premier plan, une gigantesque main rouge qui effleure un échiquier aux cases noires et blanches. On aperçoit au centre une haute cheminée de briques qu'encadrent deux grands édifices à arcades.

Exceptionnellement, Van de Castle fut incapable de se rappeler son premier rêve, mais le second « avait quelque chose à voir avec un géant ».

Dans le troisième, il rêva de la Y.M.C.A. *. « Le bâtiment, à un étage, comportait une piscine, en bas... Je devais avoir pris un bain... parce que, quand je suis monté au premier, mes mains étaient mouillées... Vous m'avez dit d'appuyer sur le bouton qui se trouvait en haut de l'escalier, ce que je fis. Je me souviens que je l'ai poussé, et que mon doigt était humide... Et puis vous êtes arrivé... et vous êtes apprêté à appuyer sur le bouton... » Il précisa plus tard : « Le bouton semblait être noir. »

Dans le quatrième rêve, des références explicites parurent préciser le caractère phallique de la haute cheminée de briques.

Dans le cinquième, « deux personnes... tiraient un puzzle de sa boîte... » Van de Castle ajouta plus tard : « C'était comme

* *Young men's Christian Association :* Association chrétienne des jeunes gens.

si je les voyais accomplir le geste, et le jeu était encore entier... »

Ses commentaires furent les suivants :

Oh, ce géant... semblait n'avoir aucun sens... Il pourrait s'agir d'une sorte de peinture abstraite... Il y aurait aussi des sortes de déformations, de (distorsions de) taille, de sorte que cette partie n'a pas l'air d'être réaliste. Je parlais d'un géant... qui était plus grand que nature. Aussi, il doit y avoir quelque chose représenté avec (des proportions démesurées par rapport à la réalité). Sur une échelle plus grande que nature... nature...

Van de Castle plaça en troisième position la main géante touchant le « puzzle » noir et blanc, et lui accorda 76 points : encore un coup au but.

Il était difficile de trouver des références à la cible choisie par Barbara Lidsky pour la sixième nuit, celle du 9 septembre. Il s'agissait d'*Arbres et Maisons,* de Cézanne. Elle ne représente pas de personnage, juste une maison blanche au toit orange, en haut d'une colline où se dressent des arbres dénudés. La terre est d'une couleur brunâtre tirant sur l'orange.

« Tout ce que je peux me rappeler (du premier rêve), c'est qu'il est question d'une maison... » Dans le second, Van de Castle eut la brève vision d'un « escalier noir et blanc qui descendait... ».

En relatant son troisième rêve, il remarqua : « Encore ce même thème. Barbara ou moi-même sommes bloqués, cette nuit. Sinon, c'est sur une image affreusement insipide, incapable de l'inspirer et dépourvue de charge émotive qu'elle travaille. »

Dans le quatrième rêve, « il y avait une maison. C'était une maquette, comme celle dont on se servirait si on voulait en construire une soi-même... Sans figures humaines ni action, sauf ce remaniement de la structure intérieure ». Van de Castle ajouta ensuite : « Je voyais juste cette maison isolée, qui semblait très petite... »

Dans le cinquième rêve intervenaient « des édifices très hauts et défraîchis ». A propos du sixième, il dit : « Je n'ai perçu ni couleur, ni mouvement... La moisson est bien maigre. Elle sera peut-être abondante s'il y a dans le lot une cible qui montre une cabane isolée au sommet d'une hauteur... Alors, ce serait un succès formidable... »

Les arbres dépouillés, la couleur du sol et le toit firent une timide apparition dans le septième rêve : « Il y avait un poteau télégraphique... Rien d'autre qu'une route boueuse... comme seules couleurs, je voyais... l'espèce d'argile orangé de ce chemin bourbeux... »

Ses commentaires conjecturaux cernaient apparemment la cible :

Il est plus ou moins question de maisons... Je ne peux me rappeler une seule nuit où les visions étaient aussi brèves, (aussi) fragmentaires et dépourvues de toute continuité... Je suis très frappé par le manque presque complet de personnages. Absence pratiquement totale de gens... Elle (la cible) ne devrait pas représenter de figures humaines... Il y a probablement des gris, des marrons ternes, ou des couleurs charbonneuses... Il s'agit peut-être... d'un de ces immeubles en construction.

Van de Castle attribua à la cible le numéro 2, avec 69 points : un nouveau succès, et un autre round à son actif. Le juge extérieur estima que c'était une victoire totale.

La septième tentative eut lieu le 23 octobre. Barbara Lidsky sélectionna à l'aveuglette *les Funérailles du gangster,* de Levine. Le bandit mort est dans son cercueil, à gauche. Sa femme, ses parents et ses hommes vêtus avec un luxe criard lui rendent un dernier hommage. Un policier est là. Le gangster qui domine la scène est chauve ; il porte un complet marron et un gilet gris. La déformation de la perspective donne l'impression que le cercueil est ovale.

Dans son premier rêve, Van de Castle eut le sentiment qu' « il n'y avait pas beaucoup de mouvement, que ce devrait être quelque chose de tout à fait immobile, statique même. Il y a comme une forme ovale au milieu... Un peu de marron en arrière-plan ».

Dans le deuxième, « je me trouvais devant une table, en conversation avec deux autres personnages masculins... L'un d'eux était Fred... Je le plaisantais sur ses vêtements, ou je me moquais de lui. Il arborait un costume assez tapageur... son

161

gilet n'était pas exactement assorti... » Van de Castle ajoutera ensuite : « Le vôtre fait aussi des plis. »

Dans son troisième rêve, « cette personne... avait un peu plus de la quarantaine, et ce dont je me souviens, c'est que ses cheveux s'éclaircissaient : elle présentait une calvitie... Et c'était comme si je devais m'adresser à la police... »

Dans le cinquième rêve, il semble que le gangster mort était devenu une souris blanche : « Il y avait un souriceau, vraiment tout petit... et comme je ne savais pas s'il vivrait ou non, j'ai demandé à quelqu'un d'aller chercher une boîte à cigares pour qu'on le mette dedans... »

D'après lui, « il y aurait des gens dans (le tableau) car, du début à la fin, mes rêves ont été dominés par des personnages... aussi, je dirai que c'était une donnée récurrente, qui devrait se retrouver dnas la cible. Je pressens une sorte d'interaction entre certaines des personnes présentes ».

Van de Castle plaça *les Funérailles du gangster* en troisième position avec 85 points, encore un succès auquel, soit dit en passant, le juge extérieur donna le premier rang. Il avait remporté sept rounds, mais, dans cette compétition, il fallait qu'il gagne les huit.

Ce fut le 26 novembre qu'eut lieu la dernière expérience de la série. Lorsqu'on remit à Barbara Lidsky la reproduction qui avait été tirée, le *Persée,* de Cellini, dans lequel le héros brandit la tête sanglante de Méduse, elle estima que c'était une cible trop macabre comme instrument de travail. Celle que l'expérimentateur choisit au hasard pour la remplacer se trouva, elle aussi, être trop sinistre : c'était la *Crucifixion* de Sutherland. Pour ne pas troubler l'agent, il en sélectionna une troisième, *l'Homme aux flèches,* de Bichtir. Trois hommes sont assis en plein air. La scène se passe en Inde. L'un des hommes joue d'un instrument à cordes, et le personnage central a sur l'épaule un bâton qui ressemble à un canon de fusil. Une hutte rudimentaire se profile à l'arrière-plan. Le tableau comporte un détail à la signification obscure : un pieu auquel une corde est attachée.

A l'instar d'un réalisateur américain qui adapterait une histoire de samouraïs, Van de Castle fit de la cible un western. Voici son premier rêve :

Ce que j'ai d'abord vu était une sorte de sac de couchage, et cela m'a évoqué un « western »... L'image s'effaça en un fondu enchaîné d'une minute et je franchissais ensuite plusieurs portes. Juste devant moi se tenaient trois hommes. Ils étaient debout à égale distance, environ deux mètres, les uns des autres. Ils portaient des chemisettes bleues et des bérets, et ils paraissaient très patibulaires. Je crois qu'ils avaient des fusils, mais ils les tenaient au côté, comme si la crosse reposait à terre. Puis l'expression « en bandoulière » m'est venue à l'esprit... Décor de pays étranger, de campagne ou de western, impliquant la violence.

Second rêve :

Il semblait que c'était un morceau de corde... puis il y en eut trois ou quatre rouleaux ; ensuite, la corde redevint droite... le rouleau céda la place à une image, une pendaison, et les mots *The Oxbow Incident* me vinrent à l'esprit ; il s'agit d'un livre ou d'un film... Un groupe d'hommes, des vêtements de cow-boys, des coups de fusils, un vieil arbre sec avec une branche maîtresse... et ce type se balançant au bout d'une corde... Et puis ce spectacle... avec de la *country music* et des types en tenue de cow-boys, avec les chapeaux adéquats...

Dans son troisième rêve, Van de Castle eut la vision fugitive de quelqu'un qui se noyait et que l'on « sortait de l'eau à l'aide d'une corde attachée à sa jambe... ».

Dans le quatrième, il se présenta « un ressort à boudin » qui « ressemblait encore à certaines des images de corde ».

Dans le cinquième, il vit un « hamac auquel était suspendue une énorme quantité de cordes pour instruments de musique ». Et dans le cinquième, il rêva qu'il se rendait dans l'Oklahoma.

Ses associations donnèrent ceci :

Il se pourrait qu'il y ait dans ce thème de western des souvenirs résiduels, à savoir le *Grand Old Opry* *, mais je ne

* Programme de radio à base de musique western.

le pense pas... En tout cas, la notion de lasso, de crins, de ficelle ou de cordes d'instruments de musique revenait constamment... Je présume qu'il devait s'agir d'une scène de la vie dans l'Ouest. Des gens habillés en cow-boys avec des fusils... une corde apparaît de façon très marquée ou ostensible quelque part dans le tableau...

Van de Castle attribua à cette cible le numéro un, avec une probabilité de 100 pour 100 : cette victoire lui faisait remporter le huitième round par K.O.

Il paraissait bizarre que ce détail obscur, une corde enroulée autour d'un pieu, ait pris une place si importante dans ses rêves. Mais le thème est également lié à celui de l'instrument de musique et de l'arc (cf. « Oxbow ») *. Il est impressionnant de voir la façon dont les trois hommes sont assis tout près les uns des autres apparaître pratiquement sans transformation, excepté cette adaptation sous forme de « western ».

Il est également possible que l'homme que l'on pendait (« On avait tendance à s'apitoyer sur la victime ») ait eu son origine dans les cibles, la *Crucifixion* ou *Persée,* que l'agent avait refusées.

De façon générale, le rang affecté par Van de Castle aux huit cibles (sur un total de soixante-quatre) devançait considérablement les évaluations d'Erwin lors de sa seconde série de huit séances. Le juge extérieur le crédita de cinq coups au but (ce qui équivaut à une probabilité de l'ordre d'une chance sur mille). Mais quand on évalua ses conjectures à part, il bénéficia de six pleines réussites sur huit (de ce fait, la probabilité atteint une chance sur dix mille). La couronne de « prince des percipients » revenait au prétendant.

Mais les entretiens psychanalytiques qu'il avait avec Ullman lors de chaque séance, et qui duraient parfois deux heures, constituèrent une autre forme d'épreuve. C'est ce dont témoignent les commentaires de l'intéressé, marqués du sceau de la franchise :

Ces discussions conduisaient à des examens de conscience

---

* *Oxbow* se traduit littéralement par « collier de bœuf » mais le mot *bow* signifie également « arc » ou « archet ». (N.D.T.)

que je préférais souvent éviter. Il me fallait regarder en face des choses qu'il m'était malaisé de m'avouer à moi-même ; mais, en outre, je devais en confesser certaines de vive voix au Dr Ullman. Ce n'était pas facile, et ma résolution de poursuivre l'expérimentation vacillait quelquefois. Au départ, notre but était de chercher à mieux comprendre ce qui se passait pendant ces heures mystérieuses de la nuit où l'agent et moi-même tentions d'entrer en communication télépathique. De plus, il s'agissait d'évaluer l'impact des événements survenus à l'état de veille sur le résultat de l'expérience nocturne. J'estimai donc que, si nous voulions avancer vers notre objectif, il était nécessaire de persévérer, même si cela devait mettre quelques plaies à vif. En luttant pour sortir indemne de chacune de ces tentatives et pour retomber sur mes pieds, je découvris que ma participation à cette étude me permettait de recueillir certains bénéfices, analogues à ceux qu'apportent un traitement psychanalytique réussi.

Accéder au titre de « prince des percipients » avait représenté un défi qui dépassait tout ce que le Dr Van de Castle avait imaginé.

11

Tests courts

Le rêve télépathique offre une grande variété de procédures expérimentales intéressantes. Cependant, toutes ne sont pas forcément assez fécondes pour justifier l'emploi de méthodes aussi élaborées et coûteuses que celles que nous avions jusqu'ici utilisées pour les études en bonne et due forme. Aussi a-t-on eu recours à une tehnique d'évaluation des correspondances rêve-ESP quelque peu simplifiée, pour une série d'expériences pilotes marginales, limitées à une seule séance par nuit. Les juges, qui faisaient partie de l'équipe du Maimonides, attribuaient une note à chaque cible du lot en général, celui-ci comprenait six reproductions). Dans la moitié supérieure du tableau, on indiquait une réussite, et dans la partie inférieure, un échec. On demandait également en principe au sujet de coter les cibles.

Les précautions prises pour éviter d'éventuelles fuites d'information au niveau sensoriel étaient aussi sévères que dans les expériences officielles. La différence principale était que, dans la série pilote, les juges appartenaient au personnel de l'institut, au lieu d'être recrutés à l'extérieur. De plus, le système de notation était plus simple que l'échelle de 100 points. L'objectif fondamental de ces épreuves pilotes était de tester de nouvelles idées et de nouveaux sujets. Tous ceux qui s'intéressent au rêve télépathique ne peuvent pas toujours trouver le temps d'effectuer des voyages de quinze cents kilomètres, comme Van de Castle, pour collaborer à une étude intensive sur la télépathie onirique.

Un habitant de Philadelphie, Arthur Young, se passionnait pour la parapsychologie. Inventeur de son état, il avait mis au point un accessoire important pour le compte de la société des hélicoptères Bell, et imaginé de nombreux autres appareillages mécaniques. Il faisait souvent des conférences sur des problèmes philosophiques, comme « cosmologie et géométrie de la signification » et se livrait à des recherches personnelles sur les phénomènes parapsychologiques.

Young se rendit en décembre 1968 au laboratoire du rêve pour une expérience de clairvoyance. Un assistant, à qui l'on avait bandé les yeux, choisit au hasard une cible, la sortit de son enveloppe, et la posa sur une table sans la regarder. Personne ne savait ce que représentait l'image, jusqu'au moment où, le lendemain, après l'essai, on ouvrit la pièce fermée à clé.

Comme il s'endormait, Young signala qu'il distinguait « ... une sorte d'instrument d'optique, ressemblant à un morceau de verre massif, et garni d'entretoises à l'intérieur. Il voyait aussi une salle circulaire, avec beaucoup d'objets posés sur le sol, dont un tabouret rond... » Le lendemain, il ajouta : « ... un globe de verre... Je contemplais d'en haut une pièce ovale. J'ai dit ronde, mais elle était ovale et elle contenait de nombreux objets... C'était très net et précis ».

Quand l'expérimentateur ouvrit la salle fermée à clé, il trouva l'image à laquelle Young et lui avaient attribué le numéro 1 dans un lot de six cibles : la photo d'un satellite de communications, une sphère métallique, munie d'une armature interne, montée sur une plate-forme ovale et entourée de miroirs circulaires (planche 12).

La chance avait apparemment servi l'inventeur Young en désignant comme cible un dispositif mécanique qu'il était capable de décrire physiquement, de façon détaillée, et dans toute sa dimension.

Autre point intéressant : Young avait eu cette vision alors qu'il se trouvait dans un état de conscience modifiée, précurseur du sommeil, l'état hypnagogique. Cela recoupe la théorie du Dr Berthold E. Schwarz [1], psychiatre et parapsychologue qui a étudié les rapports selon lesquels le plus célèbre des inventeurs américains, Thomas Edison, aurait été chercher quelques-unes de ses idées dans la tête d'autres scientifiques, grâce à la télépathie. Edison avait l'habitude de faire un somme entre ses longues heures de travail. Selon Schwarz, ces fréquentes plongées d'ordre hypnagogique avaient pu, peut-être au moyen de la perception extra-sensorielle, l'aider à concevoir les milliers de découvertes et de créations brevetées qu'il compta à son actif. Ajoutons en passant qu'Edison s'intéressait vivement à la télépathie et qu'il fabriqua un appareil électrique destiné à faciliter l'ESP. Mais ses tentatives échouèrent.

Un certain nombre d'études expérimentales, portant sur les états de conscience modifiée et l'ESP réalisées par l'équipe du Maimonides et par d'autres, ont montré que les modifications de l'état de conscience facilitent la clairvoyance directe d'une image cible cachée. Aussi, le succès de Young, qui décrivit ainsi une photographie, ne bouleversa pas le personnel du Maimonides. Il aurait cependant pu troubler quelqu'un ayant la conviction que tous les phénomènes d'ESP étaient dus à des « émissions cérébrales » analogues aux ondes radio.

Bien qu'aucune étude en règle visant à comparer l'onirisme télépathique et le rêve clairvoyant n'ait été encore faite, on s'est livré à quelques tests pilotes qui faisaient intervenir une cible télépathique (avec un agent) et une cible clairvoyante (sans agent). Lors d'une série de quatre nuits avec un seul et même sujet, le but clairvoyant fut correctement identifié quatre fois, alors que l'autre ne le fut qu'une fois seulement. Néanmoins, si le sujet avait été averti qu'il y aurait une performance de clairvoyance à accomplir, il ignorait l'épreuve télépathique.

Le 24 août 1967, deux jeunes sujets, Myron et Stuart, dormirent dans des pièces séparées. On leur avait dit à tous deux qu'ils auraient à percevoir deux cibles, l'une par télépathie, et l'autre par clairvoyance. Cette nuit-là, Krippner et une assistante, Gayle Miree, se concentrèrent sur la même image, mais avec des associations entièrement différentes. On pensait que la confusion aurait peut-être pour effet de détourner les sujets de la reproduction télépathique et de les orienter vers la clairvoyance.

Le juge attribua la mention « coup au but direct » de classe 1 à la première, alors que la seconde obtenait respectivement les notes 3 (pour Myron) et 4 (pour Stuart).

Quand il y a plus d'un agent, la situation peut s'embrouiller, spécialement dans des expériences comme celle du 24 juin 1964. L'agent était Joyce Plosky et Sol Feldstein l'expérimentateur. Ce dernier ne savait pas que la cible était le *Violoniste vert*, de Chagall (planche 5). Le musicien est coiffé d'une casquette, et le tableau représente un chien et un cheval en arrière-plan.

Le sujet était un jeune homme, Sam.

Ses premiers rêves furent sans rapport avec la toile.

A 3 h 30, Feldstein, qui s'était endormi, nota ce qu'il avait vu : « Je suis sur une île. Un cheval et une charrette surgissent, et je dois me cacher. (Mon) frère Bob est là. On peut le voir, mais, je ne sais pour quelle raison, il est dangereux pour moi de me faire surprendre. »

Un peu plus tard, Sam fit le rêve suivant : « J'avais l'impression de contourner quelque chose, peut-être un cheval, une charrette et un fouet... » Il ajouta le lendemain : « Une charrette et un voiturier, coiffé d'une casquette, en train de fouetter le cheval. »

On aurait dit que son rêve combinait celui de Feldstein, qui mettait en scène un cheval et une charrette, avec la cible de Plosky, où figurait un homme portant une casquette, debout devant un cheval. En dépit de cette confusion apparente, le juge, qui n'avait pas connaissance du rêve de Feldstein, plaça en tête de liste le *Violoniste vert*, perdu dans un lot de dix reproductions.

Une séance avec deux agents fournit également l'occasion d'un test portant et sur la clairvoyance et sur la télépathie. Le sujet était une jeune femme du nom de Pam, et la cible, une photographie représentant une statue de Cellini, *Persée*. Le héros, nu, est debout, un glaive dans une main, la tête tranchée de Méduse dans l'autre. Afin de vérifier si un sujet était capable de compléter par clairvoyance une cible télépathique mutilée, on découpa la tête de la Gorgone, et on la mit à part dans une enveloppe scellée. Le lot complet comportait cinq autres images dont on avait supprimé un détail important et que l'on avait également glissées dans des enveloppes fermées. Les fragments enlevés demeuraient là.

Le sujet, Pam, n'avait pas été prévenu de cette façon de procéder, mais on lui avait dit qu'elle devait rêver d'une image sur laquelle deux personnes se concentreraient. Les agents étaient un écrivain, Robert Nelson, et une étudiante attachée à

170

l'équipe, Diane Schneider. Tous deux travaillèrent ensemble pour intensifier l'effet télépathique de la reproduction — la statue de Persée moins le chef de Méduse.

Dans le premier rêve de Pam, il était question d'elle-même : « Ce n'est pas la migraine, mais un vertige... j'ai la tête lourde... » Plus tard, elle eut la vision de « quelque chose de sanglant. Il y a un élément inquiétant, mais j'ignore ce que c'est... »

Elle crut également qu'elle se trouvait à Central Park un dimanche après-midi. « Un homme... tendait les bras. Son visage était tourné vers la droite. »

Le lendemain matin, Pam évoqua dans ses commentaires le curieux sentiment qu'elle avait éprouvé concernant sa propre tête : « Puis j'aperçus quelqu'un dont le front était bandé... avec, tout autour de lui, du sang et du vomi. La scène est douloureuse, très douloureuse. Cela évoque quelque chose de sinistre là-dedans... comme un meurtre. »

Puis elle fit une remarque d'une extraordinaire exactitude concernant l'amputation du dessin : « Une pièce manque dans la partie droite. »

Le juge attribua la mention « réussite » aux deux données de la cible. Toutefois, il n'était pas vraiment possible de distinguer la part de la clairvoyance de celle de la télépathie. Les agents savaient quel morceau de la photographie avait été coupé, et Pam avait peut-être pu l'apprendre par télépathie, tout comme elle avait pu entrer par clairvoyance en contact avec la tête de la Gorgone dans son enveloppe scellée. En tout cas, les thèmes dominants — une tête, du sang, un meurtre, une impression inquiétante et un homme aux bras tendus — paraissaient tomber juste.

Cela pose cependant un problème fondamental : si le sujet est capable de percevoir par clairvoyance un tableau que personne ne voit, il doit le décrire de la même façon lorsque deux personnes sont en train de regarder. C'est pourquoi on ne peut tirer de conclusion de ces séances pilotes de clairvoyance. Et il y a une raison encore meilleure : elles sont tout simplement trop peu nombreuses pour permettre des généralisations.

Bien que, dans la plupart des cas, il semble que les correspondances ESP-rêve soient transformées par associations, on constate parfois avec surprise qu'elles sont pratiquement inchangées. Lors d'une tentative avec un psychologue du nom de Dick, l'agent, Diane Schneider, fixait son attention sur un collage montrant deux enfants dans un musée, contemplant une vitrine où sont exposés des joyaux.

D'abord, Dick rêva qu'il était « plus jeune que maintenant. A l'école... le mot " *collgate* " encadré de blanc. Non, c'est le mot " *collage* " ».

Ensuite, il était dans « un musée... avec quelqu'un d'autre. Les couleurs sont noir et brun... ». Le matin, il ajouta : « Il n'y avait que nous deux dans le musée. »

Le mot « *collage* » dans un cartouche blanc est extraordinaire, car il est extrêmement rare que ce mot figure dans les rêves. A titre de comparaison, « église » apparaît dans 6 rêves d'hommes sur 500, lit-on dans *Content Analysis of Dreams*, de Hall et Van de Castle. Il intervint dans ceux d'un étudiant, Robert Harris, lors de la séance du 27 septembre 1968 : « Je songeais à... l'Europe. Nous arrivions devant cet édifice. Je crois que c'était un dôme ou quelque chose (de ce genre). La construction, très ancienne, aurait pu être une église. »

Le lendemain matin, Robert résuma sa nuit : « Nous entrions dans ce vaste hall, dans lequel nous rencontrions cette petite vieille qui parlait... Je me rappelle que je descendais une rue... avec des cailloux... et que les édifices étaient tout gris... Je pense que c'était quelque chose comme une église... » (En fait, Robert était récemment allé en Europe avec ses parents, le Dr et Mme Krippner.)

La cible, cette nuit-là, était l'*Eglise d'Auvers*, de Van Gogh (planche 13) : une grande église grise avec, au premier plan, une femme, marchant sur un chemin caillouteux, qui se dirige vers elle.

Il est intéressant, aussi, de voir comment des sujets différents réagissent à une même image. Nous allons examiner les rêves de deux jeunes femmes, Iris Vaughan et Felicia Parise. Le but commun était *Départ d'un ami*, de Chirico. Debout dans le crépuscule, deux hommes se tiennent à l'arrière-plan, devant un mur constitué d'arcades et de colonnes qui s'étend jusqu'au premier plan. Le centre est occupé par un bassin rectangulaire et une cour intérieure. L'agent qui opérait le 27 juin 1969 était un professeur, William Thompson.

Rêve d'Iris : « Une scène de groupe. J'ai dans la tête *The Shadow Song (la chanson de l'ombre)*. » Elle sortait d'un bâtiment « vaste, genre bâtiment administratif ». Elle fit un autre rêve : « Je suivais un couloir en compagnie d'une autre personne... Les couleurs étaient sombres, des bruns, des noirs et des gris... Je donnais des fleurs à ma grand-mère. »

Le matin, elle déclara : « J'ai eu plusieurs visions relatives à moi-même et à ma famille. Les teintes sombres étaient inhabituelles... De même que le thème de la promenade et du retour... »

Felicia vit aussi sa famille. « J'étais chez ma mère » et « je jouais avec ma nièce ». Dans son sixième rêve, elle était 18e Avenue, à Brooklyn. « Il y a une banque à l'angle de la 18e Avenue et de la 65e Rue. J'ignore si c'est une caisse d'épargne ou autre chose. Si, c'est une caisse d'épargne et c'est un édifice très élevé. Il est gris... »

Un bâtiment de grande taille et la couleur grise étaient des éléments communs aux deux rêves. Les deux sujets avaient cru qu'ils étaient avec des membres de leur famille. Quand le même motif, celui du départ (mais avec une autre toile, de Beckman), avait été utilisé lors de l'étude de sélection, un étudiant en médecine avait songé que sa femme et lui quittaient leur appartement. S'il existait un point commun entre ces trois rêves fondés sur cette idée, c'était l'apparition de parents proches.

Un autre moyen d'étudier la télépathie onirique est de la comparer à la précognition, c'est-à-dire la prescience d'événements à venir. Le sujet de la séance du 3 janvier 1969 était un étudiant nommé Gordon. Avant que l'agent, Gayle Miree, eût choisi la cible, Krippner hypnotisa Gordon et lui dit d'essayer de percevoir l'image qui serait sélectionnée. Réponse de Gordon : « Une sorte de montagne au loin, et ce doit être le soir ou le matin parce que... la lumière est plus brillante sur la montagne, et, quand je lève les yeux, elle devient d'un bleu plus sombre. Mais, en haut, c'est blanc, clair et ensoleillé. »

Le paysage que Gayle choisit ensuite au petit bonheur fut la *Montagne sous la neige* de Chang Shu-Chi, représentant une montagne émaillée de pins et de blocs de rochers ; et l'on distingue au loin un cerf. Les couleurs dominantes sont des noirs, des bruns, des gris, des bleus et verts estompés.

Le lendemain matin, Gordon récapitula ses rêves : « Je vois des montagnes ou une espèce de montagne... Juste (une masse) noire en arrière-plan... Tout était de la couleur de la roche... très terne, beaucoup d'ombre, très sombre. Une sorte de colline abrupte et... des nuages très opaques... dérivant à travers la brume au-dessus de la montagne... »

La vision précognitive paraissait donc aussi exacte que l'imagerie du rêve télépathique.

Deux jours plus tard, Gordon écrivit une lettre à l'équipe du Maimonides :

J'ai eu une très curieuse expérience... dans le car. Alors que nous étions plus au nord... je regardai (le paysage) au-delà de la route et j'aperçus un cerf. Ce qui était étrange, c'était que l'animal se tenait dans la neige en face d'une falaise, avec une chute d'eau gelée qui me rappela un détail de l'image cible... Il est très rare de voir un cerf aussi près de la route pendant la saison de la chasse. C'est probablement une coïncidence, mais elle est néanmoins étonnante.

Aux jungiens de l'expliquer...

Comparons maintenant les rêves du célèbre sensitif anglais Douglas Johnson, à ceux des sujets que nous avons déjà examinés. Médium professionnel attaché au College of Psychic Studies de Londres, Douglas Johnson a participé à de nombreuses recherches expérimentales avec des parapsychologues américains, et a été très lié avec Eileen Garrett.

Le 9 avril 1969, la cible de Johnson était un collage représentant la Vierge tenant dans ses bras Jésus agonisant. Une auréole entoure la tête des deux personnages. La Vierge porte une robe bleue et or et un anachronique bracelet-montre.

Dans son premier rêve, Johnson vit « une femme que je connais... Il me semble que je lui parlais et que je lui disais au revoir ». Dans le second, il avait « l'impression d'être en compagnie de quelqu'un que j'aimais ».

Le matin, il évoqua « des ors et des bleus... Une très jolie lumière », puis, dans ses commentaires, il nota : « Il pourrait s'agir (d'un tableau représentant)... deux personnages qui sont de très grands amis ou qui sont amoureux l'un de l'autre... Une relation affective, sans doute. »

174

Johnson et Krippner placèrent l'un et l'autre la bonne cible en première position.

Il est néanmoins intéressant d'observer que les rêves ESP de Johnson paraissent être aussi déformés que ceux des individus « ordinaires » qui ne contrôlent pas consciemment leurs facultés psychiques.

Dans le prochain chapitre, nous nous pencherons sur les différences possibles existant entre les rêves de médiums connus et ceux de personnes « normales ». Et, pour corser un peu les choses, les agents et les sujets seront à vingt-deux kilomètres les uns des autres.

12

Le « bombardement sensoriel » à longue distance

« A longue distance », cela n'a pas besoin d'explication. Mais qu'est-ce qu'un « bombardement sensoriel » ?

Une technique visant à plonger quelqu'un dans un environnement audiovisuel — en « bombardant » ses sens jusqu'à obtention d'une « surcharge » sensorielle — a été mise au point par un couple de chercheurs, R.E.L. Masters et le Dr Jean Houston [1], qui dirigent la Foundation for Mind Research, de New York. Dans le cadre de leurs travaux sur les modifications de l'état de conscience, ils imaginèrent un « environnement audiovisuel » ainsi conçu : des séries de diapositives sont projetées sur un écran incurvé d'une surface de 0,75 m² qui enveloppe un sujet assis entre deux haut-parleurs stéréophoniques (ou muni d'un casque à écouteurs) diffusant une musique d'accompagnement. Un projecteur à double fenêtre, équipé d'un ordinateur, substitue une vue à l'autre en « fondu enchaîné » toutes les vingt secondes, ce qui donne une impression de « cinéma ».

Les diapositives — il y en a plusieurs milliers — vont des reproductions de tableaux psychédéliques à des séries thématiques telles que « paysages tibétains » ou « alunissages ». L'immersion dans cette ambiance a un effet tout à fait différent de celui d'une projection cinématographique (à l'exception, peut-être, du film de Stanley Kubrick, *2001 ou l'Odyssée de l'espace*), d'une intensité telle qu'il peut sursaturer le sujet. Celui-ci entre alors dans un état de conscience altéré qui

177

engendre éventuellement des émotions profondes, voire des expériences mystico-religieuses, le résultat exact dépendant à la fois du sujet et du programme.

Stanley Krippner, qui partage l'intérêt de Masters et Houston pour cette question, pensait que leur idée pouvait être ainsi adaptée : on bombarderait un agent télépathe avec une cible de ce genre. De telles diapositives servant de cibles ESP avaient déjà été utilisées à Los Angeles par le Dr Thelma Moss, de l'université de Californie [2], qui avait joué un rôle de pionnier en ce domaine. On pouvait espérer que l'environnement audio-visuel plus élaboré du laboratoire de Masters et Houston intensifierait les effets ESP.

L'équipe du Maimonides prépara en collaboration avec Masters et Houston une expérience pilote étalée sur quatre nuits, qui devait débuter en avril 1969 pour s'achever en décembre de la même année. L'agent télépathe serait installé dans les locaux de Masters et Houston, situés à vingt-deux kilomètres du Maimonides, où deux sujets endormis tenteraient de rêver de la projection prévue. Au cours de l'une des quatre séances consacrées à cette étude exploratoire, on fit appel à deux agents et à deux thèmes différents, un pour chaque couple agent-sujet [3].

Cette épreuve permettait aussi de détecter des différences possibles entre des « sensitifs » (médiums) — c'est-à-dire des gens capables d'exercer consciemment un contrôle sur leurs facultés psychiques à l'état de veille, — des sujets qui rapportaient spontanément leurs expériences ESP et ceux qui n'avaient pas vécu d'expérience antérieure ESP. En outre, on pouvait, grâce à elle, examiner les variations susceptibles de se manifester lorsque les sujets étaient amoureux l'un de l'autre.

Après leur avoir posé des électrodes, on les enfermait dans des chambres séparées, et l'on téléphonait au laboratoire de Masters et Houston, à Manhattan, pour signaler que le moment était venu de plonger l'agent dans l'ambiance. Six programmes de diapositives étaient préparés pour chaque séance, et le hasard en désignait un comme cible.

Le 25 avril 1969, l'agent fut un attaché de recherches travaillant avec l'équipe, Richard Davidson. Il avait pour sujet sa fiancée, Susan, qui n'avait jamais éprouvé auparavant ses facultés ESP, et le médium anglais Douglas Johnson. Pour cette séance comme pour toutes celles de la série pilote, l'agent et les sujets tentaient d'entrer en rapport avant la nuit de l'expérience.

Le programme choisi au hasard avait pour titre « religions orientales » et se composait de soixante diapositives représentant des Bouddhas de Birmanie, d'Inde, du Japon et de Thaïlande ainsi que diverses divinités indiennes et tibétaines. Le fond sonore comprenait des rituels soufis et des chants bouddhiques, psalmodiés par des moines zen.

Dans son rêve, Douglas Johnson vit « un visage assez beau, plutôt carré, aux yeux fendus en amande. Asiatique, me semble-t-il. Imberbe... Je ne sais pas de quelle nationalité, mais c'était un visage très beau ».

Pour Susan, il s'agissait de « gens qui ne croyaient plus en Dieu, et le soleil descendait sur la terre afin de découvrir pourquoi... Et Richie est arrivé plus tard, portant une de ces espèces de robes — des robes blanches à piqûres bleues... » Elle ajouta plus tard : « Ç'aurait pu présenter un caractère religieux. »

Le lendemain matin, les trois juges — des membres de l'équipe du Maimonides — qui disposaient de la liste des six thèmes possibles classèrent les notes de l'expérimentateur sur les rêves des deux sujets. Ils placèrent en numéro 1 « religions orientales », et pour Johnson et pour Susan.

Les liens affectifs étroits unissant Richard et Susan avaient-ils permis à celle-ci de rêver télépathiquement à l'égal d'un médium professionnel ?

Lors de la séance du 19 septembre 1969, il y eut deux agents, dont l'un, Malcolm Bessent, était un jeune médium anglais qui avait été longtemps l'élève de Douglas Johnson au College of Psychic Studies de Londres. Son sujet, un étudiant du nom de William, était un novice en matière d'ESP. La cible était un programme de quarante-deux diapositives portant sur « l'Egypte ancienne », comprenant notamment des pyramides, des sphinx, des statues, des ruines, des temples, des peintures et des objets provenant du tombeau de Tout Ankh Amon.

Les visions de William contenaient des références à « un décor semi-tropical » et à « des sculptures et des peintures. C'était un institut où un grand nombre de gens étudiaient... quelque chose se rapportant à la mort... De belles œuvres d'art, des jardins, des sculptures et des fontaines...»

Les trois juges placèrent « Egypte ancienne » en deuxième position (note moyenne) sur la liste des six programmes. Les indications concernant la sculpture, les peintures et la mort semblaient particulièrement justes. Elles montraient que William était devenu « médium » dans ses rêves.

Le second agent, William Thompson, était un jeune professeur et son sujet une femme peintre, Jean. Le thème cible était « l'exploration de l'espace », et comprenait des vues de l'astronef et des astronautes avant le décollage, du vol d'Apollo 11 vers la lune, du voyage dans l'espace, de l'alunissage, de la marche sur la lune et du voyage de retour.

Jean rêva entre autres de « couleurs argentées et brillantes », de « voyage », de « motifs vestimentaires futuristes », de « préparatifs pour un long voyage » et de « déplacement entre des points lointains ». Les trois juges placèrent tous « exploration de l'espace » en tête. Jean, qui avait eu antérieurement des expériences ESP spontanées, était, elle aussi, capable de faire des rêves télépathiques.

L'agent de la séance du 9 octobre fut Gayle Miree et les sujets, Alan Vaughan et sa femme Iris. L'un et l'autre avaient déjà opéré comme sujets pour des expériences pilotes qui s'étaient soldées par des réussites, et Alan avait auparavant travaillé avec Gayle comme émetteur. En 1967, il s'était entraîné à développer ses facultés psychiques avec Douglas Johnson au College of Psychic Studies de Londres.

La cible, cette nuit-là, s'intitulait « œuvres artistiques d'une schizophrène ». Les diapositives du programme figuraient des motifs abstraits peints dans les couleurs primaires par une femme soignée en Tchécoslovaquie. Gayle définira plus tard l'esprit de ces dessins par les mots : « colère, confusion, chaotique ».

Iris rêva que :

Le bombardement... était... une imagerie saugrenue dont une grande partie n'avait aucun sens... C'était presque mental ; il s'agissait plus d'un support émotif que de termes concrets en tant que tels... Ce n'étaient pas vraiment des images, mais cela rappelait des pensées ou des états d'âmes envoyés à quelqu'un. C'était en quelque sorte la projection de tout un état d'esprit... C'était étrange, presque comme quelque chose de psychiatrique.

Le lendemain matin, elle ajouta : « On émettait toutes ces images... peut-être au bénéfice d'une thérapie psychologique... comme si je regardais un film (où) tous ces gosses protestaient... Ils se battaient réellement comme des fous. Réellement cinglés. Beaucoup de haine émanait de cette scène d'émeute... »

Après son second rêve, Alan dit : « J'ai la très nette impression que Gayle est derrière l'écran et que les images sont tout près d'elle... Je crois que, en fait, ce qu'elle regarde est tout en désordre. Je veux dire par là que ce sont des fragments décousus, discordants, et je pense que c'est vraiment désagréable. »

Dans son troisième rêve il parlait à un adolescent, rencontrait une femme dont le mari et le bébé entraient ensuite en scène. Le bébé prophétisait « des tremblements de terre à Monte-Carlo » et le mari ne cessait de répéter des phrases sans queue ni tête. Dans le quatrième, il y avait « des dessins abstraits ».

Le lendemain matin, Alan précisa : « Je me rappelle... l'impression d'essayer d'aider ce garçon (à résoudre) un problème, un genre de problème personnel... Un petit enfant... disait... " Il y aura bientôt un tremblement de terre à Monte-Carlo... " la tendance générale était à la désorientation... Et puis apparurent ce qui paraissait être des cartes à jouer... portant des tracés abstraits... des espèces de cartes artistiques. »

Il nota dans ses commentaires : « Un élément très agressif, disloqué. Et aussi, à un moment donné, j'entendais un air de rock de *Hair*, « Crazy for the Red, White and Blue » *... Plus ou moins délirant. Et je crois que je trouverais sans doute cela repoussant, et Gayle aussi... Il pourrait y avoir en outre un peu d'absurde... Quelque chose d'inintelligible... »

Le mari et la femme accordèrent la palme au programme « œuvres artistiques d'une schizophrène », et les trois juges en firent autant.

Cette expérience tendait à indiquer que les deux sujets étaient « médiums à égalité » au niveau du rêve télépathique. Les expressions employées par Iris Vaughan : « imagerie saugrenue », « projection de tout un état d'âme », « étrange », « quelque chose de psychiatrique », « au bénéfice d'une thérapie psychologique » et « comme des fous » semblaient parti-

---

* *Fou du rouge, du blanc et du bleu.*

culièrement appropriées. Les références d'Alan au « désordre »,
à des « fragments décousus et discordants », à des « tracés
abstraits », au délire (« plus ou moins délirant »), les termes
« un peu d'absurde » et « inintelligible » faisaient mouche, elles
aussi. La chanson *Crazy for the Red, White and Blue* était une
excellente définition des couleurs primaires des tableaux de la
schizophrène.

Bien que Gayle ne le sût pas alors, l'artiste schizophrène avait
commencé par avoir des hallucinations relatives à son mari et
à son bébé, ce que l'on pourrait interpréter comme thématiquement lié au curieux rêve de Vaughan (le troisième) où apparaît
un bébé qui annonce des tremblements de terre et où le mari
de la mère répète des phrases sans queue ni tête.

L'agent qui opéra lors de la dernière séance de la série, le
19 décembre, était un étudiant attaché aux recherches, Brian
Washburn, qui avait pour sujets sa petite amie Jane (elle n'avait
pas eu d'expériences ESP antérieures) et Malcolm Bessent, le
médium qui avait déjà fait office d'émetteur. La cible était
« naissance d'un bébé ». Les diapositives, des photos d'accou-
chement explicites, étaient présentées dans l'ordre inverse du
déroulement de l'acte.

Jane vit de « nombreuses formes, toutes constituées d'une
ligne semi-courbe » et « une menace, mais qui n'était pas
(dirigée) contre moi... Elle était dirigée contre un professeur
(femme) français... mais ils décidaient de ne pas lui faire mal ».

« ... la menace était l'élément insolite..., dit-elle dans ses
commentaires. Je dirais que cela a trait à quelque chose de
dangereux. »

Rêve de Malcolm : « Quoi que regarde Brian, ce sont des vues
fixes mais... j'ai une sensation de mouvement... J'avais l'impression d'être dans un labyrinthe... » et il y avait « quantité de
petits personnages » qui « semblaient conçus pour se tenir
debout ». Dans son troisième rêve, il pensa à des « tunnels
souterrains... à une sorte de petit véhicule pour une ou deux
personnes. » Dans le quatrième, il rêva d'une jeune fille qu'il
n'avait pas vue depuis trois ans. « Elle a sans doute des enfants,
à présent... Je sais qu'elle avait très envie d'avoir des enfants... »

Le lendemain matin, il ajouta : « Je voyais simplement une
tête d'homme, entièrement chauve et presque disproportionnée.
Plus petite que la normale... » A propos de la jeune fille, il

apporta cette précision : « Elle me disait souvent qu'elle était vraiment impatiente de se marier et d'avoir des enfants... Elle paraissait considérer que cela faisait partie de sa fonction ou de son rôle de femme dans la vie... Ce qui était curieux... c'est qu'elle était debout comme sous un projecteur, comme s'il y avait beaucoup de lumière tombant sur elle... »

Les trois juges donnèrent la note 2 aux rêves de Jane et la note 3 à ceux de Malcolm, un double succès.

Les rêves de Jean paraissaient traduire la différence biologique entre les sexes : seule une femme subit la menace des douleurs de l'enfantement. Il y avait dans ceux de Malcolm une intéressante transformation symbolique, l'utérus devenant un « labyrinthe » et un « tunnel souterrain » que parcourait un « petit véhicule ». Un bébé est, bien sûr » un « petit personnage » « conçu pour se tenir debout » et la petite tête chauve suggère l'apparition du crâne du nouveau-né. Les projecteurs du photographe braqués sur la femme semblaient être représentés dans le rêve.

De façon générale, le verdict des juges (huit réussites, pas d'échec) semblait indiquer que le rêve servait d' « égalisateur psychique » entre des personnes qui, à l'état de veille, avaient une pratique quotidienne de l'ESP (des professionnels comme Douglas Johnson) et celles qui n'avaient jamais vécu de cas de cet ordre.

Il *se pourrait* que le « bombardement sensoriel » ait accru l'effet de télépathie — nous employons le conditionnel, parce qu'il n'y eut pas d'épreuves de contrôle — mais il est impossible de dire si cette magnification venait de l'excitation provoquée par le défi lancé au sujet de rêver de quelque chose à 22 km de distance, ou de la forte intensité émotionnelle de l'expérience.

Et qu'y aurait-il si l'on passait de 22 à 70 km et si le nombre des agents était de 2 000 ? C'est ce que nous allons voir.

Au début de 1971, un groupe rock, les *Grateful Dead*, devait donner une série de six concerts au Capitol Theater de Port Chester, Etat de New York, à 72 km du laboratoire du rêve de Brooklyn, et 2 000 jeunes devaient assister à chacun de ces concerts. Les membres de la formation, qui étaient venus voir Krippner au laboratoire, acceptèrent l'idée d'une tentative de rêve ESP dans laquelle le public servirait d'agent télépathe collectif.

Afin de déterminer des différences éventuelles dues à l'orientation des agents par rapport au dormeur, on eut recours à deux sujets, dont l'un, Malcolm Bessent, qui avait eu d'excellents résultats lors d'autres expériences de rêves ESP, devait passer la nuit au laboratoire de Brooklyn. Son nom fut présenté au public au moyen d'une série de diapositives projetées avant la divulgation de la cible. Ces inscriptions disaient : « Essayez d'utiliser vos facultés ESP pour " envoyer " cette image à Malcolm Bessent. Il tentera de rêver d'elle. Essayez de la lui " envoyer ". Malcolm Bessent est actuellement au laboratoire du rêve du Maimonides à Brooklyn. »

Le sujet de contrôle, Felicia Parise, avait eu, elle aussi, de bons résultats lors d'expériences de télépathie onirique antérieures. Elle passait la nuit chez elle, et on lui téléphonait toutes les 90 minutes pour recueillir le compte rendu de ses rêves. Les agents — les personnes assistant aux concerts — ignoraient son nom.

Les deux sujets devaient se coucher tôt afin d'être endormis à 11 h 30, heure à laquelle la cible serait révélée au public. Le stock comprenait quatorze diapositives * dont deux seraient tirées au hasard chaque soir. Ensuite, un expérimentateur présent au Capitol choisirait à pile ou face celle qui serait montrée à la salle.

Les observateurs sur place notèrent que la plupart des participants étaient déjà dans un état de conscience modifié à l'heure de la présentation de la cible. Cette altération était due soit à la musique, soit à l'absorption antérieure de drogues psychédéliques, soit au contact avec les autres assistants.

Après le passage des premiers cartons annonçant à l'auditoire qu'il participait à une expérience d'ESP et qu'il devait « envoyer » une image à Malcolm Bessent, on projetait la première cible pendant un quart d'heure, tandis que les *Grateful Dead* continuaient de jouer.

---

* On choisissait un nombre de cibles supérieur à celui qui était nécessaire afin qu'il en reste une quantité suffisante à l'approche de la fin de l'expérimentation pour permettre une sélection aléatoire. La première étude de rêves télépathiques avait été critiquée : la réserve ne comptait, en effet, que douze cibles, de sorte qu'il n'en restait plus qu'une seule la dernière nuit de l'expérience. (N.D.A.)

La cible de la deuxième nuit (19 février 1971) était *les Sept Chakras vertébraux* de Scralian (planche 14). Le tableau représente un homme dans la position du lotus pratiquant la méditation yoga. Les sept « chakras » (censés être des centres d'énergie corporelle ayant pour pôle la colonne vertébrale) ont des couleurs éclatantes. Un halo d'énergie jaune vif, formé de motifs en mosaïque, entoure la tête du personnage.

Malcom Bessent fit ce rêve :

Je m'intéressais beaucoup à... l'utilisation de l'énergie naturelle... Je parlais avec un type qui disait avoir inventé un moyen d'utiliser l'énergie solaire, et il me montrait cette boîte... (destinée) à capter la lumière du soleil, qui était tout ce dont on avait besoin pour engendrer et emmagasiner cette énergie... Je discutais avec le type d'un certain nombre d'autres modes de communication, et nous échangions des idées sur tout cela... Il flottait entre ciel et terre, ou quelque chose d'approchant... Je me souviens d'un rêve que j'ai eu... à propos d'une boîte à énergie et... (d') une colonne vertébrale.

Les correspondances du rêve de Félicia Parise étaient moins directes. Toutefois, ses commentaires, après la séance du 21 février, quarante-huit heures plus tard, marquaient un progrès : « Quelque chose brillait comme un cristal, avec de nombreuses facettes de couleur... Il y avait une sorte d'éclairage, de soleil ou de vive lumière. C'est peut-être un homme, court comme un Bouddha... quelque chose d'Aztèque, comme un mât totem mexicain. »

Les comptes rendus des six nuits furent soumis à deux juges indépendants chargés d'attribuer aux six images cibles entre 1 et 100 points. Le rêve de Bessent du 19 février avec les *Chakras* obtint une moyenne de 83, le chiffre le plus élevé attribué à ses trente-six rapports. Au total, Bessent fut crédité de quatre « coups au but » sur six expériences, contre un seul pour Felicia Parise.

Il est néanmoins intéressant de remarquer que trois des « échecs » de cette dernière furent classés en très bonne position, avec des cibles utilisées lors d'autres nuits. Les rêves de sa quatrième nuit atteignirent 96 pour la cible de la seconde (les *Chakras*), ceux de sa troisième nuit 74 pour la cible de la cinquième et ceux de sa cinquième 65 pour la cible de la troisième nuit. Ces notes s'inscrivent toutes entre la mention « grande » et « très grande correspondance » et cela laisse à penser que sa perception extrasensorielle s'était peut-être déplacée dans le temps, en arrière (rétrocognition) et en avant (précognition).

Si l'on suppose que Bessent et Felicia Parise possédaient à peu près la même faculté de télépathie onirique, on peut conclure de cette expérience que l'orientation de l'agent par rapport au sujet aide peut-être beaucoup celui-ci à s'axer télépathiquement sur la cible. Et si l'on suppose, en outre, que les deux sujets « cherchaient » télépathiquement, le fait que les agents essayaient d'entrer en rapport avec l'un et non avec l'autre pourrait indiquer qu'il est plus facile pour le sujet d'avoir un contact télépathique lorsqu'un tel rapport existe.

Si, d'un autre côté, on admet que les agents « émettent » des stimulus, on devrait s'attendre à ce que 2 000 « émetteurs » renforcent considérablement l'effet. Or, cela n'eut apparemment pas de résultats marqués. Aucune amélioration particulièrement frappante ne fut enregistrée par comparaison avec ce qui se produit d'ordinaire quand ce sont des agents isolés qui opèrent. En fait, certains indices tendent à montrer que l'attitude que l'on a envers l'ESP à longue distance serait plus importante que l'éloignement effectif. Les dons de perception extrasensorielle des personnes que ce phénomène passionne et pour qui il représente un défi d'un type nouveau s'en trouveraient magnifiés, alors que chez celles qui ont le sentiment de tenter quelque chose d'impossible, il n'y aurait pas de résultats. La possibilité d'ESP *à très* longue distance a été spectaculairement démontrée par l'astronaute Edgar Mitchell [4], quand il réalisa avec succès une expérience de ce type depuis Apollo 14, alors que 320 000 km le séparaient de ses sujets sur la terre. Non seulement l'éloignement ne fut pas un obstacle mais, chose curieuse, les sujets « reçurent » ses « émissions » avant qu'il les eût « envoyées ». Ce décalage dans le temps avait eu pour cause le retard apporté au décollage, qui s'était répercuté sur les horaires prévus pour elles, pendant les périodes de repos de Mitchell.

Ce phénomène inattendu nous met en face de l'un des plus formidables problèmes de la parapsychologie : le rapport temps-ESP.

13

Rêver de choses à venir

Il est manifestement impossible de rêver de choses qui n'ont pas encore eu lieu — c'est, du moins, ce que nous dit le bon sens. C'était aussi l'avis de Cicéron, et ses objections ont été reprises un nombre incalculable de fois depuis deux mille ans. Pourtant, à toutes les époques et dans toutes les civilisations connues, les gens s'acharnent avec une exaspérante obstination à rapporter des rêves précognitifs. Dans la majorité des cas, ce sont des prémonitions annonçant des morts, des désastres ou des dangers [1].

Pour traiter de façon adéquate de ce problème d'une gigantesque complexité théorique qu'est la précognition, il faudrait à tout le moins un livre spécial. Nous nous limiterons ici à répondre à l'objection de Cicéron, à savoir que le hasard et les coïncidences suffisent à expliquer les rêves de nature apparemment précognitive.

Au cours des expériences de télépathie onirique qui se poursuivirent des années durant au laboratoire du Maimonides, il arrivait parfois qu'un rêve correspondît de manière saisissante à une cible future ou à un événement à venir dans l'existence du sujet [2]. Ullman et Dale notèrent des rêves sans doute tels dans l'expérience décrite au chapitre 5.

Il n'y avait cependant guère de raison de croire que quelqu'un aurait — ou pourrait avoir — des rêves précognitifs chacune des nuits d'une longue série expérimentale. Pourtant, l'espoir naquit quand Malcolm Bessent, le jeune médium qui tint les rôles d'agent et de sujet lors de l'étude pilote de « bombardement sensoriel », arriva d'Angleterre. L'entraînement qu'il avait suivi à Londres avec Douglas Johnson semblait avoir développé ses facultés psychiques. Bessent, encouragé par Eileen Garrett, décida d'explorer plus profondément son potentiel psychique. L'assistance financière qu'il reçut d'Arthur Young, l'inventeur de Philadelphie, et d'un industriel canadien, Donald C. Webster, lui permit de se rendre au laboratoire du rêve du Maimonides en 1969 pour participer à une étude en règle du rêve précognitif.

Pour nous faire une idée de la capacité naturelle de précognition qui se manifestait spontanément chez Bessent, nous commencerons par examiner certaines prédictions qu'il fit à la fin du mois de novembre 1969. A cette époque, il était provisoirement hébergé chez les Vaughan, à Brooklyn. Un matin, il déclara qu'il n'avait pas pu dormir. Pendant toute la nuit, il s'était trouvé dans un état mental étrange et inhabituel ; il avait été hanté par des visions dont il avait le sentiment qu'elles prophétisaient des événements futurs. Vaughan le poussa à les noter par écrit et, le 7 décembre, Bessent expédia au bureau central des prémonitions (*Central Premonition Registry* — boîte postale 482, Time Square Station, New York 10036) une lettre authentifiée par Vaughan, qui fut notée et datée par le directeur de cet organisme, Robert Nelson.

Voici quelques-unes des prédictions réalisées de Bessent, citées par Herbert Greenhouse dans son livre, *Premonitions :*

« Un tanker grec de couleur noire sera impliqué dans une catastrophe de portée internationale d'ici 4 à 6 mois. (Rapport avec Onassis, le danger est peut-être symbolique mais j'ai l'impression que le bateau le représente peut-être personnellement.) »

En février 1970, un pétrolier appartenant à Onassis, le *Arrow,* fit naufrage au large de la Nouvelle-Ecosse et son chargement s'échappa de ses soutes quand un remorqueur tenta de le renflouer. L'affaire dégénéra en « incident international », en raison de la pollution de la mer et des plages qui en résulta.

« Le général de Gaulle mourra dans l'année. »

De Gaulle mourut le 10 novembre 1970, 11 mois après la prédiction.

« Le Premier ministre Wilson quittera le pouvoir l'été prochain (en 1970). »

C'était là, bien sûr, un coup au but, d'autant que les experts
politiques anglais ne pensaient pas avant le premier tour que le
candidat conservateur, Edward Heath, eût une chance de
l'emporter. Tous les sondages donnaient Wilson vainqueur avec
une large majorité de 15 %. De plus, les élections étaient
initialement fixées au mois de novembre, et la date du mois de
juin n'avait été arrêtée que peu de temps avant. [3]

L'apparente aptitude de Bessent à la précognition spontanée
se confirma en laboratoire. Lors d'un essai effectué par Charles
Honorton [4] au Maimonides, le sujet tenta de deviner laquelle
des deux lumières colorées, allumées par un générateur électronique à numération aléatoire, apparaîtrait. Les prédictions et les
réussites étaient automatiquement enregistrées. Le nombre des
essais, fixé d'avance, était de 15 360. Bessent obtint 7 859
succès, soit 179 de plus que le calcul des probabilités permettait
de le prévoir, les chances étant de l'ordre de 500 contre 1.

En mettant sur pied la « première étude Bessent », de précognition, l'équipe du Maimonides combina la procédure — qui
existait déjà — de la cible servant à la télépathie onirique avec
une innovation suggérée en 1967 par M.P. Jackson dans le
Journal de l'ASPR [5] : l'introduction d'une expérience personnelle à l'état de veille, qui devrait servir de cible précognitive.
Toutefois, celle-ci serait élaborée *après* que les rêves de Bessent
auraient été enregistrés et expédiés au transcripteur. La personne
chargée d'imaginer le protocole n'aurait aucun contact avec
Bessent et ignorerait ses rêves [6]. On utilisa un système aléatoire complexe pour choisir au hasard un mot cible dans l'ouvrage
de Hall et Van de Castle, *Content Analysis of Dreams*. Il était
associé à une reproduction utilisée comme but, laquelle, à son
tour, intervenait dans l'établissement d'une épreuve multisensorielle. Trois juges extérieurs comparaient chaque séance à chacune des huit expériences en les notant sur une échelle de
100 points. La série comportait huit nuits non consécutives.
L'hypothèse des expérimentateurs était que les juges indépendants classeraient mieux, par rapport aux prévisions du calcul
des probabilités, les comptes rendus des expériences postérieures
du lendemain de chaque séance.

Pour bien comprendre la procédure, nous allons examiner les rêves d'une nuit et l'expérience personnelle du lendemain, dont Bessent avait pour instructions de rêver à l'avance.

Dans son premier rêve, il eut une « impression de vert et de violet et de petites zones de blanc et de bleu. »

Dans le second, il vit « un grand bâtiment de béton. Beaucoup de béton, pour une raison quelconque. Il semblait avoir de l'importance. Mais c'était architecturalement structuré et profilé... et un malade s'en échappait par en haut... je ne suis pas sûr que c'était un homme. Ç'aurait pu être une femme... Elle avait un vêtement blanc, comme une veste de médecin, et des gens dans la rue la raisonnaient. »

Troisième rêve : « Une sensation. Plutôt une rumeur... d'hostilité à mon égard, provenant d'un groupe avec lequel j'étais quotidiennement en contact... Je ne l'épouvais pas effectivement, l'hostilité effective, je veux dire... Mon impression était qu'il s'agissait de médecins et de gens appartenant à la profession médicale... »

Quatrième rêve : « Je rêvais... du breakfast... Les tasses étaient toutes blanches... Je buvais... mangeais... C'était entièrement en couleurs... »

Dans l'analyse de son premier rêve, Bessent indiquait : « J'avais l'impression que j'étais content et que vous étiez contents... »

Dans celle du second : « Le mur de béton avait une couleur naturelle, vous savez, un peu de la teinte du sable... C'est plutôt comme un mur découpé, pas grand... Je sentais qu'un malade noir s'était évadé... ou qu'il était simplement sorti et, allé jusqu'à... la porte. »

Pour le troisième rêve : « ... J'étais conscient d'un climat d'hostilité... Quelque chose que j'avais fait suscitait l'animosité des gens. Cela se rapportait à mon travail, et je crois que tous ces gens étaient des médecins... J'avais l'impression d'avoir fait quelque chose qui provoquait une espèce d'irritation... et c'était cette sorte d'hostilité qui les conduisait à penser ou à dire : " Débarrassons-nous de lui ". »

Quatrième rêve : « Toutes les tasses et les ustensiles s'entrechoquaient... Tout le monde buvait dans des verres... »

Dans ses commentaires, Bessent dit : « ... Mon impression est plus ou moins... (celle) de gens en train de parler... »

Le lendemain, l' « enregistreur » (Krippner) — c'est-à-dire le membre de l'équipe chargé d'imaginer l'expérience — fut mis en possession de deux chiffres choisis au hasard par un autre expérimentateur, utilisant un système de sélection aléatoire complexe. Cette clé lui permit de retrouver le mot de passe dans l'ouvrage de Hall et Van de Castle. Il chercha alors dans une réserve de reproductions cibles un tableau qui pourrait avoir un lien avec ce mot. Il jeta son dévolu sur *Couloir d'hôpital à Saint-Rémy,* de Van Gogh (planche 15) *. On y voit une silhouette solitaire dans le hall en béton d'une institution pour malades mentaux. Les couleurs dominantes sont orange, vert, bleu foncé et blanc.

L' « enregistreur » (Krippner) organisa alors à l'intention de Bessent une expérience multisensorielle cible. Ce fut la suivante :

Auditive : Le disque « Spellbound » de Rosza. En fond sonore, rire hystérique de l'enregistreur. L'enregistreur s'adressera au sujet en l'appelant « M. Van Gogh ».

Visuelle : Projection de diapositives représentant des peintures exécutées par des malades mentaux.

Gustative : On donnera au sujet une pilule (niacinamide) et un verre d'eau.

Olfactive : Le sujet sera « désinfecté » avec un coton imbibé d'acétone.

Tactile : Le sujet sera amené au bureau de l'enregistreur par un couloir obscur du laboratoire.

L'expérience que l'enregistreur fit subir à Bessent le matin de son réveil, servit de description cible, et fut communiquée aux juges en même temps que sept autres scénarios d'expériences similaires. Les mots cibles choisis pour les autres nuits expérimentales furent : « capuche de parka », « bureau », « cui-

---

* Ces expériences se déroulant dans un centre d'hygiène mentale, on pourrait mettre en doute la nature précognitive des correspondances entre les rêves de Bessent et la reproduction. En d'autres termes, serait-il tellement insolite que, dans ces conditions, un sujet rêvât d'un malade mental ? Cependant, il convient de se rappeler que l'analyse statistique portait sur les huit nuits expérimentales. Or, aucun autre rêve n'évoquait d'institutions psychiatriques ou de malades mentaux. Et répétons que la méthode d'évaluation consistant à comparer toutes les séances avec *toutes* les cibles permet d'introduire des correctifs pour ce type de correspondances de situation. (N.D.A.)

sine », « petite cuiller », « doublure », « feuilles » et « coude ».

Les juges attribuèrent à « couloir » la note la plus élevée pour les huits mots cibles de la séance — coup au but direct.

Les références étaient d'une exactitude et d'une netteté frappantes, et elles se rapportaient à la fois à l'image cible que Bessent avait vue et à l'expérience effective.

Ajoutons que Krippner portait une veste blanche et qu'il était un ami de Bessent. Il n'est pas surprenant que le singulier traitement qu'il infligea à ce dernier ait provoqué le rêve précognitif, où Bessent se voyait en butte à l'hostilité de personnes avec lesquelles il était quotidiennement en contact.

Sur les huit nuits, les juges comptèrent cinq réussites totales directes et deux succès simples, toujours dans la partie supérieure du tableau. Les probabilités d'obtenir les mêmes performances du fait du seul hasard étaient de l'ordre d'une chance sur cinq mille. Autrement dit, si ces correspondances avaient été dues au hasard, il aurait fallu 5 000 autres expériences semblables pour espérer obtenir une coïncidence identique.

Voilà qui semblait répondre aux objections de Cicéron.

Mais les parapsychologues sont gens fort soupçonneux. Bien que toute possibilité de « fuite » sensorielle eût été éliminée, et que le système de sélection aléatoire du mot cible fût au-dessus de tout reproche, on ne pouvait pas exclure néanmoins l'éventualité que l'enregistreur ait eu recours à ses dons de perception extrasensorielle pour entrer en contact avec les rêves enregistrés sur bande, lorsqu'il avait choisi l'image cible et élaboré l'expérience du lendemain. Si l'on ne prévoit pas de procédures de contrôle pour éliminer la précognition dans les expérimentations portant sur la clairvoyance et la télépathie, c'est pour la bonne raison qu'il est apparemment impossible de l'éliminer. En effet, on pourrait toujours dire que si quelqu'un devait avoir connaissance de la cible dans l'avenir, le sujet pourrait faire usage de ses facultés de précognition par le truchement de la télépathie ou de la clairvoyance. Si les tests s'effectuaient sur machine, le médium pourrait en connaître les résultats par précognition, et ainsi de suite. Nous l'avons dit : les problèmes théoriques sont terriblement complexes, peut-être plus qu'en aucune autre discipline scientifique.

Pour illustrer le genre de difficultés théoriques que soulève la précognition en ce qui concerne l'interprétation de la télépathie onirique, nous allons examiner brièvement un rêve que fit Vaughan le 3 avril 1969, lors d'une étude en bonne et due forme sur laquelle nous reviendrons plus loin. Il le résuma dans les termes suivants lors de l'entretien du réveil :

J'étais au lit. Chuck Honorton était là. Il annotait un compte rendu et utilisait la lettre « F » comme symbole de quelque chose... Il dit : « Oh ! " F " signifie fiasco (*failure*)... » Ensuite, je regardais le téléviseur qui était là, et qui semblait faire aussi partie de l'expérience... Comme je le regardais, tout commença à s'animer et à venir à la vie, et un homme tenait un couteau... et derrière lui un singe était allongé sur le plancher, et il y avait peut-être aussi quelqu'un d'autre... Je me demande s'il ne pourrait pas y avoir un jour une expérimentation semblable à celle-là...

Par la suite, après avoir relu les procès-verbaux de l'expérience, Vaughan écrivit le 17 juillet 1969 à Ullman une lettre dans laquelle il mettait l'accent sur le fait que ce rêve pouvait peut-être avoir été un rêve précognitif se rapportant à une séance future.

Le 12 janvier 1970, une personnalité de l'audiovisuel, le Canadien Norman Perry, vint au laboratoire du rêve pour filmer une expérience à l'intention de la télévision canadienne. Perry devait être le sujet de cette expérience, et l'on demanda à Vaughan d'être sa doublure, pour le cas où il ne parviendrait pas à s'endormir. Un agent, dans un autre bâtiment, choisit une cible dans un lot de six reproductions très agrandies, spécialement réalisées pour cette occasion. La cible sélectionnée au hasard se trouva être un singe blanc tenant une orange. L'agent, par souci de réalisme, prit une orange et l'ouvrit en deux.

Cette nuit-là, Vaughan rêva qu'il rompait une boule de pain. Pourtant, quand il nota les images cibles, il compta un échec. L'expérimentateur était Honorton. Vaughan avait fait fiasco.

Perry accorda au singe la mention « coup au but », parce qu'il avait rêvé d'un animal blanc correspondant de façon frappante à la cible, et que son rêve incluait des détails exacts : un tapis bleu et une fenêtre noire.

Alors que Vaughan regardait la caméra qui tournait, Perry posa par terre les cibles agrandies. Il fit observer que le singe (étendu sur le plancher, bien évidemment) était un coup au but. Il avait placé en seconde position un tableau représentant un homme tenant une hache (au lieu d'un couteau).

Si on les considère comme des correspondances précognitives, ce rêve et les événements ultérieurs impliquent théoriquement que toute la procédure de l'expérience et son succès — le choix d'un singe comme cible, le rêve télépathique de Perry recoupant la cible, et le fait qu'il avait posé le singe par terre, l'homme à la hache qu'il avait placé en seconde position, le fiasco de Vaughan, la présence d'Honorton faisant office d'expérimentateur et le tournage télévisé de l'expérience —, tout cela « existait » d'une certaine manière neuf mois avant la démonstration. Et comme si cela n'était pas encore assez troublant, Vaughan avait, semblait-il, deviné correctement par précognition une cible qu'il ne parviendrait pas à identifier télépathiquement. Il avait même eu la prescience qu'il ferait « fiasco ».

Passons maintenant aux tentatives visant à démontrer que, dans les rêves, on peut expérimentalement contrôler la précognition, à tel point qu'un médium sera capable de rêver plus souvent de l'avenir que du passé.

La « seconde étude Bessent » sur le rêve précognitif était programmée pour l'été 1970 [7]. On prépara une réserve de cibles composée de dix séries mixtes (diapositives et accompagnements sonores) sur les sujets suivants : « police », « 2001 (ou l'Odyssée de l'espace) », « crucifixion », « solitude », « art égyptien », « mort », « signes de l'autorité », « oiseaux », « barbes » et « saints ». Chaque séquence cible, constituée de dix à vingt-deux diapositives était accompagnée de dix minutes de musique ou de bruitages appropriés, transmis par un casque stéréophonique.

Les seize nuits de la série étaient groupées par paire : la première, Bessent tenterait d'avoir des rêves précognitifs en rapport avec la séquence cible de la nuit suivante, durant laquelle il chercherait à rêver, de façon plus conventionnelle, de la séquence qu'il venait de voir, à titre de contrôle. Ainsi, les nuits impaires, il essaierait de rêver du futur et, les nuits paires, du passé. Pour que l'on soit sûr que le technicien responsable de l'électroencéphalographe qui recueillait les comptes rendus de rêves de Bessent ne favoriserait pas une série plutôt qu'une autre, on fit venir de l'université de New York d'autres techniciens qui ignoraient le scénario de l'expérience et ne s'en souciaient pas. Les cibles précognitives étaient choisies par un autre expérimentateur plus de douze heures après que la bande sur laquelle les rêves étaient enregistrés eût été envoyée au transcripteur.

Les protocoles des seize nuits étaient expédiés après la seizième séance à trois juges extérieurs, qui les notaient de 1 à 100, en comparant chaque compte rendu aux huit séquences cibles utilisées. Elles étaient visionnées par les mêmes juges, afin que ceux-ci s'en imbibent pleinement.

Une fois les formulaires d'appréciation remplis et la moyenne des trois notes des juges calculée, il s'avéra que le compte rendu d'une des séances accusait un coefficient de correspondance de 98, note la plus élevée accordée aux 128 paires de protocoles. C'était celle de la nuit du 13 septembre, la quinzième, donc une nuit « précognitive ».

La séquence cible que Bessent vit la nuit suivante fut celle des « oiseaux ». Il s'agissait de diapositives montrant des oiseaux dans l'eau, sur terre et dans les airs. Aucun oiseau déterminé ni aucune espèce bien définie n'étaient particulièrement mis en valeur. Les couleurs et la diversité infinie de la gent volatile se déployaient avec, en fond sonore, des cris d'oiseaux enregistrés.

Voici quelques larges extraits du protocole de cette séance du 13 septembre :

Premier rêve que fit Bessent : « Je faisais un joli rêve. J'étais avec des médecins. C'était une réunion en petit comité... Nous regardions le ciel. Le ciel était bleu foncé. »

Deuxième rêve : « Je rêvais d'une analyse que j'avais faite dans mon rêve précédent. J'allais la donner à des docteurs pour voir ce qui se passerait... La couleur bleue est très prononcée. »

Troisième rêve : « ... Il était question de Bob Morris... * de ses expériences sur les oiseaux. J'avais l'impression que la réaction générale était liée à ses recherches... Je pensais que, une fois que j'aurais vu la cible, elle expliquerait tout. La cible est émotionnellement liée aux travaux de Bob Morris. La couleur bleu foncé est importante. La mer ou le ciel. »

Quatrième rêve : « Je ne me souviens de rien. »

* Le Dr Robert L. Morris, psychologue du comportement animal (spécialisé dans les oiseaux), entra plus tard dans l'équipe de la Psychical Research Foundation de Durham, Caroline du Nord. (N.D.A.)

Analyse du premier rêve : « ... Des couleurs bleu foncé. Une réunion officieuse avec des docteurs... »

Analyse du deuxième rêve : « ... Je portais sur mon dos un énorme sac rempli de lettres, comme un facteur, mais ce sac était pourtant léger comme une plume... Il se passait quelque chose d'important autour de l'eau... Tout était bleu... C'était presque comme s'il y avait une lumière bleue, de sorte que tout paraissait bleu, bien qu'on sût que ce n'était pas réellement bleu... »

Analyse du troisième rêve : « ... Bob Morris poursuit des recherches sur le comportement des animaux et, plus particulièrement, des oiseaux... Il a réalisé différentes études avec des oiseaux, et m'a fait venir dans son sanctuaire où sont conservés tous les oiseaux... Je me rappelle avoir vu différentes espèces de pigeons. Des pigeons ramiers, des colombes banales, des oies canadiennes. Il y avait de nombreuses, de très nombreuses variétés... Je disais seulement : " Bah ! Tu comprendras tout quand tu verras la cible. Je n'ai pas besoin d'expliquer maintenant. Cela s'expliquera tout seul, tu n'as donc qu'à attendre un peu ". »

Analyse du quatrième rêve : « ... La seule chose à quoi je pense, c'est à l'eau. Rien qu'un lac. D'une espèce de bleu verdâtre... Quelques canards et des choses. C'est très brumeux, mais il y a des tas d'oies et plusieurs oiseaux de je ne sais quelle espèce qui nagent au milieu de joncs ou de roseaux... Des oiseaux... J'ai dans l'idée qu'il y aura des oiseaux dans le prochain matériel cible. »

Et Bessent ajoutait : « C'est aussi intéressant, parce que j'ai écrit il y a deux jours un poème sur la liberté et les oiseaux, dont les deux derniers vers étaient : " Les oiseaux eux-mêmes ne sont pas libres. Ils doivent tenir compte de la gravité ". »

Le bilan global des huit nuits précognitives s'établit comme suit : cinq « coups au but » directs, un succès de deuxième rang, un de troisième rang et un échec de cinquième rang (la nuit de la séquence cible dont le thème était les « barbes »). Pour les huit nuits de contrôle, il n'y avait pas eu de réussites totales. Le taux de correspondance fut de 28. Dans sept cas sur huit, la coïncidence avec l'expérience était plus grande la nuit précognitive que la nuit post-expérience. L'exception fut la séance dont le thème était la « mort ». La probabilité pour que ce résultat soit dû au hasard est de l'ordre d'une chance sur mille.

Prises ensemble, les deux études Bessent ont expérimentalement corroboré l'hypothèse de la précognition. Un médium au moins (Bessent) était capable d'avoir des rêves précognitifs quatorze fois sur seize. Des études complémentaires et la confirmation d'autres laboratoires sont nécessaires pour mieux éclairer un problème aussi complexe et épineux que la précognition.

14

D'autres dimensions
de l'E.S.P.

Dans les études de rêves ESP que nous avons décrites jusqu'ici, nous nous sommes attachés à démontrer qu'il était possible de contrôler expérimentalement le rêve télépathique (et
précognitif en ce qui concerne les études Bessent) à un tel degré
que les correspondances rêve-cible ne pouvaient être imputées à
des coïncidences fortuites. Nous avons finalement apporté une
réponse expérimentale à la critique de Cicéron. Le moment était
venu d'en savoir plus long sur le rêve ESP.

Dans le cadre d'une expérimentation en règle, qui se déroula
de janvier 1960 à janvier 1970, nous avons eu recours à quatre
sujets. Nous avons exploré les éventuelles différences apparaissant
dans le rêve télépathique, si l'on utilise une seule cible pour la
moitié des séances et une cible différente pour chaque période
REM de la seconde moitié. Les deux premiers sujets furent
Alan Vaughan et Robert Harris, les deux seconds Iris Vaughan
et Felicia Parise. Tous les quatre avaient participé avec succès
aux expériences pilotes (voir chapitre 11 et 12). L' « étude
Vaughan », conçue par notre collaborateur Charles Honorton,
se solda par des résultats statistiquement significatifs, privilé-
giant ainsi l'emploi de cibles différentes pour chaque période
REM.

L'agent des deux premiers sujets, Alan Vaughan et Robert
Harris, était Gayle Miree, qui avait déjà été celui de Vaughan
lors d'expériences pilotes couronnées de succès. De plus, elle

avait noué des rapports avec Harris au laboratoire du rêve où il venait souvent nous prêter son concours. Harris, le beau-fils de Krippner, avait quatorze ans à l'époque, et poursuivait ses études secondaires.

Krippner conçut l'idée d'étudier le potentiel de Vaughan au niveau du rêve ESP le 4 juin 1968, en recevant d'Allemagne de l'Ouest une lettre de celui-ci qui étudiait alors le rêve précognitif spontané à l'institut des zones marginales de la psychologie de l'université de Fribourg. Dans cette lettre, Vaughan citait plusieurs rêves qu'il avait eus, et dont il pensait qu'ils prédisaient peut-être que Robert Kennedy serait assassiné dans un proche avenir. Krippner discuta de cette lettre avec Charles Honorton, et, le 6 juin, le lendemain de l'assassinat de Kennedy, ce dernier répondit à Vaughan que la parapsychologie ne maîtrisait pas encore suffisamment les phénomènes de ce type pour justifier que l'on agisse sur la base d'expériences présumées précognitives.

Pour approfondir davantage ces phénomènes, Krippner suggéra à Vaughan d'être également à l'affût de rêves précognitifs durant cette étude. Comme Harris et Vaughan étaient tenus dans l'ignorance du nouveau scénario, ils pensaient qu'une cible différente serait utilisée à chaque séance comme dans les séries précédentes et, se méprenant sur les propos de Krippner, Vaughan crut que l'expérience avait pour but de comparer les correspondances télépathiques et précognitives avec les huit cibles. Comme c'était principalement sur la précognition que portaient ses recherches, ses efforts se concentrèrent plus sur ce phénomène que sur la télépathie. Aussi les procès-verbaux des huit séances auxquels il participa contenaient-ils de nombreuses remarques relatives à certains rêves qu'il estimait se rapporter à de futures cibles et à d'autres, qu'il pensait porter sur des événements réels qui se produiraient dans l'avenir. L'un de ces rêves, tenu pour précognitif et annonciateur d'une prochaine expérience, correspondait étroitement à une expérience pilote télévisée qui eut lieu neuf mois plus tard (voir chapitre précédent).

C'est ainsi que, sans qu'on l'ait voulu, le rideau allait se lever sur une joute entre les désirs d'un sujet axé sur la précognition et les efforts d'un agent cherchant à influencer ses rêves par télépathie. L'expérimentation ayant été conçue seulement pour une évaluation de l'ESP synchrone, ce duel devait être arbitré au niveau qualitatif à partir des notes attribuées par les juges indépendants.

Sans entrer dans le détail de cette étude, on retiendra qu'elle mit en évidence un phénomène d'effet en retour, à tel point que l'on peut se demander si Harris n'alimentait pas les correspondances de Vaughan en détails supplémentaires. Cette mystérieuse interaction peut être rapprochée d'une question récemment soulevée par le Dr Gertrude Schmeidler [1]. Elle émettait l'hypothèse qu'en établissant un contact ESP avec une cible éloignée, on créait peut-être en quelque sorte un pli dans l'univers. Une fois ce pli fait, il était possible à d'autres de l'utiliser. Si la cible est complexe et si deux personnes donnent les mêmes détails, on peut l'expliquer par des échanges télépathiques. Mais si elles décrivent des éléments différents, cela implique qu'elles ont chacune établi indépendamment l'une de l'autre un contact avec la cible, l'une utilisant le pli créé par la seconde.

Dans la première moitié de l'expérimentation, Vaughan semblait « accrocher » des images que l'agent n'avait pas vues. En outre, il se pourrait même que, lors de deux séances (celles des troisième et quatrième nuits), ses rêves à orientation ESP aient plus influencé ceux de Harris que l'image cible de l'agent. Celui-ci, Gayle Miree, donnait l'impression d'être perdant dans le duel.

Au cours de sa première nuit, Felicia Parise enregistra quelques correspondances significatives entre ses rêves et la cible, et elle accomplit, en général, la meilleure performance. Contrairement au tandem Vaughan-Harris, Felicia Parise et Mme Vaughan n'eurent aucun thème commun dans leurs rêves simultanés, même quand une cible identique était utilisée.

Du bilan global de cette étude, il ressort que, pour les quatre rêveurs, les résultats étaient bien supérieurs lorsque la cible changeait à chaque rêve que lorsqu'elle restait la même quatre nuits durant, ce qui permet de penser que le renouvellement du stimulus ESP captait davantage leur attention. On peut encore faire un autre rapprochement. Les agents, Gayle Miree en particulier, déclarèrent que se concentrer toutes les nuits sur la même cible finissait par devenir très fastidieux : peut-être les sujets trouvaient-ils, eux aussi, lassant de rêver chaque nuit de la même cible.

Cette étude, enfin, indiquait nettement que les motivations des sujets et l'idée préconçue qu'ils se faisaient du déroulement de l'expérience, ce qu'ils en escomptaient, paraissent agir comme les facteurs les plus déterminants du rêve télépathique expérimental. Pour que l'agent obtienne de bons résultats, il faut aussi qu'une coopération pleine et entière s'instaure entre lui et les sujets, lesquels, à leur tour, obtiennent de meilleures performances quand ils savent clairement ce que l'on attend d'eux.

TROISIÈME PARTIE

Implications théoriques

15

Que conclure ?

L' « étude Vaughan » soulève, au plan théorique, plus de
questions qu'elle n'apporte de réponses. La question à laquelle
nous voulions trouver une réponse quand nous élaborâmes l'expérimentation de 1968 avait pour base l'expérience acquise grâce
aux travaux d'Ullman et de Dale sur les rêves télépathiques
contrôlés et spontanés. Cette expérimentation nous amena à
constater que, dans le rêve ESP, les correspondances se manifestaient quelquefois un jour ou deux après la stimulation apparente... Depuis longtemps — en 1922 — Sigmund Freud avait
émis l'hypothèse que le stimulus pouvait peut-être être emma-
gasiné dans l'inconscient du percipient et en émerger ultérieurement sous forme de rêves télépathiques :

... nul n'a le droit de récuser les manifestations télépathiques sous prétexte que l'événement et le pressentiment (ou message) ne coïncident pas exactement avec le temps astrono-
mique. Il est parfaitement concevable qu'il puisse y avoir
simultanéité entre un message télépathique et l'événement, mais
que ce message ne pénètre dans le conscient que la nuit suivante,
pendant le sommeil... Souvent, des pensées oniriques latentes
peuvent rester en attente toute la journée et n'entrer que la nuit
en contact avec le désir subconscient qui les façonne en un
rêve... [1]

Nous nous demandions aussi si le stimulus ne s'élaborait pas, progressivement et inconsciemment, jusqu'au moment où, au bout d'un jour ou deux, il avait suffisamment de vigueur pour émerger enfin dans un rêve télépathique.

L' « étude Vaughan » avait pour objet de déterminer si le stimulus télépathique s'assemblait tout au long de la nuit ou des nuits — dans ce cas, les correspondances les plus frappantes avec la cible interviendraient à la fin de la nuit ou des nuits de la série — ou si le rêve télépathique représentait un effet de « résonance mutuelle », à travers l'espace, entre l'agent et le sujet, résonance intermittente, auquel cas les rêves télépathiques seraient uniformément répartis sur la nuit ou la série. La phase de la suite à cible unique rendrait compte d'un effet de « composition », celle à cibles multiples d'un effet de « résonance mutuelle ». *

Les résultats indiquaient qu'il n'y avait pas d'effet de « composition ». En outre, les agents déclaraient que se concentrer sur la même cible quatre séances durant était lassant, et il paraît peu probable qu'après la première ou la seconde ils fussent pleinement capables de conférer une charge émotionnelle à la cible. Les correspondances les plus proches, quel que fût l'agent, intervenaient la première ou la seconde nuit. (Pour Harris, ce fut dès son tout premier rêve.) Cela permet de penser que le renouvellement du stimulus est beaucoup plus important dans le rêve télépathique expérimental qu'un possible effet de « composition », et tend à étayer l'hypothèse de la « résonance mutuelle ».

L'incidence des rêves précognitifs spontanés ayant trait au futur du percipient est supérieure à celle de tout autre type de rêves ESP spontanés. Toutefois, de tels rêves sont, bien entendu, les plus malaisés à expliquer. Pour rendre compte des décalages dans le temps notés chez Vaughan, en éliminant l'hypothèse de la précognition, on pourrait admettre qu'il avait recours à la clairvoyance pour savoir quel était le contenu des enveloppes

---

* Nous nous référons ici à la théorie selon laquelle le rapport télépathique aurait pour base un effet d'écho entre deux esprits. On peut présumer que, si l'on ne note pas de « composition » lorsque l'on emploie une cible unique à plusieurs reprises, cela tendrait à accréditer la contre-théorie de l'effet d'écho en réponse à la nouveauté de chaque cible individuelle. (N.D.A.)

scellées. Néanmoins, cette alternative semble improbable, car, sur des milliers et des milliers de rêves ESP spontanés enregistrés, un nombre infime porte sur un thème dépourvu de tout lien avec quelqu'un. On n'a pas encore confirmé expérimentalement la réalité du rêve clairvoyant, bien que certaines données expérimentales indiquent qu'il est possible de provoquer de tels rêves par hypnose [2].

Que des interférences au niveau du rapport agent-sujet soient susceptibles de causer des effets de « déplacement », le Dr Robert Van de Castle a pu l'observer à l'occasion d'une série d'expériences de télépathie onirique qu'il réalisa dans le Wyoming avec le Dr David Foulkes. Une image « non-cible », qu'il vit en passant en revue le lot de cibles après une séance nocturne de rêve expérimental, représentait un grand plateau de bois chargé de fruits et de desserts, avec, aussi, un verre rempli d'un liquide brunâtre et un poulet plumé. Or, Van de Castle avait rêvé pendant la nuit qu'il entrait dans un drugstore pour demander un médicament contre le cancer. On lui apporta sur un grand comptoir un verre contenant un liquide brunâtre. A côté de lui se trouvaient des gens qui dégustaient des glaces et, pendant un moment, il ne sut plus s'il était dans un drugstore ou dans un restaurant. Soudain, un poulet tout plumé traversa la salle. Il portait un petit gilet en étoffe. Van de Castle, qui notait ses rêves depuis de longues années, assure : « Je n'ai jamais rêvé de poulets plumés, ni avant ni après. » Et il ajoute : « Ce type de déplacement s'est produit plusieurs nuits. On aurait dit que j'avais peut-être " accroché ", par précognition, le lot de huit images, au lieu d'entrer télépathiquement en contact avec l'agent. J'ai capté certains conflits d'ordre religieux de l'agent, et j'ai vu en rêve le Christ cloué en croix et torturé, ce qui ne correspondait à aucune image cible. Le lendemain matin, l'agent m'a dit avoir été obsédé par des problèmes religieux, et n'avoir pas pu, pour cette raison, se concentrer sur la cible. »

La recherche d'un modèle général d'ESP ne doit pas seulement explorer la dimension espace et celle du temps, mais englober aussi des événements qui paraissent liés et sont inextricablement imbriqués à l'expérience humaine de psi, c'est-à-dire les coïncidences significatives. C'est ce que Jung appelle la « synchronicité », définie comme des coïncidences significatives intervenant sans cause *connue*. La prémisse fondamentale, qui régit notre action quotidienne, est que s'il y a effet, il y a nécessairement des causes antécédentes. L'inconvénient, lorsqu'on se penche sur des événements complexes tels que les coïncidences significatives, est que, s'ils se produisent à profusion dans la vie, il est malaisé de les appréhender dans la situation artificielle du laboratoire.

La preuve expérimentale de l'existence du rêve télépathique vient corroborer l'évidence clinique. Sa réalité nous amène à conclure que la nature et la trame du champ interpersonnel, ainsi que le caractère des échanges dynamiques qu'il recouvre, sont infiniment plus subtils et compliqués que ne le sous-entendent la doctrine psychanalytique et la théorie du comportement actuellement en vigueur.

Avant de développer de possibles perspectives théoriques, examinons quelques-unes des implications du rêve télépathique qui nous permettront de mieux comprendre l' ESP en général. Notre découverte la plus fondamentale est peut-être la démonstration scientifique du principe de Freud : « Le sommeil crée des conditions favorables à la télépathie [4] ». Nous avons constaté, dans les études en bonne et due forme ou dans les tests pilotes limités à une seule nuit, que, dans les conditions relativement confortables du laboratoire, une personne qui ne rejette pas la possibilité de l'ESP et est capable de se remémorer ce qu'elle a rêvé, sera plus que vraisemblablement en mesure de faire des rêves télépathiques. Cela est particulièrement frappant quand on étudie du point de vue de la recherche de phénomènes de télépathie les résultats de 80 séances pilotes d'une durée d'une nuit, auxquelles ont participé 80 sujets différents. Une forte majorité d'entre eux (56 sur 80), indépendamment de leurs activités professionnelles, de leur mode de vie, de leurs capacités psychiques à l'état de veille et du fait qu'elles aient ou non eu, à leur connaissance, des expériences ESP, ont fait état de correspondances de caractère apparemment télépathique.

Dans des expériences de télépathie à l'état de veille réalisées par d'autres parapsychologues, le pourcentage de sujets enregistrant des succès était généralement très inférieur à celui des échecs. Cela incite souvent les parapsychologues employant des méthodes purement quantitatives à mettre la main sur des médiums de talent, susceptibles de faire régulièrement de bons scores. Quand nous avons fait appel à Bessent, qui était un

208

sensitif, pour nos recherches sur la précognition, nous avons constaté que ses performances oniriques étaient légèrement supérieures à celles qu'il obtenait à l'état de veille dans les expériences où l'on utilisait un appareillage automatique pour tester ses facultés précognitives.

Nous croyons fermement qu'un élément important de la supériorité du sommeil sur la veille en ce qui concerne les expériences de télépathie, supériorité mise en évidence par des tests quantitatifs, réside dans l'emploi d'images fortes, vivantes, présentant du point de vue émotionnel un puissant intérêt humain avec lesquelles, et l'agent et le sujet peuvent entrer en correspondance. Si l'on employait un matériel analogue comme cible pour les expériences où le sujet est éveillé ou dans un état de conscience modifié autre que le rêve (hypnotique, hypnagogique, « alpha », méditatif, s'il est l'objet d'un bombardement sensoriel ou sous l'influence de drogues psychédéliques), il obtiendrait peut-être de meilleurs résultats. Nos tentatives permettent de penser que cela est particulièrement vrai pour les états de conscience altérés [5].

Comme l'a souligné notre collaborateur Charles Honorton, « ... l'activation réussie de l'ESP peut être reliée à un état d'esprit détendu, passif, relativement pauvre en images visuelles, et où il y a un déclin de l'attention orientée sur les sensations externes, déclin peut-être associé à un renforcement de la concentration, dirigée sur les impressions et les sentiments internes. Une ou plusieurs de ces caractéristiques sont présentes dans un certain nombre d'états appelés maintenant *états de conscience modifiés.* »

Une différence importante, qui distingue le rêve des autres états de conscience modifiés, vient de ce que tout le monde rêve toutes les nuits, et que la cible télépathique peut se superposer ou s'incorporer au thème du rêve. Quel type de cibles passera-t-il le plus aisément ? Celles, peut-être, qui se rapprochent du contenu naturel des rêves. Les gens ont tendance à rêver d'eux-mêmes ou d'autres personnes. Il est relativement rare que l'on voit à ce moment des lieux déserts ou des choses qui ne soient pas liées à quelqu'un de précis. Les cibles qui s'intègrent le plus facilement aux songes représentent généralement des personnages, et ont souvent un caractère archétypique (émotionnel). C'est pourquoi, par exemple, nous nous sommes beaucoup plus servis de reproductions d'œuvres artistiques que de photos de magazines. Si l'image cible représente un personnage auquel le rêveur peut s'identifier, il y aura davantage de chances pour qu'une intégration télépathique ait lieu. Le sujet masculin tend à avoir plus de rêves sexuels et agressifs que le sujet féminin comme l'attestent Hall et Van de Castle [7]. On devrait donc s'attendre à ce que ces thèmes soient plus fréquemment incorporés aux rêves des hommes qu'à ceux des femmes. Il semble effectivement que ce soit le cas, en particulier pour le Dr Van de Castle qui, à force d'étudier la fréquence des sujets oniriques, est devenu très sensible à ces différences.

Les idées de base communes aux deux sexes, comme les besoins oraux, passent généralement très bien : nous enregistrons rarement un échec quand la cible évoque le boire ou le manger. Il en est de même pour la religion. C'est le caractère du motif fondamental qui fait que le matériel utilisé comme cible sera ou non couronné de succès.

Les femmes tendent à être plus sensibles que les hommes aux couleurs et aux détails des agencements (ce qui, peut-être, reflète leurs centres d'intérêt à l'état de veille), à relever avec plus de précision les éléments d'une image cible, encore que les hommes qui, comme Van de Castle, sont particulièrement doués pour se remémorer leurs rêves soient capables de faire aussi bien. L'incidence de la couleur est généralement associée pour les deux sexes au succès ESP.

L'audition d'un compte rendu de rêve peut indiquer dans une certaine mesure s'il y a ou non des chances pour que le sujet incorpore la cible. Si le rêve est net, coloré, détaillé et intrigue quelque peu le rêveur, s'il tranche sur son style de rêves habituel ou s'il n'est pas le reflet de son activité récente, il convient d'ouvrir l'œil : ce peut être l'indice que le rêve a été influencé par un phénomène ESP. Si, en revanche, le sujet rêve qu'on lui fixe des électrodes, s'il voit l'expérience de laboratoire ou si l'on constate que ce qu'il perçoit dérive d'un résidu de la journée, on peut être assuré que l'ESP n'intervient pas.

Il y a, à mi-chemin, les rêves issus d'une expérience personnelle antérieure, mais transformée. Si l'événement rêvé est très récent — s'il remonte à quelques jours —, il est moins sûr que l'ESP ait quelque chose à voir avec le rêve en question. S'il a trait à un événement situé très loin dans le passé — notamment à un incident sans grand rapport avec les problèmes ou les préoccupations actuels du rêveur — la probabilité pour que le choix du matériel remémoré ait été influencé par ESP est plus grande. L'un des effets les plus puissants que nous ayons constatés est assurément le déclenchement d'un souvenir appartenant au passé lointain du percipient, opéré par le thème d'une cible ESP. Plus le dormeur pourra rattacher son expérience personnelle au thème de la cible, mieux il intégrera celle-ci par ESP.

Quel rôle joue l'agent à ce niveau ? A tout le moins, il est vecteur d'intérêt humain. Ses associations peuvent parvenir au rêveur avec plus de force que l'image cible utilisée. Quoique cet effet soit très difficile à évaluer statistiquement, il apparaît que ces associations ont une influence potentielle sur les rêves du sujet. Cet effet a également été constaté par la parapsychologue allemande Inge Strauch, à l'occasion d'une série d'expériences de télépathie onirique [8] ; mais Van de Castle l'avait déjà noté antérieurement au cours de l'expérimentation qu'il fit pour David Foulkes.

Lors d'une étude pilote ayant pour but de comparer les résultats obtenus par un agent qui regarde une image cible et ceux qu'il enregistre quand il s'identifie activement au thème de la cible en recourant à la technique « multisensorielle », nous avons observé que les deux sujets endormis avaient de bien meilleures performances dans le second cas. A titre d'exemple, alors que la cible était une lithographie de Daumier représentant un boucher égorgeant un porc, l'agent devait avoir une « participation multisensorielle » consistant à ouvrir une boîte de jambon en conserve, à en découper une tranche et à la manger. Dans les séries officielles utilisant l'expérience multisensorielle, les résultats télépathiques s'avéraient hautement significatifs. Cela nous amène à penser que la participation active de l'agent est un élément important de succès.

Et quelle est l'importance du rapport agent-sujet ? C'est, dirions-nous, un facteur capital, qui conditionne le taux de réussite de nos différents sujets. Nous disposons à cet égard de résultats, limités mais fort intéressants, concernant le cas de vrais jumeaux. Il en va de même de Van de Castle, qui effectua une étude de télépathie onirique analogue à l'université de Virginie [9]. Il est à souligner que les résultats obtenus dans d'autres travaux sur l'ESP, où l'agent et le sujet sont des jumeaux, ne paraissent dépendre en aucune façon des ressemblances physiques et génétiques de ceux-ci, mais des rapports affectifs qui les lient. Des jumeaux vrais qui ont de l'antipathie l'un pour l'autre réalisent des performances médiocres, alors que de faux jumeaux profondément attachés l'un à l'autre réussissent mieux dans le domaine de la télépathie. [10]

Lorsque le sujet est fortement motivé à rêver télépathiquement, l'établissement d'un rapport avec l'agent constitue un contexte positif et favorable pour l'expérience. Quand il s'agit de rêves télépathiques spontanés, il semble que l'agent soit la source télépathique et, la plupart du temps, il existe un rapport affectif entre lui et le percipient. La contribution de l'agent, comparée à celle du sujet, peut être très variable. Dans un sens, il aide puissamment ce dernier à « accrocher » la cible ; dans un autre, le sujet contribue fortement à faire participer émotionnellement l'agent quand il « émet » la cible. (Dans le rêve télépathique expérimental, il est rare qu'un percipient rêve d'une cible dont il n'avait pas conscience qu'elle était émise. Pour un exemple de ce type de réussite tangentielle, le lecteur se rapportera utilement au rêve du combat de boxe fait par Van de Castle et à ses commentaires dont il est question au chapitre 10.) Cette ample gamme d'interrelations possibles semblerait rendre quelque peu simpliste le modèle « émetteur-récepteur ».

Des liens sentimentaux entre un agent masculin et un percipient féminin paraissent dans de nombreux cas déterminer le rêve télépathique spontané. Nous avons, en conséquence, noté dans le cadre d'expériences pilotes les éventuelles influences dues à la différence de sexe. Lors des 80 séances auxquelles participèrent 42 sujets masculins et 38 sujets féminins, 14 agents masculins alternaient avec 10 agents féminins. On enregistra au total 56 succès contre 24 échecs. Le tableau ci-dessous résume les résultats obtenus. Les premiers sont représentés par le signe + et les seconds par le signe —. Les chiffres entre parenthèses figurent le pourcentage des succès, le calcul des probabilités donnant celui de 50 % si le hasard seul intervient.

TABLEAU COMPARATIF DES RESULTATS OBTENUS PAR DES TANDEMS HOMME-FEMME ET AGENT-SUJET DANS LES EXPERIENCES PILOTES

	Agents masculins	*Agents féminins*
Sujets masculins	16 +, 5 — (76 %)	16 +, 5 — (76 %)
Sujets féminins	18 +, 9 — (67 %)	6 +, 5 — (55 %)

Première surprise : en laboratoire, les hommes sont de meilleurs percipients que les femmes, ce qui contredit franchement les observations faites aux Etats-Unis, en Grande-Bretagne et en Allemagne, où le nombre des femmes qui signalent avoir eu des rêves télépathiques dépasse largement celui des hommes. Cette disparité est peut-être due pour une part à un climat culturel qui « permet » aux femmes de parler de leurs expériences « irrationnelles » d'ESP, alors que les hommes traitent ces phénomènes par le mépris, considérant que « c'est bon pour les femmes et les enfants ». En Inde, où la culture est plus ouverte aux phénomènes paranormaux, un sondage portant sur les expériences ESP spontanées a été réalisé auprès d'écoliers par le Dr Jamuna Prasad [12], éminent psychologue et pédagogue indien. Le Dr Prasad a constaté que les garçons et les filles rapportaient un pourcentage identique d'expériences ESP : 35,8 % chez les premiers, 36,9 % chez les secondes. Les rêves représentaient un peu plus de la moitié des expériences ESP relatées par les garçons et par les filles. Dans une société qui admet l'ESP, la capacité potentielle d'avoir des rêves ESP serait, semble-t-il, la même pour l'un et l'autre sexe.

Le nombre total d'études associant un agent féminin à un sujet féminin est plus faible, parce que l'expérience nous a appris que c'était là la plus mauvaise combinaison possible. Nous avons préféré constituer des tandems permettant d'escompter que les réussites l'emporteraient sur les échecs.

Pourquoi donc les sujets féminins de laboratoire réussissent-ils moins bien que les sujets masculins, en particulier quand l'agent est une autre femme ? Il se peut que l'environnement du laboratoire constitue un obstacle pour les femmes, c'est-à-dire que le fait de dormir dans un lit étranger et que des expérimentateurs hommes entrent dans leur « chambre » et en ressortent les rende plus nerveuses. Nous avons également remarqué qu'il leur est plus difficile qu'aux hommes de dormir dans un endroit inhabituel. On sait bien, en outre, que les femmes hésitent davantage à se proposer comme sujets dans les laboratoires du sommeil. Tout cela permet de penser que de telles conditions engendrent plus d'anxiété et de nervosité chez les sujets femmes que chez les hommes. Comme Gertrude Schmeidler et d'autres ont révélé que les attitudes d'autrui et l'ambiance se répercutaient sur les facultés ESP, il n'est pas impossible que l'état d'anxiété que provoquent les conditions du travail en laboratoire chez les femmes inhibe leur psi.

Mais comment expliquer que les sujets féminins enregistrent de si piètres résultats lorsque l'agent est une autre femme ? Nous sommes là sur un terrain encore plus incertain. Il semblerait que, d'une façon générale, il faille plus longtemps aux femmes pour établir des relations amicales avec des étrangers. Et nos données sont celles des « premières nuits ».

Nous fondant sur notre expérience, il nous semble que, parmi les éléments concourant à l'établissement de rapports favorisant le rêve télépathique, il faut qu'il existe des liens de sympathie, de l' « esprit d'équipe » dans une situation d'émulation (essayer d'obtenir des succès télépathiques est une certaine forme de compétition, et le succès repose sur la coopération). Le sujet doit aussi se montrer confiant et amical envers l'expérimentateur, qui tient un rôle capital dans la création du climat affectif entourant l'expérience. Dans une situation de laboratoire où le percipient est traité avec froideur ou indifférence par les expérimentateurs, les résultats peuvent être catastrophiques — aussi négatifs, en tout cas, que s'il n'y avait pas de rapports entre le sujet et l'agent. L'absence de relations sujet-expérimentateur comme de celles entre le sujet et l'agent, serait très probablement un facteur d'échec.

Lorsqu'une femme opère comme sujet pour la première fois, les résultats ont tendance à être négatifs, que l'agent soit un étranger ou un ami, mais surtout si c'est un étranger. Ce phénomène a peut-être joué un rôle important dans une expérience récemment réalisée par David Foulkes dans le Wyoming. Tous les percipients étaient des femmes, c'était pour toutes leur première tentative de télépathie onirique et l'agent auquel elles étaient associées, Malcolm Bessent, leur était inconnu.

On se demandait si un agent médium n'obtiendrait pas de résultats supérieurs à ceux de n'importe qui d'autre. Or, une fois la série terminée, on constata que les scores qu'il avait enregistrés n'étaient pas statistiquement significatifs, d'où l'on conclut que les facultés médiumniques de Bessent à l'état de veille et ses aptitudes en tant que sujet étaient sans commune mesure avec ses capacités d'agent.

Quels sont donc les qualités nécessaires à un bon émetteur télépathe ? Lorsqu'on demanda aux membres de l'équipe du laboratoire du rêve de définir ses caractéristiques, on recueillit les réponses suivantes : il faut qu'il soit intéressé, motivé, susceptible de se concentrer intensément, de s'identifier émotionnellement à la cible, ouvert, confiant, capable et désireux d'établir rapidement des rapports avec autrui, de manifester un vif intérêt pour les autres, qu'il ait des qualités d'expression et peut-être même certains dons d'acteur. On pourrait créditer sans hésitation Bessent de tous ces talents, or il se révéla médiocre agent. On pourrait de même les attribuer à Sol Feldstein, qui était un excellent émetteur, mais, contrairement à Bessent, un très mauvais percipient. Il avait du mal à s'endormir, et pensait que cette difficulté avait peut-être son origine dans l'anxiété que la « pénétration télépathique » suscitait en lui. C'est pourquoi, quand il faisait office de percipient, il cessait d'être « ouvert ».

L' « ouverture » peut être une qualité décisive pour le percipient télépathique. Nous avons vu que, dans les expériences de la Parapsychology Foundation, un certain nombre de sujets sceptiques à l'endroit de l'ESP et qui n'étaient, par conséquent, pas « ouverts » à celle-ci, n'avaient pas de rêves télépathiques. Il est parfois extrêmement difficile de maintenir cet état, et les résultats s'en ressentent au niveau du rêve télépathique. En revanche, un sujet comme Erwin se révéla tel. Son expérience psychanalytique lui donnait l'assurance qu'il pouvait affronter toutes les révélations que ses rêves risquaient de lui apporter. Van de Castle, lui aussi, était d'une ouverture et d'une franchise extrêmes, car ses recherches sur la psychologie du rêve l'avaient préparé à composer avec les messages dont ses propres rêves étaient porteurs. Dans les expériences pilotes que nous avons réalisées, nous avons observé que les sujets qui appréhendaient d' « exposer » leur psyché au su et au vu de tout le monde se trouvaient ceux qui avaient les plus mauvais scores du point de vue télépathique. Ils avaient tendance à refouler non seulement le matériel télépathique mais aussi le souvenir de leurs rêves.

Afin de se faire une idée des traits de caractères et des attitudes mentales du bon sujet, trois membres du laboratoire du rêve du Maimonides établirent une liste de 300 attributs. Un quatrième, Alan Vaughan, compara cette liste type à la personnalité des gens qui obtenaient les meilleurs résultats à l'entraînement ESP. Les quatre hommes tombèrent d'accord sur les caractéristiques suivantes (classées originellement par ordre alphabétique) : adaptabilité, esprit d'entreprise, vivacité d'esprit, sens critique, curiosité, enthousiasme, imagination, individualisme, sensibilité, suggestibilité et centres d'intérêts variés. Sur les quatre, trois notèrent l'indépendance d'esprit, l'intuition, l'originalité, la relaxation, l'esprit de ressources, l'absence d'inhibitions et la chaleur humaine.

En revanche, les caractéristiques retenues pour le portrait robot des sujets médiocres étaient presque toutes négatives. Une seule fit l'unanimité : l'apathie. Trois voix se prononcèrent pour quelques-unes des caractéristiques de la liste type : attitude distante, anxiété, propension à ergoter, conservatisme, attachement aux conventions, pessimisme, nervosité et crispation.

Nous commençons à recevoir des quatre coins de l'Amérique des rapports indiquant que des organisations et des établissements d'enseignement tentent de réaliser des expériences de télépathie onirique officieuses, non pas pour prouver que « le rêve télépathique existe », mais pour déterminer si les gens eux-mêmes possèdent en puissance la capacité de rêver télépathiquement. Les résultats sont encourageants. Voici, par exemple, des extraits de récits faits par trois étudiants du Centenary College de Shreveport, Louisiane, inscrits à un cours de parapsychologie. Leurs chargés de cours, Marke Dulle et John Williams, se concentraient sur une diapositive montrant un homme qui s'accrochait désespérément à la façade d'un bâtiment élevé et paraissait sur le point de lâcher prise :

... (ai rêvé avec force que) je tombais du Sabine Hall (de la Northwestern State University). Je dégringolais, heurtais le sol et je saignais, puis je mourais. C'était d'une telle authenticité que je me suis réveillé.

... (j') escaladais une falaise rocheuse et je tombais... Des doigts coupés rampaient par terre... Un fragment de main étreignait un pistolet par terre.

... J'étais avec deux de mes amis sur le toit d'un édifice élevé, qui avait l'air d'être en marbre. Je les regardais d'un peu plus bas. Ils furent entraînés dans une sorte de chute, mais s'accrochèrent à une gouttière, puis posèrent leurs pieds sur une barre... une fille... tomba... et atterrit parfaitement sur les mains.

On décela ainsi d'un seul coup trois nouveaux rêveurs télépathes.

Récemment, lors d'un camp de vacances sous l'égide de la Association for Research and Enlightment, le Dr Van de Castle organisa un championnat de rêves télépathiques officieux à l'intention des participants. Une jeune femme proposa que ce soit elle qui se concentre sur la cible, car elle s'attendait à ce que son petit bébé la tienne éveillée la plus grande partie de la nuit. Quand, le lendemain matin, Van de Castle présenta le lot d'images cibles, les membres du groupe constatèrent avec ravissement que la majorité d'entre eux avait fait mouche.

Il semble donc tout à fait possible de mener avec succès des expériences informelles de télépathie onirique sans le coûteux appareillage du laboratoire du rêve : électroencéphalographe et moyens d'enregistrement. Dans une entreprise de cet ordre, l'enthousiasme, l'intérêt et l'ouverture paraissent être les éléments clés. Nous espérons que des personnes de plus en plus nombreuses s'attacheront à poursuivre leurs propres recherches dans ce domaine. Ce genre de sensibilité est plus qu'un talent extraordinaire. C'est une remarquable aventure au niveau du contact humain.

16

Le sommeil, la psyché
et la science

L'état de rêve est une arène naturelle où se déploient des énergies créatrices. Les rêves tendent à ordonner l'information selon des modalités uniques et émotionnellement reliées. Rompant avec la pensée orientée vers le réel, ils regroupent les choses en fonction d'associations « illogiques » et, en conséquence, des relations nouvelles surgissent, qui sont parfois susceptibles d'ouvrir une brèche pour un esprit vigilant et ouvert.

Quand le physicien Niels Bohr était étudiant, il rêva un jour qu'il se trouvait sur un soleil constitué de gaz incandescents. Les planètes passaient en sifflant devant lui dans leur ronde autour de ce soleil auquel elles étaient rattachées par des fils ténus. Soudain, le soleil gazeux se refroidit, se solidifia, et les planètes se désagrégèrent. En se réveillant, Bohr se rendit compte qu'il avait conçu le modèle de l'atome. Le soleil était le centre fixe autour duquel gravitaient les électrons, que maintenaient en place des champs d'énergie, les « quanta ». Ainsi, la base de la physique atomique moderne est-elle issue d'un rêve.

Toute une industrie doit son existence à un rêve, plus terre à terre, mais néanmoins saisissant de créativité, que fit Elias Howe. Il n'arrivait pas à perfectionner la machine à coudre, et son rêve prit racine dans son échec. Il rêva qu'il était fait prisonnier par des sauvages qui le traînaient devant une vaste assemblée. Le roi lui posa cet ultimatum : si Howe ne fabriquait pas dans les vingt-quatre heures une machine capable de coudre, il mourrait transpercé sous les lances. Comme dans la vie réelle, il ne parvint pas à mener à bien cette tâche irréalisable, et les sauvages s'approchèrent pour exécuter la sentence. Les lances se levèrent lentement, commencèrent à redescendre. Oubliant sa peur, Howe remarqua que leur pointe était percée d'un trou ellipsoïdal. Il se réveilla alors, et comprit que le chas de l'aiguille de la machine ne devait être situé ni en haut ni au milieu, mais à proximité de la pointe. Il se précipita dans son atelier et façonna une aiguille conforme à ces spécifications. Elle fonctionna.

On pourrait glaner d'autres exemples tout aussi frappants dans tous les domaines de l'activité humaine ou presque, la science, la médecine, les arts, la musique et même la philosophie. Parfois, les rêves rassemblent des fragments incohérents en un tout unifié et intelligible. Ce fut ce qui arriva au grand philosophe et mathématicien René Descartes. Soldat, il passait l'hiver, en oisif, dans une hôtellerie. La vie militaire était pour lui sans attraits, et il ressassait des idées désenchantées, décousues et contradictoires. Une nuit, il fit un rêve dans lequel toutes ces pensées conflictuelles s'organisaient brusquement en une structure harmonieuse. Ce rêve donna le branle aux formulations philosophiques et mathématiques qui devaient transformer la pensée de l'Occident.

Il arrive que le penseur accepte et exploite ses rêves et les éléments créatifs de son expérience intérieure. Comme le disait Friedrich Kekulé à un groupe de savants en leur relatant son célèbre « rêve du serpent », qui lui donna l'idée du noyau benzénique : « Apprenons à rêver, messieurs, et nous découvrirons peut-être alors la vérité. »

Nous avons beaucoup parlé du phénomène du rêve mais n'avons pas dit grand-chose des rêves eux-mêmes, de leur signification et de leur importance. Ce sont les résidus fragmentaires remémorés de ce qui nous traverse l'esprit, pendant les périodes récurrentes et régulières de l'activité REM caractérisant le cycle normal du sommeil. L'ampleur et la netteté du souvenir varient considérablement selon les êtres, et même quelquefois chez la même personne. Dans les cultures où les rêves ont plus d'importance que dans la nôtre, la faculté de remémoration est plus développée. Ce sont ceux qui nous visitent juste avant le réveil que l'on a le plus de chances de se rappeler mais, le plus souvent, ne reste que le sentiment agaçant et frustrant que l'on cherche à poursuivre quelque chose qui a déjà disparu.

En dépit de leur nature insaisissable, il existe quelques moyens simples permettant de mieux se souvenir de ses rêves, notamment avoir toujours un carnet et un crayon à portée de la main, près de son lit, afin de pouvoir noter toutes les bribes de rêve que l'on retient encore lorsque l'on se réveille la nuit ou le matin. Il faut transcrire immédiatement toutes les images, toutes les impressions, toutes les paroles présentes à l'esprit. Le fragment ainsi capté en fait souvent affleurer d'autres. C'est surtout lorsque l'on se réveille au cours de la nuit qu'il importe de coucher par écrit ces fragments de rêves. Il est notoire que le moi endormi résiste et refuse d'être dérangé ; il sape fréquemment l'effort nécessaire que doit faire le dormeur pour émerger suffisamment du sommeil afin de noter ses rêves. Lors de ces réveils passagers, on est parfaitement capable de se duper soi-même, de se persuader hypocritement que l'on se souviendra sûrement le lendemain matin d'un rêve aussi vivant. Si l'on ne réagit pas contre cette stratégie fallacieuse, il est fort probable que, au réveil, la mémoire sera aussi vierge que la feuille du carnet.

A quoi bon se donner la peine de se rappeler ses rêves ?

Nous vivons à l'âge de la spécialisation. La plupart des gens ne voient guère de rapport entre eux-mêmes et leurs rêves, et ils considèrent que c'est là une situation normale. L'interprétation des rêves est réservée aux professionnels hautement formés, les psychanalystes. Eux seuls possèdent le savoir requis pour déchiffrer le symbolisme ésotérique du rêve. Le profane est désorienté par les siens propres et, hélas, les spécialistes contribuent pour leur part à entretenir ce désarroi.

En fait, c'est le contraire qui se produit. Le dormeur lui-même est le seul expert véritable en ce qui concerne le message véhiculé par le rêve. Il lui est loisible, en s'appuyant sur quelques aides techniques simples, d'apprendre à relier les éléments constitutifs de ses rêves pour en déceler la signification. L'expert peut apporter cette méthode, fournir les hypothèses possibles pour élucider le symbolisme onirique, mais seul le rêveur lui-même peut déterminer le rapport existant entre le rêvé et le réel.

On peut tirer davantage parti de ses rêves si l'on fait un

effort. Les comprendre est indiscutablement essentiel à qui veut, en outre, en identifier et en évaluer l'éventuel contenu para-normal. Afin de mieux faire saisir le sens du phénomène oni-rique, nous consacrerons le reste de ce chapitre à un bref exposé théorique, assorti de quelques considérations techniques élé-mentaires.

Les rêves ont trois propriétés intrinsèques qui leur confèrent un intérêt tout particulier pour le psychothérapeute, mais qui sont tout aussi utiles à qui cherche à se mieux connaître soi-même.

1. Les rêves mettent en jeu des situations émotionnelles non réglées, ce que les psychiatres appellent des zones de conflits non résolus. Un événement fortuit, auquel on a à peine prêté atten-tion dans la journée, peut révéler un conflit qui, plus tard, agis-sant à l'instar d'une mèche à retardement, deviendra le maté-riau d'un rêve. On identifie souvent dans celui-ci l'incident déclencheur ou résidu de la journée.

2. Le rêveur a un comportement très actif en face du conflit qui jaillit à sa conscience. Entre autres choses, il jette un regard rétrospectif sur son passé, le scrute, en quête d'incidents histo-riquement liés à ce qui le tourmente. Des épisodes de l'enfance, depuis longtemps oubliés, se tressent dans la trame du rêve, comme s'ils pouvaient jeter quelque lumière sur les origines du conflit immédiat qui tracasse le rêveur. Tout se passe comme si ce dernier, partiellement réveillé du cycle de sommeil où il se trouve, se demande : « Que m'est-il arrivé ? », et que la réponse lui vienne sous la forme d'impressions insistantes et importunes mises en œuvre par ce qui lui reste de sa journée.

Le rêveur pose une seconde question, et y répond : « Quels sont les origines historiques de ce qui menace de façon inquié-tante ma tranquillité d'esprit ? »

3. Ayant reconnu l'élément émotionnellement intrinsèque et sa liaison avec certains aspects sélectifs de son propre passé, le dormeur laisse alors le rêve explorer toutes les implications de l'événement chargé de danger et sonder sa capacité à l'affronter lui-même. Il s'ensuit un affrontement entre ses défenses carac-térielles et ses propres ressources, affrontement aboutissant soit

222

à la résolution des sentiments qu'a mobilisés le conflit soit, en cas d'échec, au réveil.

La scène d'ouverture du rêve plante le décor : l'ambiance, les impressions ou les idées déclenchées par le résidu de la journée, et les exprime. Pendant la période intermédiaire qui lui succède, le thème ainsi projeté se développe, s'enrichissant des expériences tant passées que présentes au niveau de l'émotivité. Enfin, c'est le dénouement, la phase de résolution : en cas de réussite, le cycle normal du sommeil se poursuit et, en cas d'échec, c'est le réveil.

Nous n'avons encore parlé ni de la réalisation du désir ni du déguisement qui jouent un rôle capital dans la théorie freudienne du rêve. A notre avis, le rêve est en quelque sorte une sentinelle, il a une fonction de vigilance, alertant le rêveur chaque fois que quelque chose risque de pénétrer par effraction dans son champ de conscience. Le rêveur se livre alors à une opération de comptabilité émotionnelle introspective, il collationne des factures depuis longtemps en attente et tente de mettre ses comptes en ordre. Il recherche minutieusement les détails de cette comptabilité, sans se soucier au départ de ce qui est grand (important) ou petit (insignifiant). Lorsque le désordre est tel (tellement chargé d'angoisse) que le rêveur ne peut faire le solde, l'esprit éveillé est appelé en consultation.

Pourquoi s'occupe-t-il avec tant d'attention des stimulus inopportuns ? Parce que le rêveur a une résolution très importante à prendre durant chaque période de rêve. Il doit décider, eu égard à ce qui occupe son attention et quoi que cela puisse être, s'il continuera à dormir ou s'il se réveillera. Le rêve, en effet, est une représentation imagée, franche et honnête, du problème qui le perturbe, du rapport existant entre ce problème et son passé, des défenses caractérielles comme des ressources qui sont utilisées pour l'affronter et de sa capacité à le régler. Il y a dans l'imagerie onirique une honnêteté, une véracité et une transparence essentielles qui nous échappent quand nous sommes éveillés, pour la bonne raison que nous ne pouvons alors être aussi sincères vis-à-vis de nous-mêmes. A l'état de veille, nous participons à un drame social qui exige que nous jouions, et fréquemment, de nombreux rôles conflictuels. Quand nous dormons, la seule chose qui existe dans l'univers est notre être, et nous osons alors plonger plus profondément dans notre moi véritable.

On peut envisager les choses sous un autre angle, en considérant le rêve comme l'analogie nocturne de notre conscience.

Lorsque nous sommes éveillés, nous sommes tirés à hue et à dia, sollicités de prendre une multitude de directions différentes et, parfois, notre réaction est dictée par des raisons d'opportunité. Cela a peu à peu un effet corrosif sur notre dignité et notre amour-propre. Or, ce sont précisément ces îlots de compromission qui se révèlent au cours de l'introspection à laquelle se livre le rêveur. Plus nous sommes impliqués, à l'état de veille, dans une activité déshumanisante (la recherche de la puissance ou la poursuite du plaisir aux dépens d'autrui), plus nous risquons d'être vulnérables à la déconvenue dans nos rêves. Nous sommes des créatures sociales, dont la vie doit s'accomplir totalement à travers la plénitude de l'accomplissement des autres, non pas en se servant d'eux ou en les exploitant. Mais comme, dans le cadre de la société complexe qui est la nôtre, il s'agit là d'un idéal plus que d'une réalité, notre conscience nous taraude dès que nous avons fermé les yeux et commençons à rêver.

Nous n'avons évoqué jusqu'ici que le contenu des rêves. Ils ont une autre caractéristique fort troublante, à savoir la forme qu'ils revêtent quand ils nous visitent. La plupart du temps, ils se manifestent comme une suite d'images visuelles. On peut considérer ces dernières comme des métaphores, qui agissent à l'instar de ce que font généralement les métaphores : elles condensent la pensée dans une imagerie appropriée, afin de souligner ou de créer un effet particulier. Le rêveur peut combiner des éléments appartenant au passé et au présent dans une seule et même image. Il peut tourner les rapports logiques aussi bien que les conventions du temps et de l'espace, pour que l'image visuelle exprime le mieux possible ses sentiments actuels. Une bonne comparaison, encore qu'elle soit limitée, de la situation dans laquelle se trouve le rêveur, consisterait à se le représenter observant un écran radar, dont le balayage accroche, non point des objets extérieurs, mais des cicatrices émotionnelles résiduaires douloureuses. De même que, sur un écran radar, une petite tache peut symboliser quelque chose d'aussi complexe qu'un croiseur ou un avion, ce qui apparaît sur cet écran personnel est issu d'une zone donnée de tourment subjectif et la signifie en même temps. Cette analogie nous permet aussi de comprendre pourquoi tout stimulus surgissant sur l'écran nous accapare si entièrement. Dans le rêve comme sur l'écran radar, le stimulus jaillit sur un champ par ailleurs à l'état de repos. Que ce soit quelque chose d'insignifiant ou d'une importance capitale, il mobilise toute notre attention et son impact est irrésistible. Pendant tout le temps que dure le rêve, notre attention ne faiblit pas un seul instant. C'est l'une des rares occasions où nous pouvons être certains qu'elle ne vacillera pas.

De tous les états de conscience modifiés qui favorisent les manifestations ESP étudiés par les parapsychologues, l'état de rêve est le seul dont chacun d'entre nous fasse l'expérience quotidienne, qui se produise selon un cycle physiologique régulier à environ quatre-vingt-dix minutes d'intervalle pendant le sommeil nocturne. A ce moment, les yeux bougent rapidement d'avant en arrière (c'est la période REM, *Rapid Eye Movement*). D'autres changements physiologiques interviennent également : au niveau de la respiration et du rythme cardiaque. Le pénis entre en érection. La durée des périodes REM s'accroît tout au long de la nuit. Quand le dormeur rêve, son activité électrique cérébrale est plus proche de ce qu'elle est à l'état de veille que dans les autres phases du sommeil. C'est pendant les périodes REM que les sujets sont le plus susceptibles d'avoir des réveils éphémères.

Ces corrélations sont à la fois mystérieuses et déconcertantes. Le mouvement de l'œil témoigne-t-il d'une activité de « balayage » oculaire ? S'agit-il d'un mécanisme inconnu ? L'érection représente-t-elle un état d'excitation sexuelle ? Ou est-ce une conséquence non spécifique d'une irritation généralisée des tissus ? L'activité électrique du cerveau atteste-t-elle l'éveil de l'excitation sexuelle ? Ou a-t-on affaire à un particulier sans rapport avec le mécanisme de l'excitation sexuelle ?

L'interprétation de ces données fait l'objet de vives controverses, surtout lorsqu'on les examine sous l'angle de la théorie psychanalytique. Coïncidence, notre « prince des percipients », le Dr Van de Castle, a lui-même apporté il y a peu de temps

225

sa propre contribution à la psychologie du rêve quand il a dit à propos de cette controverse :

Les lumières nouvelles apportées par l'EEG soulèvent un certain nombre de questions touchant les relations entre le rêve et la libération des pulsions instinctuelles, ainsi que d'autres hypothèses émises par Freud. Jusqu'où y a-t-il adéquation — si tant est qu'adéquation il y a — entre ces récentes découvertes et les conceptions de Freud ? Les opinions divergent sur ce point, mais il en est un sur lequel un certain consensus se manifeste : il est clair que le concept du rêve, considéré comme le gardien du sommeil, devrait être révisé. Comme on a régulièrement constaté que les sujets sont davantage susceptibles de se réveiller pendant les périodes REM, il ne semble pas que le rêve ait pour fonction de maintenir le sommeil. Divers chercheurs ont avancé l'idée qu'il faudrait inverser les termes de la proposition, car il paraît plus raisonnable de dire que le sommeil agit comme gardien du rêve... [1]

Dans les années 1950, Ullman postula que les états de rêve représentaient un état de vigilance accrue, et élargit cette notion de vigilance jusqu'à y inclure des éléments paranormaux. En général, le dormeur rêve d'un événement récent ayant des résonances perturbatrices. Ullman suggérait que le rêveur ne se bornât pas à passer son passé en revue pour y retrouver des expériences liées au thème de son rêve mais qu'en outre, il pût parfois franchir et le temps et l'espace afin de recueillir des informations importantes pour lui.

La découverte expérimentale de l'effet REM corrobora la théorie de la vigilance au point de laisser penser qu'il existait un mécanisme physiologiquement contrôlé engendrant des états d'éveil et d'activité cérébraux récurrents. Le réveil ne pourrait intervenir que si l'intensité et la qualité des impressions surgissant pendant ces périodes étaient suffisamment grandes. Au cours de ces intermèdes successifs d'activité cérébrale, le rêveur, polarisé sur la plus récente de ses expériences perturbatrices, procède à deux types d'opérations afin de déterminer si la perturbation justifie ou non qu'il se réveille. Il inspecte son passé pour y détecter les racines historiques de sa réaction devant la situation troublante qu'il affronte et, d'autre part, il mobilise ses moyens de défenses caractériels, en vue de faire obstacle à l'anxiété et au changement. Ce n'est que si ces mécanismes se révèlent incapables de refouler son angoisse et de la résoudre que le réveil a lieu. En fait, le rêveur a décidé — et c'est une décision d'origine émotionnelle — s'il était ou non dangereux de continuer de dormir.

La théorie de la « vigilance psi » * postule que c'est pendant les périodes de rêve REM que l'esprit humain est le plus sensible aux impressions psi qui, à leur tour, sont incorporées au rêve. A ce moment-là, le rêveur n'explore pas seulement son environnement intérieur mais aussi son « champ psi », pour savoir s'il doit tenir compte d'influences externes hostiles ou menaçantes. L'homme ne saurait être plus impuissant et plus vulnérable aux attaques que pendant son sommeil. Il se peut que les animaux dont la vie est constamment en péril possèdent comme moyen de parade un mécanisme REM grâce auquel ils se rapprochent périodiquement du réveil. Apparemment, l'homme dispose d'un système de vigilance plus raffiné, répondant non aux menaces physiques mais aux menaces symboliques qui mettent en danger son existence sociale. L'état de rêve, peut-être du fait qu'il est éventuellement lié à un mécanisme primitif de détection du danger, constitue l'état de conscience modifié le plus favorable à l'ESP.

Ullman suggère aussi que cet état onirique de « vigilance psi » peut aboutir chez certains individus à des rêves créateurs permettant de résoudre des problèmes actuels et, à la lumière des études sur les rêves précognitifs, des problèmes qui sont en train de mûrir. Les exemples de créativité onirique vont de la solution des problèmes de tous les jours à l'illumination, encore que cette dernière soit aussi rare que les idées créatrices elles-mêmes.

Les psychologues et les psychiatres sont loin d'accorder au facteur vigilance et à ses rapports avec les effets psi la valeur que leur prête Ullman, et il n'a pas non plus recueilli l'entière adhésion des parapsychologues — qui ne sont pas souvent unanimes sur quelque chose, d'où de stimulantes controverses. A ce propos, le lecteur consciencieux se rapportera à l'appendice A pour y prendre connaissance des critiques formulées par

---

* Expression due au Dr Rex Stanford. (N.D.A.)

Jule Eisenbud concernant la théorie d'Ullman. Que l'on soit ou non d'accord avec Eisenbud, cette lecture n'engendre pas la mélancolie : comme toujours, ses arguments brillants sont émaillés de traits d'esprit qui ne le sont pas moins.

La psyché de l'homme, et ce sera notre conclusion essentielle, possède des capacités ESP latentes qui ont le plus de chances de se manifester dans le sommeil pendant la période de rêve. Psi n'est plus le talent exclusif accordé à quelques rares individus, les médiums : c'est un élément normal de l'existence humaine, dont presque tout le monde est susceptible de faire l'expérience si les conditions requises sont réunies. Il a fallu à l'homme des milliers et des milliers d'années pour apprendre à transcrire son langage par écrit. Combien de temps lui faudra-t-il encore pour apprendre à utiliser son psi ? Nous serions tentés de penser, faisant preuve d'optimisme, que le délai entre la « découverte » et l' « application » sera considérablement abrégé dans les années à venir, et qu'une meilleure compréhension de psi aura une profonde influence sur la manière dont nous considérons la place que nous occupons dans l'univers. Peut-être nous apercevrons-nous alors que nous sommes moins aliénés les uns par rapport aux autres, plus capables d'unité psychique et de communion selon des modalités que nous n'avions encore jamais soupçonnées.

Une telle éventualité dépendra pour une large part du réalisme avec lequel nous nous efforcerons de nous comprendre nous-mêmes et de comprendre le monde que nous avons créé, de comprendre non seulement notre moi « parapsychologique » mais notre moi dans son intégrité, notre psyché tout entière aussi bien que notre aptitude à nous ouvrir à une conscience planétaire, transcendant les frontières des nations. La direction que prendra l'homme dans l'avenir dépendra de l'orientation non seulement de sa science et de sa technologie, mais aussi de sa philosophie. Si la technologie et sa philosophie concomitante — acquérir la maîtrise de la nature — continue de prendre le pas sur un humanisme philosophique ayant pour base la recherche d'une harmonie entre l'homme et la nature, nos problèmes — la pollution, le déclin, les guerres, l'aliénation — iront en s'aggravant. Mais si une philosophie humaniste de ce type guide notre technologie, nous avons encore une chance. Le potentiel psychique de l'homme permet de penser que, dans la trame fondamentale de la vie, toutes les choses et tous les êtres sont plus étroitement liés que nos abstraites limites physiques ne semblent le suggérer. Toutes les formes de vie sont peut-être fondamentalement imbriquées d'une manière que nous n'appréhendons pas encore clairement.

Si la recherche parapsychologique nous met en mesure de mieux saisir cette corrélation, peut-être saisirons-nous mieux notre situation d'interdépendance, et parviendrons-nous, au bout du compte, à tempérer la cruauté et l'exploitation qui caractérisent les affaires humaines. L'intégration de la parapsychologie à d'autres sciences exigera aussi que ces autres sciences s'intègrent à la parapsychologie. Il est nécessaire de former de bonnes équipes d'expérimentateurs sur une base interdisciplinaire où seront représentées la physique, la psychologie et la biologie. Le temps n'est plus où l'on pouvait étudier les phénomènes psychiques en francs-tireurs. Ullman, Van de Castle et Krippner s'emploient avec un groupe de jeunes confrères à intégrer de façon organisée la recherche parapsychologique à d'autres disciplines. Ce nouveau programme est appelé le Gardner Murphy Institute, en l'honneur de l'éminent psychologue qui a consacré une grande partie de sa carrière à défendre la cause de la recherche parapsychologique.

Les jeunes chercheurs qui participent à cette entreprise nous aident à progresser petit à petit dans cette voie, avec l'espoir que, à un moment ou un autre et dans un avenir très proche, les dernières résistances fondront ou, peut-être même, que de nouvelles données expérimentales les feront sauter. Avec un personnel et un soutien financier adéquats, ces travaux ouvriront peut-être des perspectives exaltantes et illimitées à la mise en œuvre d'une approche interdisciplinaire mariant la recherche parapsychologique aux sciences fondamentales, aux sciences appliquées et aux sciences sociales.

Appendices

Appendice A

L'avis des spécialistes

Le lecteur se demandera peut-être quel pourrait être l'impact de nos études expérimentales de rêves télépathiques sur la recherche scientifique dans les disciplines voisines. Quel allait être le jugement des psychologues, de nos confrères parapsychologues et, bien entendu, des adversaires de la parapsychologie ? Afin d'obtenir des réactions de spécialistes, nous avons diffusé quarante exemplaires de la monographie technique de Ullman et Krippner, *Dream Studies and Telepathy* (Parapsychological Monographs, n° 12, Parapsychology Foundation, 1970) accompagnés d'une lettre demandant aux destinataires de nous faire part de leur opinion. (La monographie 12 traite des études expérimentales dont il est question aux chapitres 7 et 8).

Sur ces quarante correspondants — adversaires avoués de la parapsychologie, parapsychologues et observateurs neutres —, onze seulement nous répondirent. Voici, exception faite des témoignages éhontés de deux collègues parapsychologues sur lesquels nous ferons le silence, les réponses que nous avons expurgées des allusions personnelles et de tout ce qui était sans rapport avec le sujet).

Le Dr Christopher Evans est un jeune chercheur qui a apporté une contribution originale à la théorie du rêve, fondée sur l'analogie avec l'ordinateur. Actuellement attaché au National Physical Laboratory de Middlesex, en Angleterre, il poursuit des recherches sur la physiologie de la perception visuelle, et est un adversaire déterminé de la parapsychologie.

1. Il me semble que l'idée d'utiliser l'état REM comme indi-

cateur de la phase de rêve et, par conséquent, pour repérer exactement la phase « stimulus rêve » dans le temps est absolument valable et que vous avez raison, vous et vos collègues, de persévérer dans cette approche.

2. Je trouve très difficile de juger de la validité de vos résultats du fait qu'ils sont extrêmement malaisés à quantifier. Je sais que c'est là une difficulté intrinsèque au problème lui-même, mais c'est néanmoins une difficulté et, dans l'état actuel des choses, elle me paraît insurmontable.

3. Jouant un rôle inhabituel pour moi — celui du pessimiste —, j'estime que vos travaux, dont je suis certain qu'ils sont menés avec honnêteté et sérieux, seront selon toute probabilité incapables d'aboutir à quelque chose susceptible d'aider à éclairer la question.

C.E.M. Hansel, professeur de psychologie au University College de Swansea, Galles du Nord, et connu des milieux parapsychologiques pour avoir publié la diatribe la plus violente jamais lancée contre la recherche parapsychologique moderne dans son ouvrage, *ESP : A Scientific Evaluation* [1].

La nature générale de ces travaux est d'un intérêt considérable dans la mesure où ils braquent l'attention sur l'analyse du contenu du rêve alors que, depuis dix ans, ce sont d'autres aspects du rêve qui l'ont accaparée. Ce matériel montre aussi quelques-unes des difficultés que soulève ce genre d'étude.

La principale difficulté que j'ai rencontrée en lisant la Monographie 12 fut que, bien que les points capitaux à propos desquels il aurait été possible d'élever une critique — utile ou non — concernassent le scénario expérimental, celui-ci n'était pas entièrement développé. Dans une lettre adressée, il y a de longues années de cela, au *International Journal of Parapsychology,* je suggérais qu'il serait désirable, tant du point de vue des expérimentateurs que de ceux dont la vocation est principalement de critiquer ces expériences, d'exposer intégralement le projet expérimental, afin qu'il soit discuté avant qu'on passe à l'action. Ainsi pourrait-on éliminer par avance les éléments de procédure les plus discutables. Dans le cas de la Monographie 12, j'aurais aimé qu'une grande partie de la présentation fût consacrée à la discussion du projet expérimental, que l'on précisât les raisons pour lesquelles on faisait intervenir telles ou telles conditions particulières, que l'on discutât de procédures de rechange et que l'on énonçât les contre-hypothèses

234

entrant en ligne de compte dans le scénario expérimental. A mon sens, il faudrait prêter énormément d'attention à tout programme de recherche avant qu'il ne commence.

Dans le cas présent, je note... que la méthode consistant à comparer les cibles avec les procès-verbaux a été utilisée une fois. Elle aurait certainement dû l'être systématiquement. Nous ne disposons que des résultats d'une seule séance pour étayer l'une des contre-hypothèses qui ont été avancées.

Une autre critique s'impose concernant l'expérimentation ESP en général : il serait souhaitable que des enquêteurs indépendants contrôlent les expériences. J'ai eu l'impression que vos investigations n'ont pas pour finalité la découverte de sujets particuliers, de sorte que la répétition des expériences devrait être relativement aisée. Toutefois, il aurait été intéressant que les données obtenues par vos tandems dont les performances étaient réussies aient été vérifiées par d'autres investigateurs travaillant de façon indépendante ou présents pendant l'étude.

[*Commentaire :* l'excellente idée du Dr Hansel proposant qu'un plan expérimental complet soit distribué avant que commence une étude a été mise en application. Des consultants spécialisés dans les études de télépathie onirique ont reçu ce scénario avant chaque expérience.]

Le Dr James C. Crumbaugh, chef du service psychologique du Veterans Administration Center de Biloxi, Mississippi, s'est beaucoup intéressé à l'histoire et aux implications scientifiques de la recherche psi. Son attitude est prudente et ouverte, mais il n'est pas totalement convaincu de la crédibilité scientifique des phénomènes psi. Peut-être le Dr Crumbaugh se range-t-il plus dans le camp des neutres que dans celui des critiques.

Bien que les études de rêves réalisées par Ullman et Krippner soient étrangères au domaine qui est le mien dans l'investigation parapsychologique, j'ai noté avec intérêt depuis quelques années dans la littérature concernant cette discipline l'approche expérimentale qu'ils ont adoptée. C'est, à mon avis, l'une des innovations expérimentales les plus prometteuses, et je m'attends à d'importants progrès dans cette branche dans l'avenir.

J'observe cet assaut expérimental et quelques autres de date récente lancés sur le front des phénomènes psi, avec l'espoir que l'un d'entre eux conduira à une expérimentation qu'il sera véritablement possible de reproduire. Je continue, comme je l'ai toujours fait, à soutenir que ce critère de la science expérimentale est indispensable pour établir la réalité de tout phénomène naturel sujet à caution. Je considère néanmoins que si les phénomènes psi sont véridiques — et j'incline à croire qu'ils le sont —, cette condition peut être satisfaite. Ce seront peut-être Ullman et Krippner qui la rempliront.

Le Dr R.K. Greenbank est un psychiatre qui, bien que s'intéressant à l'ESP et au rêve, s'est inscrit en faux contre les résultats d'un grand nombre d'expérimentations ESP en milieu clinique. De façon générale, il manifeste un certain scepticisme envers l'hypothèse psi.

J'ai lu avec beaucoup de plaisir le matériel que vous m'avez envoyé. Je trouve que les résultats sont exposés de façon intéressante, mais qu'ils sont difficiles à évaluer en raison, plus particulièrement, de l'effet de polarisation dû à la sélection qui a été faite. Je comprends fort bien que c'était indispensable pour pouvoir publier un article d'une longueur raisonnable, mais on est conduit à se demander quelle somme de données ont été éliminées pour arriver à une sélection de résultats intéressants. Autrement dit, considérés comme des coïncidences.

A titre de vérification, il serait utile de comparer une liste de rapports rédigés par les gens à l'issue d'une séance de nuit avec une liste de cibles utilisées quelques mois plus tôt. Il faudrait inclure cela à une série de recoupements concernant une même nuit à titre de contrôle. Toute cette procédure devrait être mise en œuvre avec les contrôles adéquats. [*Commentaire* : Bien que des extraits de procès-verbaux de rêves soient présentés dans ce livre et dans nos autres publications, 1) les juges ne connaissent pas la cible exacte ; et 2) le « contrôle » suggéré a été mis en place lors de la seconde série Erwin et les résultats obtenus ont été dus au seul hasard. Les juges n'ont noté de correspondance qu'une seule fois.]

Un éminent spécialiste du sommeil et du rêve, le Dr David Foulkes, a effectué la duplication de deux études de rêves télépathiques à l'université du Wyoming. Bien que ni l'une ni l'autre ne fussent statistiquement significatives, il a tiré de la première un certain nombre d'éléments intéressants. La seconde n'était pas terminée au moment où nous écrivions ces lignes. Nous ne saurions mieux définir le Dr Foulkes qu'en disant que c'est un sceptique à l'esprit ouvert.

Parmi les notes que j'ai prises en 1961 lors du premier congrès

236

de la Association for the Psychophysiological Study of Sleep (Association pour l'étude psychophysiologique du sommeil), je trouve cette annotation plutôt succincte : « Ullman — à propos de la télépathie. » Il n'y avait apparemment pas besoin d'en dire davantage. Cette annotation traduisait à merveille mon indifférence.

Il commença d'être plus difficile d'ignorer le rêve télépathique après la communication d'Ullman publiée en 1966 dans une importante revue de psychiatrie [2]. A la suite de la publication de cette étude et d'autres émanant du Maimonides, ma première réaction fut, bien entendu, de me mettre en quête des points faibles qui, pensais-je, devaient caractériser pareille entreprise. Mais si points faibles il y avait, je ne les décelai pas immédiatement. La seconde ligne de défense du sceptique consiste à se demander après combien de résultats négatifs on a observé telle ou telle « réussite » particulière ou sur quels sophismes reposent les résultats rapportés. Les événements qui suivirent eurent pour effet de démanteler la plupart de mes systèmes de défense. J'ai acquis en collaborant avec lui un grand respect pour l'intégrité du groupe du Maimonides, et pour la façon scrupuleuse dont il se soumet aux exigences de l'expérimentation « propre ». En outre, phénomène à peu près unique en ce qui concerne d'autres domaines de la recherche psychologique, l'équipe du Maimonides a présenté des données issues de sessions expérimentales et non expérimentales (*i-e* pilotes), variées, de sorte que leur portée peut être évaluée en fonction de toutes les informations pertinentes réunies, et pas seulement de celles qualifiées d' « expérimentales » [3].

A mesure que mes défenses faiblissaient, je commençais à m'intéresser de façon plus positive aux études de télépathie onirique. Je fus particulièrement impressionné par un exposé présenté par Krippner pour un colloque à l'université de Columbia en 1967. Résumant les huit études officielles, alors achevées, du programme du Maimonides, il indiquait que cinq d'entre elles avaient été positives. Ce taux de réussite semblait suffisamment important pour mériter que l'on tente de reproduire ces expériences. Certains protocoles qualitatifs des travaux du Maimonides mettant en évidence des correspondances assez extraordinaires entre les rêves et les cibles étaient encore plus impressionnants. Notre propre programme de recherche à l'université du Wyoming a été consacré à étudier les déterminants et les corrélatifs du contenu manifeste du rêve. Nous avons trouvé que les rêves, même statistiquement significatifs, n'étaient que très imparfaitement reliés aux manipulations sensorielles précédant le sommeil ou aux évaluations standards de personnalité. Par rapport aux succès limités que nous avions obtenus au niveau de l'induction du rêve, les résultats de l'équipe du Maimonides étaient tout à fait étonnants.

Nous commençâmes à songer à effectuer une reproduction indépendante de cette expérimentation. Nous en parlâmes avec un collègue sans parvenir à une conclusion concrète — « il faudra faire ça un jour ». Il y avait toujours quelque chose de plus important prévu au programme du laboratoire. Et puis, en 1969, à l'occasion d'un congrès scientifique, le Dr Krippner me proposa d'essayer de reproduire l'une des cinq études couronnées de succès réalisées par le groupe du Maimonides. Le professeur Gardner Murphy financerait généreusement cette expérience à titre personnel.

En 1969, il semblait que nous étions prêts à reproduire cette expérience, avec un esprit modérément ouvert. Ce qui, quelques années plus tôt, aurait été une opération de démystification, était maintenant davantage l'exploration de première main de quelque chose qui piquait notre curiosité et que nous ne connaissions que par des rapports de seconde main. Les canons de la science exigent que l'on ajoute un certain crédit aux rapports émanant de nos pairs. Néanmoins la science est une entreprise humaine, et le chercheur se trouve dans une situation plus confortable quand il parvient à reproduire, au moins partiellement, des phénomènes sous son propre contrôle.

Notre première étude de reduplication commença au cours de l'hiver 1969-1970. En élaborant le scénario de cette expérimentation, nous pûmes apprécier la minutie des efforts consentis par le laboratoire du Maimonides, mieux que ne pouvait le faire le lecteur parcourant distraitement les communications de ce dernier. Ce fut la huitième étude de la série du Maimonides (l'étude Van de Castle) que nous cherchâmes à reproduire [5]. Dans l'étude originelle, un seul sujet avait travaillé pendant huit séances nocturnes et, lors de chacune d'elles, il avait placé la bonne cible dans la partie supérieure du tableau, en classant huit stimulus cibles en fonction de leurs correspondances avec ses rêves. Dans notre étude, le sujet (Van de Castle) choisit plusieurs agents pour travailler avec lui. Nous utilisâmes un seul et même sujet (Van de Castle) mais aussi un groupe d'agents différents. L'expérience se révéla décevante [6].

Rétrospectivement, il se peut que nous ayons trop péché par « scientisme » dans notre volonté de refus des conditions dans lesquelles on pouvait escompter que des phénomènes de télépathie (pour autant qu'elle existe) se manifesteraient. Il nous était difficile d'échapper au rôle de protecteur de la pureté scientifique ou de gardien de la morale scientifique. Etions-nous des observateurs ayant un préjugé favorable et prêts à donner un coup de pouce, ou des détectives scientifiques s'efforçant d'empêcher qu'un crime soit commis sous leurs yeux ? Il était parfois difficile de savoir au juste où nous en étions. J'eus personnellement un bref moment de panique intrapsychique révélatrice, quand j'eus le sentiment qu'une influence télépathique pouvait peut-être « passer ». Comment était-ce possible ? Quelle fuite sensorielle avais-je été incapable de prévenir ? Notre sujet (Van de Castle) avait lui-même nettement l'impression de « comparaître » devant un jury qui ne lui était pas entièrement favorable, et nous ne pouvions pas non plus ne pas avoir un peu le sentiment de passer en jugement, nous aussi : un verdict en faveur du sujet mettrait en question l'intégrité de notre jugement.

Je ne voudrais pas pousser le raisonnement au point de soutenir que la rigueur méthodologique est indésirable. La recherche portant sur le rêve n'admet pas la négligence, qu'il s'agisse de télépathie ou de quoi que ce soit d'autre. Mais, dans notre première étude, nous avons peut-être fait preuve d'une rigidité ostentatoire et dangereuse qui n'était pas de la rigueur scientifique.

En tout cas, nous savions que, la seconde fois, nous étions beaucoup plus décontractés et que notre mot d'ordre était davantage : « Que ce qui doit arriver arrive ».

Du fait, en partie, de ces réserves sur notre propre rôle dans la première étude mais aussi parce que nous avions conscience qu'une étude portant sur un sujet unique ne pouvait satisfaire ni notre curiosité professionnelle ni notre curiosité personnelle en ce qui concernait les travaux du Maimonides, nous entreprîmes, Belvedere et moi, une seconde réplique. Il s'agissait cette fois d'un travail inédit [à l'époque] sur l'ESP à longue distance [voir chapitre 12] [7], réalisé en collaboration avec Krippner, Masters et Houston. Notre agent fut un médium bien connu [Bessent]. Nous avions pour sujets huit étudiantes de l'université du Wyoming que l'agent avait choisies sur une liste de quinze ayant une capacité de remémoration des rêves relativement élevée et une attitude assez positive envers l'ESP. Les résultats de cette étude sont actuellement en cours d'analyse.

Entretemps, j'avais eu l'expérience personnelle d'un phénomène impressionnant de télépathie apparente à l'occasion d'une autre recherche en laboratoire sans aucun rapport avec l'ESP. Une nuit, alors que nous procédions à une étude en continu de rêves d'enfants, je guettais l'apparition d'une période REM sur l'électroencéphalogramme d'une préadolescente. J'avais abandonné un travail qui accaparait mon attention depuis un certain temps, et je me rendis dans une salle de contrôle audio où je commençai à corriger un article sur les effets de la soif sur le sommeil. Je rédigeai une révision du commentaire. Dans son second point, l'auteur notait que « la collation à base de fromage et de biscuits secs *(crackers)* à l'heure du coucher ajoute un aspect nouveau et apparemment inutile à la situation de privation ». J'approuvai en silence, c'était inutile. Puis je recopiai le troisième paragraphe, qui faisait deux phrases, et allai jeter un coup d'œil sur l'électroencéphalogramme. Le sujet était à présent en période REM et je le réveillai. La jeune fille rapporta le rêve suivant :

Cette dame et ce monsieur vivaient près de chez nous et ils vinrent à la maison, ils virent notre chien et ils cassèrent la croûte. Il demanda à mon papa s'il voulait une *bière* et mon papa dit non mais finalement mon papa décida qu'il en voulait une. Mais c'était l'une des premières fois qu'il en buvait [le père était un tempérant de stricte obédience]. Et c'est tout ce que je me rappelle. Oh ! Attendez, ensuite, il y en a eu un autre tout à fait différent... Les trois boîtes de biscuits... une boîte de biscuits avait deux pièces blanches, des crackers blancs et puis (un) petit morceau de *fromage* entre, tout un paquet comme ça, et l'autre boîte de crackers était blanche et les autres paquets étaient bruns et chacun de nous trois [la famille comptait trois enfants] en reçut un et nous nous sommes mis à les échanger et c'est tout ce que je me rappelle.

Le sujet trouva insolite que l'homme en question, qu'elle connaissait, ait proposé à son père de boire de la bière et que le père ait accepté cette offre. Elle eut une association avec les biscuits — une camarade en avait apporté à l'école paroissiale — mais aucune avec le fromage.

Coïncidence frappante ? Indiscutablement, car c'était la vingt-cinquième nuit que nous observions les rêves de ce sujet, et il n'en avait jamais fait où intervenait le thème fromage-biscuits-soif. De plus, la combinaison de ces trois éléments ne s'était jamais manifestée au cours des centaines de rêves recueillis auprès des autres enfants participant à la même série. Le sujet n'avait pas vu l'article en question avant de s'endormir et nous n'avions jamais parlé tous les deux de quoi que ce soit qui s'y rapportât, même de loin. (Un compte rendu écrit de notre interaction précédant l'entrée en sommeil avait été rédigé avant la relation du rêve.) Je n'avais pas songé à effectuer ce travail de correction avant que le sujet m'eût paru sur le point d'entrer dans une période REM. La copie attendait dans la corbeille à courrier depuis plusieurs jours et ce fut « par hasard » que je me mis à ce travail de correction en attendant le moment de réveiller le sujet.

Une expérience telle que celle-là entretient l'intérêt que l'on porte aux rêves télépathiques, quelle que soit l'issue des expérimentations plus régulières. Elle soulève aussi un certain nombre de questions intéressantes touchant ces expérimentations. Dans ce cas précis, deux personnes parfaitement décontractées ont donné l'impression d'établir entre elles un contact à leur insu. L'ambiance était tout à fait différente de celle de notre première étude officielle de reconstitution où nous avions le vif sentiment d'être « mis à l'épreuve ». Il est inutile de se cantonner dans la recherche télépathique pour s'inquiéter de savoir si l'expérience intérieurement contrôlée en laboratoire constitue toujours le meilleur contexte pour l'étude de la nature humaine. Plus les psychologues approfondissent en laboratoire les aires majeures du comportement humain ou des interactions sociales, plus les doutes d'antan semblent se préciser : l'environnement du laboratoire *peut* modifier et déformer les phénomènes que l'on étudie, il limite les généralisations à la vie quotidienne et aboutit très souvent à minimiser des phénomènes humains fondamentaux [8].

Plus positivement, nous dirons que privilégier l'observation naturaliste et des études « quasi expérimentales » susceptibles d'être conduites dans des conditions plus proches de celles de la vie de tous les jours [9] pourrait se révéler bénéfique aussi bien à la parapsychologie qu'à d'autres secteurs plus orthodoxes de la recherche psychologique. Répétons encore que la recherche ne doit pas être laxiste et qu'elle exige une rigueur sans fétichisme ni dogmatisme, qu'elle exige aussi que l'on s'intéresse au contenu aussi bien qu'à la méthode. Même dans le cadre du laboratoire, une attitude moins empruntée est peut-être possible en ce qui concerne la recherche sur la télépathie et sur le rêve, et elle est particulièrement souhaitable maintenant que des incroyants comme moi commencent à faire des incursions dans le territoire qui appartenait jusqu'ici au croyant. Est-il nécessaire, même, que le sujet sache que l'on va tenter de l'influencer télépathiquement ? Qu'en est-il du choix, comme sujets, d'enfants qui sont plus spontanés ? Des possibilités nouvelles se déploient autour de nous. En attendant, nous devons être reconnaissants à l'équipe du Maimonides qui a conservé l'ouvrage sur le métier, a alimenté ce domaine de la recherche, lui a donné ses lettres de noblesse scientifique et l'a maintenu sur le plan humaniste qui convient. Quel que soit le verdict que prononcera l'histoire dans quelques siècles, les annales ne pourront pas ne pas rendre hommage au zèle avec lequel elle s'est attachée à soumettre des expériences « grandeur nature » qui comptaient réellement aux règles de l'observation scientifique systématique.

Le Dr Ulric Neisser est un psychologue connu par ses travaux sur la psychologie cognitive et par le livre qui porte ce titre. Il détient une chaire de psychologie à la Cornell University. En ce qui concerne la parapsychologie, sa position est celle de la neutralité bienveillante.

On doit féliciter Ullman et Krippner pour la persévérance et l'esprit méthodique avec lesquels ils ont exploité leurs découvertes préliminaires. A présent, ils ont réuni un corps substantiel de résultats positifs qui méritent qu'on y prête attention et qu'on les reproduise. Je souhaite que tous les laboratoires équipés pour effectuer des recherches sur le rêve examinent sérieusement la possibilité de réaliser de telles expérimentations. Il ne devrait pas y avoir de difficultés à combiner celles-ci à des travaux sur le sommeil effectués à d'autres fins. Si ces résultats peuvent être reproduits par des chercheurs indépendants, cela soulèvera sans aucun doute l'intérêt passionné des milieux scientifiques.

Il serait peut-être utile que ces tentatives de reproduction puissent être centralisées d'une façon ou d'une autre. L'Association for the Psychophysiological Study of Sleep (Association pour l'étude psychophysiologique du sommeil) ou tout autre groupe pourrait servir de plaque tournante vers laquelle seraient dirigés tous les résultats expérimentaux. Cela éliminerait dans une large mesure la possibilité du parti pris, objection que l'on soulève souvent à propos des expériences parapsychologiques : on ne signale que les résultats positifs. Par ailleurs, ce bureau central permettrait de détecter les bons sujets qui pourraient ensuite être testés dans différents laboratoires. Cela peut être nécessaire puisque les travaux du Maimonides permettent de penser que tous les sujets ne sont pas également susceptibles d'obtenir des résultats positifs lors de ces expériences.

Le Dr Donald J. West est un psychiatre britannique spécialisé dans la criminologie. Il a longuement collaboré à la Society for Psychical Research à titre de chargé de recherche. Il a la réputation d'être un enquêteur minutieux et méfiant.

Je ne crois pas pouvoir vous apporter une grande aide par mes appréciations. La seule idée qui me vient à l'esprit est que les techniques destinées à mettre en lumière des éléments ESP au niveau du rêve aboutissent à des résultats qui, statistiquement parlant, sont à peu près ceux qu'obtiennent les tests de tirage de cartes traditionnels. Cela signifie que pour répondre aux questions que pose la recherche, vous êtes obligés d'effectuer un grand nombre d'expériences et de vous astreindre à un labeur gigantesque. C'est décevant car on avait espéré que ces nouvelles techniques aboutiraient à un tel déluge de phénomènes ESP que les répétitions et les évaluations statistiques fastidieuses deviendraient caduques.

Le Dr Robert Thouless est un psychologue britannique réputé, doublé d'un parapsychologue éminent. Son dernier ouvrage a pour titre *From Anecdote to Experiment in Psychical Research* (Londres et Boston, 1972).

Les travaux sur le rêve du Maimonides m'ont toujours intéressé. Si le Maimonides Hospital était plus près de Cambridge, je souhaiterais être autorisé à y participer en tant que sujet. La seule fois où j'ai essayé de faire office de sujet au Maimonides, je ne suis pas parvenu à m'endormir. Mais c'était dans l'après-midi. La nuit, je ne devrais pas éprouver de difficultés. Je ne sais pas si c'est là une expérience courante mais je constate qu'en vieillissant (j'ai maintenant soixante-dix-sept ans), mes rêves deviennent plus vivants et plus intéressants. J'aimerais savoir dans quelle mesure ils sont influencés par des facteurs extrasensoriels mais les observations que j'ai faites m'ont persuadé que le fait de noter soi-même ses propres rêves n'apporte que peu d'informations sur ce point. Je crois nécessaire de recourir aux méthodes expérimentales plus systématiques permises par la découverte de l'association existant entre le rêve et l'état REM.

Je me rappelle que votre scénario expérimental comportant un lot d'images cibles dont l'une est choisie pour une nuit donnée est le même que celui utilisé par Whately Carington pour ses expériences de transmission télépathique d'images (*Proceedings ASPR*, 24 (1944) : 3-107). Il observa au cours de ses expériences que les sujets obtenaient des performances significatives pour des cibles utilisées lors d'autres séances, particulièrement celles de la nuit précédente et de la nuit suivante. Vos expériences apportent-elles des preuves d'un tel « effet de déplacement » ? [*Commentaire :* Oui, dans la série pilote « Grateful Dead » et dans l' « étude Vaughan ».]

Je ne sais pas au juste quels moyens vous employez pour que votre agent fasse suffisamment corps avec la cible afin qu'il soit dans une situation favorable pour l'émettre. Il me semble qu'il doit lui être difficile de se concentrer sur une même image pendant de nombreuses heures. Fournir à vos agents un crayon, une boîte d'aquarelle et leur demander d'essayer de recopier l'image ne serait-il pas une bonne idée ? Même s'ils ne réussissaient pas très bien, ce serait sans importance. Le simple fait d'essayer de faire une copie est une façon très efficace de se polariser sur l'image (pour le cas où cet intérêt aide à la transmission psi, ce qui pourrait fort bien être). [*Commentaire :* cela a été fait dans la seconde étude Erwin avec de bons résultats.]

Le cas de l'agent lisant un ouvrage de psychologie permet de penser qu'il vaudrait peut-être la peine d'essayer d'employer comme matériel de transmission des textes au lieu d'images. On pourrait avoir un lot de nouvelles à la place d'un lot de reproductions. Il est possible qu'il soit un peu plus difficile de réunir et de juger ce matériel mais je ne pense pas que ce soit là un obstacle insurmontable. Peut-être s'apercevrait-on que des textes constituent des cibles beaucoup plus efficaces. On pourrait ensuite demander à l'agent de récrire la nouvelle à sa manière après l'avoir lue.

Je suis quelque peu déçu que vous vous soyez si peu intéressé à la question traditionnelle des éléments précognitifs du rêve. C'est le facteur extrasensoriel des rêves qui a attiré le plus l'attention par le passé et vos appréciations sur la fonction du rêve par rapport à l'avenir laissent à penser que les éléments paranormaux intervenant dans le rêve sont peut-être très couramment de nature précognitive. J'espère que les futurs travaux du Maimonides apporteront davantage de lumière sur ce point. [*Commentaire :* le chapitre « Rêver de choses à venir » devrait répondre à votre question.]

Vous dites que le « rêve semble faciliter la manifestation de phénomènes extrasensoriels ». A mon sens, c'est très vraisemblable mais la chose a-t-elle déjà été démontrée ? Savons-nous quelle part de transmission ESP aurait été observée dans les conditions de votre expérimentation si les sujets étaient restés éveillés ? Il se pourrait fort bien que l'état de rêve soit un facteur favorisant les phénomènes extrasensoriels mais pour que la preuve en soit franchement établie, il faut attendre des expériences comparatives avec un sujet éveillé et un sujet rêvant. Je ne pense pas que des séries expérimentales de ce type aient encore été réalisés. [*Commentaire :* Dans l' « Etude Vaughan », A. Vaughan a fait un test officieux consistant à se concentrer en état de veille sur une imagerie mentale à titre de comparaison. Cette imagerie était souvent plus précise que les rêves.]

Je comprends que l'objectif de vos recherches va au-delà de la volonté de démontrer que le rêve est un moyen de communication paranormale possible. J'ai l'impression que ce qui vous intéresse est de comprendre la nature du mécanisme du rêve, nature dont une part essentielle pourrait être l'influence exercée par des processus extrasensoriels.

John Beloff, ancien président de la Parapsychological Association et professeur de psychologie à l'université d'Edimbourg (Ecosse), se préoccupe depuis longtemps des difficultés que rencontrent ceux qui cherchent à établir la valeur scientifique des assertions de la parapsychologie.

La question que je veux examiner n'est pas de savoir ce que les travaux du Maimonides ont pu nous apprendre sur les rêves en tant que tels ou sur la télépathie en tant que telle mais de rechercher quelles sont leurs implications au niveau de la science parapsychologique en général. Il y a, me semble-t-il, au moins trois façons pour un programme de recherche de contribuer au progrès de la parapsychologie. On peut se contenter de mettre en évidence de nouvelles preuves de phénomènes paranormaux. On peut aller plus loin et chercher à découvrir de nouveaux phénomènes ou de nouvais faits concernant la nature des mécanismes psi. Enfin, on peut s'appliquer à mettre au point de nouvelles méthodes et de nouvelles techniques pour étudier des phénomènes particuliers. J'estime que si l'équipe du Maimonides a indiscutablement ouvert l'offensive sur ces trois fronts, c'est principalement sur le troisième que l'on doit juger ses résultats. Aussi commencerai-je par émettre des réserves en ce qui concerne ses travaux portant sur les deux premières catégories avant de souligner leur importance par rapport au troisième.

Si la parapsychologie est véritablement une science, ce que je crois, elle est unique sous un rapport au moins — à savoir que, jusqu'ici, elle n'a pas réussi à lancer la tête de pont qui, pour toutes les autres sciences, consiste à établir les faits primaires de la discipline donnée et est la condition préalable à tout progrès ultérieur. On pourrait même dire que, en parapsychologie, il n'y a pas de faits : rien que des affirmations et des hypothèses. Prenez par exemple le cas des recherches sur le sommeil. A partir du moment où, en 1953, Aserinsky et Kleitman eurent montré que la phase de rêve dans le cycle du sommeil est ponctuée de salves de mouvements oculaires rapides, ou « REM », les progrès se manifestèrent à une cadence accélérée. Aujourd'hui, le chercheur n'a plus à se demander si l' « effet Aserinsky » est réel ou non. C'est là une chose que tout investigateur compétent peut facilement vérifier par lui-même et, à ce moment, il lui est possible de s'attaquer à de nouveaux problèmes. Or, en dépit de tout ce que le Dr Ullman et son équipe ont réalisé, on ne peut, je le crains, rien dire de comparable à propos de l' « effet Ullman », lequel, si j'ai bien compris, revient essentiellement à affirmer qu'il est possible d'influencer volontairement l'imagerie onirique par d'autres moyens que la stimulation physique, quelles qu'en soient ses modalités, du sujet endormi.

Les rapports publiés par le laboratoire du Maimonides éclairent la raison de cet état de choses. Dans leur monographie de 1970 [19], le Dr Ullman et le Dr Krippner donnent le détail de sept expériences réalisées en 1964 quand commença la première série officielle. On considère que trois d'entre elles seulement sont significatives, compte tenu des critères traditionnels. Ces trois expérimentations critiques qui, en tout, représentent vingt-trois nuits expérimentales sur un total de soixante-trois — rappelons-nous que chaque séance correspond à une réponse unique au plan de l'analyse puisque les procès-verbaux des rêves de chaque nuit sont globalement traités comme une unité statistique unique — sont basées sur les données fournies par *deux* sujets seulement. Ces faits entraînent deux constatations évidentes : premièrement, la masse des preuves sérieuses permettant de tirer des conclusions est limitée ; et, deuxièmement, les bons sujets ESP ne sont guère plus nombreux dans le domaine de l'expérimentation sur le rêve que dans n'importe quel autre secteur de la parapsychologie. Si l'équipe du Maimonides était parvenue à démontrer que l'ESP est un corollaire permanent du rêve, elle aurait d'un seul coup fait accéder la parapsychologie au rang de science expérimentale. L' « effet Ullman » aurait légitimement pris place à côté de l' « effet Aserinsky » comme une donnée attestée de la psychophysiologie du sommeil. Les choses étant ce qu'elles sont, seuls des témoignages multiples, provenant non seulement du laboratoire du Maimonides mais aussi d'autres laboratoires spécialisés dans les recherches sur le sommeil, inciteront la communauté scientifique en général à faire mieux que de réserver son jugement.

Cependant, une proportion de deux bons sujets sur un total de vingt-cinq, le chiffre testé, est de bon augure selon les critères de la parapsychologie et l'on ne peut que souhaiter qu'elle ne diminue pas à l'avenir. Il est également encourageant de constater que, depuis la publication de la monographie, une nouvelle expérience a été signalée [11], que l'on peut fort bien considérer du point de vue statistique comme la plus réussie à ce jour puisque ses chances de succès étaient de plus de 5 000 contre 1. En l'occurrence, un protocole d'expérimentation précognitive avait été substitué au scénario télépathique standard. Toutefois, le sujet, un jeune médium anglais, avait été spécialement choisi en raison de sa sensibilité contrairement aux deux autres bons sujets qui avaient été découverts par hasard à l'occasion de leur participation antérieure, à des expériences sur le sommeil. [*Commentaire* : le taux de probabilité de la seconde étude Bessent portant sur le rêve précognitif était, lui aussi, de l'ordre de 1 000 contre 1.]

Passons à la question suivante : quels faits nouveaux ces recherches ont-elles mis en lumière ? Il y avait, naturellement, et longtemps avant même que l'on pensât au programme Maimonides, une multitude d'indications montrant que l'état de rêve est particulièrement favorable aux phénomènes ESP spontanés et, notamment, à ceux de type précognitif. En vérité, c'est cette littérature qui donna au Dr Ullman l'idée de créer un laboratoire du rêve. Néanmoins, cela ne réduit en rien l'importance de ce qu'il a réalisé en montrant que l'on pouvait *volontairement* susciter des phénomènes ESP dans une situation expérimentale et il est tout à l'honneur du Dr Ullman d'avoir fait appel aux ressources modernes de la recherche sur le sommeil pour atteindre ce but. Cependant, il est moins incontestable que l'on puisse considérer que l' « effet Ullman » apporte quelque chose d'inédit au répertoire de la parapsychologie existant au même titre que l' « effet Dunne », « l'effet *Psi-Missing* », l' « effet mouton-chèvre », l' « effet humeur-variance », l' « effet de focalisation », pour ne prendre que ces quelques exemples de la littérature parapsychologique moderne. En outre, on ne sait pas très exactement ce que recouvre la notion d' « effet Ullman ». On ignore, par exemple, si, comme il est sous-entendu, c'est un effet « télépathique » ou « clairvoyant » c'est-à-dire si, dans une expérience du Maimonides, l'agent joue un rôle critique dans l'obtention de résultats positifs. Et nous ne savons pas non plus, en dépit du départ intéressant que le Dr Krippner a réalisé dans l'approche du problème [12], si l'état de rêve en tant que tel facilite la réception d'influences psi quand on le compare, disons à l'état d'hypnose, à l'état de vigilance ou à tout autre état de conscience. Il ressort à l'évidence de l'expérience de précognition déjà mentionnée comme des expériences de clairvoyance dans lesquelles Honorton utilise des « rêves » hypnotiquement induits [13] que la télépathie n'est pas une condition nécessaire pour produire un effet psi du genre que nous associons au Maimonides.

Arrivons-en enfin à la question de la méthodologie. L'équipe du Maimonides a-t-elle au moins découvert une façon plus efficace de produire des phénomènes psi ? Si l'on devait prendre uniquement les critères de rentabilité pour base, la réponse serait certainement non. En vérité, on se demande si jamais, auparavant, chaque succès enregistré avait coûté autant de temps, d'efforts et d'argent. Au plan financier, une expérience Maimonides est l'équivalent parapsychologique de l'envoi d'un homme dans l'espace ! Heureusement, le critère économique n'a jamais été le seul, ni dans la science ni dans l'exploration. Sinon, il y aurait longtemps que la NASA aurait dû fermer boutique. Il est important de se rappeler que le groupe du Maimonides est parvenu à annexer tout une nouvelle province à la parapsychologie. Et qu'il l'a fait avec un professionnalisme, un esprit d'équipe et une persévérance qui n'ont guère de précédents dans un domaine où sévissent le dilettantisme et l'amateurisme. Cela étant dit, on ne peut savoir au juste où l'on aboutira. Un bon exemple de l'effet d'inversion par lequel se solde souvent une entreprise de cette sorte peut être trouvé dans les importantes expériences que Honorton a conduites au laboratoire du Maimonides sur le rapport entre le rythme alpha et les performances ESP [14]. Il est possible que, à long terme, elles s'avèrent avoir plus de portée que des études de rêves. Le problème est que la parapsychologie doit être opportuniste et suivre la piste, quelle qu'elle soit, qui semble la plus féconde. Comme il en va de la psychologie elle-même, les gains les plus fructueux sont fréquemment ceux qui dérivent de contacts interdisciplinaires. Sous ce rapport, au cours de la dernière décennie, trois acquis particuliers de la parapsychologie présentent un intérêt capital : l'introduction d'un équipement automatisé pour tester les phénomènes ESP, la démonstration d'un effet psi chez l'animal grâce à un procédé totalement automatisé et, dernier progrès mais non le moindre, cette « approche nocturne de psi », comme l'a baptisée le Dr Ullman, que nous avons considérée ici. Peut-être serons-nous en mesure de dire vers la fin des années 1970 laquelle de ces trois démarches a été la plus fertile.

Pilier de la psychologie britannique, feu Sir Cyril Burt est notoirement connu pour la contribution théorique qu'il a apportée aussi bien à la psychologie qu'à la parapsychologie. Voici sa dernière communication concernant cette dernière discipline :

J'accepte volontiers tous vos résultats actuels, c'est-à-dire ceux « établissant un lien entre psi et le rêve »... Je ne dispose ni de recherches personnelles ni de travaux d'anciens étudiants susceptibles de compléter votre matériel mais les rares indices que j'ai rencontrés — expériences occasionnelles faites par curiosité, observations fortuites, anecdotes rapportées par des amis, sans parler de la littérature antérieure —, tout cela semble corroborer vos principaux arguments. Ce que j'admire le plus est le soin et l'ingéniosité dont vous avez constamment fait preuve pour placer le problème sur une base solide et systématique.

D'un autre côté, je ne crois pas pouvoir entériner totalement les interprétations que vous proposez. Vos références au « déséquilibre », à la « vulnérabilité » et à la « schizophrénie », à la « psychose maniaco-dépressive », à l' « hystérie », etc. me paraissent faire la part trop belle à l'aspect anormal (des choses). En gros, je dirais que, au plan de la physiologie, de tels phénomènes peuvent être considérés comme anormaux mais qu'ils ne le sont pas au plan de la psychologie. L'univers, selon ma conception, est en dernière analyse moniste et « mentalistique » (« spirituel », diraient les hégéliens). Dans un tel univers, la télépathie, la clairvoyance, la psychokinèse, etc. seraient normales et, en vérité, conformes à notre attente.

Néanmoins, les conditions de l'évolution de l'homme sur la terre l'ont contraint à limiter ses potentialités. Biologiquement parlant, ses sens les plus utiles se sont révélés être la vue et le toucher. Aussi a-t-il tendance à traiter le monde comme un simple système d'objets visibles et tangibles se mouvant dans un univers quadridimensionnel de matière et d'énergie. La moderne théorie des quanta estime que ce modèle pratique aboutit finalement à des contradictions internes et n'est qu'une pure abstraction. Cependant, c'est là un modèle pratique que toutes les sciences naturelles (sous certaines réserves) — y compris la psychologie en tant que science de la nature — sont obligées d'appliquer au niveau expérimental. Les behaviouristes (Watson, Skinner, etc.) ont tenté d'utiliser ces postulats matérialistes, non seulement comme une méthodologie d'ordre pratique mais comme une hypothèse totalement métaphysique (encore qu'ils n'admettraient pas qu'elle soit « métaphysique »). On est de plus en plus convaincu aujourd'hui qu'ils ont échoué.

Cela étant, nous devons (à mon sens) adopter un modèle dualiste au plan scientifique. Nos neurologues les plus éminents ont affirmé que le cerveau est « un organe de liaison entre le corps et l'esprit » (Sherrington), qu'il n'est « qu'une machine qu'un fantôme pourrait faire fonctionner » (Eccles). Eccles souligne que, du fait de sa structure et de sa chimie, le cerveau doit se concevoir non point comme un générateur de conscience mais comme un détecteur et un amplificateur des processus mentaux. Selon ce modèle, l'esprit serait (comme je l'ai soutenu) [15] une sorte de champ mental — spatial et non aspatial comme Descartes le supposait. Il y a là une analogie avec les champs électromagnétiques et, dans le cadre de cette interprétation, la télépathie, etc., seraient quelque chose d'aussi normal que l'induction électromagnétique. Ainsi, selon mon point de vue, toute perception est une forme de clairvoyance.

J'ajouterai que l'on doit également considérer le cerveau et les organes sensoriels comme des espèces de tamis ou de filtres occultant toutes les perceptions clairvoyantes sauf celles qui, en fonction de l'urgence présente, sont biologiquement importantes. En conséquence, d'autres types de clairvoyance (perceptions extrasensorielles) opèrent généralement au niveau subconscient. Ce mécanisme de sélection est en partie inné mais il croît et se développe rapidement chez l'adulte civilisé et subit de plus en plus fortement l'influence des intérêts dominants de l'individu. Chez l'enfant et le primitif, les mécanismes paranormaux sont, je le crois, beaucoup plus courants.

En conséquence, sur le plan plus modeste de la science de la nature, je ferai miens quelques-uns des postulats que vous formulez page 115 [de la monographie].

1. Je suis pleinement d'accord avec vous quand vous affirmez que les mécanismes psi ont le plus de chances de se produire dans les « états dissociés » et que le rêve est lui-même un phénomène de dissociation. Un « état » de quoi ? Pas de l'esprit mais du cerveau. La référence que vous faites pages 109 et 110 à l' « activation corticale » laisse à penser que vous considérez qu'il s'agit d'un état *cortical*. Je préférerais le terme de dissociation *cérébrale*. En tout état de cause, c'est un phénomène physiologique et il doit forcément apparaître comme anormal aux yeux du physiologiste.

Vous dites page 113 [de la monographie] que « l'expression " dissociation " sous-entend... un mode de comportement... extérieur à la volition et à la conscience ». Je ne pense pas qu'il en aille toujours ainsi. Nous sommes très conscients des expériences que nous faisons en rêvant, bien que les mécanismes sous-jacents puissent être subconscients (ce qui est, d'ailleurs, le cas pour la plupart de nos expériences à l'état de veille). Les rêves échappent certainement au contrôle conscient. Mais il en va ainsi de la plupart de nos expériences sensorielles.

La dissociation cérébrale signifie que le cerveau cesse souvent d'agir comme un filtre sélectif efficace de sorte que des manifestations psychiques de clairvoyance et de télépathie directe ont davantage de chances de se produire. Globalement, je crois que les processus d'idéation du rêveur sont plus enfantins (c.-à-d. plus imagés), encore que, selon C.D. Broad le rêveur s'engage souvent dans un processus élaboré de rationalisation touchant la scène qui semble se dérouler. Mais j'incline à penser que « si vous ne devenez pas semblable à de petits enfants, vous n'entrerez pas dans le royaume » du commerce mystique non matériel.

A l'état de veille, et en particulier chez l'adulte, le filtre se met rapidement en place et les expériences oniriques ont tendance à s'effacer presque entièrement. Néanmoins, il m'est souvent arrivé de me surprendre à m'exclamer au cours de la journée lorsque quelque chose d'important se produisait : « Mon Dieu ! Il me semble avoir rêvé de quelque chose de très semblable cette nuit. »

2. Si je peux me permettre de le dire, le plus intéressant et le plus important de vos postulats découle de ce que vous dites du « concept de vigilance ». Je suis tout à fait d'accord avec tout le paragraphe portant ce titre (page 107). Je souhaiterais que l'on mette particulièrement l'accent sur le fait que le rêve peut être « orienté sur le présent et l'avenir plutôt que sur le passé ». (Là, les freudiens, comme vous dites, nous ont certainement induits en erreur.) Je pourrais citer d'innombrables exemples tirés de mes propres rêves. McDougall note, lui aussi, que beaucoup de ses rêves avaient trait à l'avenir, à sa future carrière, tout particulièrement.

J'ai le sentiment que le mot « vigilance », bien que très commode, risque de tromper le physiologiste. Il a été introduit par Head qui l'utilisait dans un sens très spécialisé. On l'emploie désormais communément pour désigner l' « activité d'alerte » d'une certaine région de la « substance réticulée », tendant à renforcer la réception sensorielle et augmenter le tonus musculaire en vue de l'activité corporelle. Cette vigilance est généralement *réduite* pendant le sommeil et, si elle est activée, elle détruit la relaxation du dormeur et le réveille.

A mon sens, du fait de l'effacement temporaire du mécanisme de filtrage du cerveau (qui n'est que partiel, bien entendu), l'esprit du dormeur devient plus réceptif. Les exemples les plus extrêmes de cet état sont les expériences mystiques où le cerveau et le corps entrent carrément en transe. C'est apparemment ce à quoi se réfère ce que vous dénommez la « vulnérabilité ». Je préférerais y voir un état d' « accessibilité ».

Dans le vocable « *dys*-equilibrium », le préfixe grec indique un *mauvais* équilibre ou une *mauvaise* coordination. Le préfixe latin plus usuel, « *dis*-equilibrium », implique simplement l'*absence* de l'équilibre et de la coordination harmonieuse (des processus cérébraux).

J'aurais tendance à penser que, chez la plupart des adultes civilisés, les expériences paranormales sont assez exceptionnelles, même en rêve. Je ne crois cependant pas qu'elles soient aussi rares qu'on le suppose généralement (en partie à cause de l'intervention rapide

251

du mécanisme de filtrage évoqué plus haut) et j'ai le sentiment que des influences paranormales plus faibles et plus vagues, trop intangibles pour être identifiées comme telles, agissent très souvent sur nous tous. Je serais tenté de croire que certains « pressentiments », certaines intuitions des génies (qui, comme le montrent leurs autobiographies, se produisent en grand nombre pendant le sommeil) sont peut-être dus à ce type de processus paranormaux.

En ce qui concerne les recherches futures, je ne serais pas étonné que des études faites sur les enfants, et en particulier sur les « jumeaux vrais », s'avèrent les démarches les plus prometteuses Mes recherches personnelles sur les jumeaux portaient essentiellement sur le patrimoine mental, mais j'ai observé à ce propos des preuves apparentes d'échanges télépathiques d'une fréquence exceptionnelle. Galton aussi, bien entendu.

Le professeur Gertrude Schmeidler du City College de la City University de New York a apporté depuis de nombreuses années une contribution éminente à la psychologie et à la parapsychologie. Elle a écrit en collaboration avec Robert McConnel *ESP and Personality Patterns* et, avec d'autres, *Extrasensory Perception.*

Voici un *corpus* de recherches impressionnant : novateur au niveau de la technique, instructif par son contenu et riche en promesses de progrès pour l'avenir.

Sa qualité la plus marquante est l'élégance avec laquelle est abordé le dilemme qu'affrontent les savants travaillant sur des organismes vivants (notamment dans le domaine de la psychiatrie, de la psychologie et de la parapsychologie). Le premier terme de ce dilemme est la nécessité de vérifier les hypothèses au moyen de mesures quantitatives et répétables, productrices de données importantes. Le second est la nécessité de sauvegarder dans la description qualitative le caractère unique de l'observation naturaliste. En réduisant des informations pleines de richesse à des statistiques, on risque de perdre de vue le tissu même de la science. Mais en traitant individuellement chaque description, on risque (aussi) de surestimer un cas particulier.

Cette étude tient compte des deux branches du dilemme. Elle emprunte à chacune ce qu'elle a de plus bénéfique. Bien qu'elle réduise les comptes rendus de rêves à des données chiffrées, elle ne les dénature pas : ils sont toujours là, prêts à être examinés. On se sert des valeurs significatives des analyses de variances pour montrer que le matériel mérite qu'on lui prête attention. Enfin, l'élément capital, le matériau qualitatif d'où sont extraites les statistiques significatives, est présenté à travers les formulations mêmes du rêveur.

C'est là une procédure qui paraît sérieuse du point de vue de la rigueur méthodologique. On utilise systématiquement la technique du « double-aveugle », de sorte que l'on dispose d'un moyen efficace d'éliminer à la fois les indications sensorielles et le parti pris au niveau de la notation. Les méthodes de calcul ont la prudence qui convient. Et les résultats négatifs sont signalés de sorte que l'on peut correctement apprécier l'effet cumulatif de toute la série d'expériences.

Il faut formuler une critique. Bien que les comptes rendus des procédures respectent la tradition, les psychologues commencent à réaliser que les vieilles traditions sont inadéquates. L'attitude de l'expérimentateur, sa façon d'être, son ton de voix, l'accueil, l'environnement sont susceptibles d'influencer les réactions du sujet. Ces détails et une multitude d'autres peuvent modifier ses prévisions et ces modifications peuvent affecter ses réactions. La description intégrale de l'ambiance de l'expérience et de l'expérimentateur sont trop rares mais, sans elles, la description de la procédure est incomplète. Les auteurs nous apportent certaines informations allant dans ce sens mais pas assez. Comment persuadent-ils un sujet d'accepter volontairement de dormir tout une nuit alors que quelqu'un s'efforcera de faire intrusion dans ses rêves ? Sur quelle intuition clinique se fondent-ils pour choisir leurs sujets ? Quelles méthodes emploient-ils pour s'assurer la participation volontaire des sujets ? Quels sont les couples expérimentateur-sujet souhaitables ? Les recherches subséquentes, où leur habileté s'est améliorée, nous apportent certaines indications dans ce domaine. C'est une bonne chose mais c'est encore insuffisant. [*Commentaire* : Nous espérons que les observations du Dr Van de Castle à propos de l'étude qu'il a menée constituent un début dans cette direction.]

La même critique est valable pour la technique d'appréciation des protocoles qui est un autre point crucial de procédure. Comment sont sélectionnés les juges qui conviennent ? Comment incite-t-on les juges, chargés d'une tâche fastidieuse, à ne pas laisser s'émousser l'intérêt et la minutie qu'ils portent à leur mission ? Apprennent-ils à noter certains aspects des rêves et acquièrent-ils ainsi davantage de savoir-faire en exerçant leur fonction d'arbitrage ? Dans l'intérêt de la reproduction des expériences par d'autres laboratoires, il importe que ces points de procédure capitaux soient définis de façon détaillée. Il serait même souhaitable que les auteurs dressent l'inventaire des critères d'aptitude des sujets, des expérimentateurs et des juges, étant entendu que ces critères doivent être réunis avant qu'on se

253

lance dans la reproduction d'une expérimentation. [*Commentaire :* C'est ce que nous avons tenté de faire sur une petite échelle au chapitre 15.]

La conclusion claire et nette à tirer de ce vaste corps de recherches est que les procès-verbaux de rêves peuvent mettre en évidence des manifestations de télépathie ou de processus apparentés, clairvoyance et précognition. C'est là une conclusion d'une très grande portée qui mérite que l'on s'astreigne à de gros efforts. Mais, comme n'importe quelle autre découverte importante, elle soulève une foule d'autres questions. On nous propose des axes de recherches si nombreux, on nous fournit tant de pistes prometteuses que tout ce matériel paraît n'être qu'un premier volume qui en exige impérativement un second. Quel rapport existe-t-il entre le résidu de la journée et l'impulsion télépathique et précognitive ? Entre les pulsions personnelles et le rêve télépathique sélectif ? Des intrusions insolites, l'intervention de la couleur ou d'autres éléments spécifiques peuvent-ils agir comme indicateurs de télépathie ? Ce travail laisse pressentir des réponses à certaines de ces questions mais il faut, évidemment, avancer lentement. Peut-être que le plus grand compliment qu'on puisse lui faire est d'en demander davantage, bien davantage.

Le Dr Berthold Eric Schwarz est psychiatre et consultant auprès du laboratoire des ondes cérébrales du centre médical du comté d'Essex, à Cedar Grove, New Jersey. Il a écrit à propos des effets psi tant dans le contexte familial que dans le contexte clinique :

Grâce à leurs recherches sur le rêve et la télépathie, scrupuleusement contrôlées, réalisées avec des moyens psychodynamiques et des matériels sophistiqués, les Dr Ullman et Krippner ont apporté une contribution scientifique importante. Les fragments d'éléments superficiellement impénétrables, parfois, qu'ils ont mis en lumière, et leurs interprétations stimulantes, devraient encourager d'autres efforts à la fois extensifs et intensifs. On nous présente des indices tendant non seulement à élargir notre compréhension de la télépathie et du rêve mais aussi à débrouiller les relations existant entre ces derniers et les réactions de dissociation, la psychopathologie courante, les troubles du sommeil, les réactions de comportements et les réactions psychosomatiques. Depuis leur première communication jusqu'aux études qu'ils réalisent actuellement, les Dr Ullman et Krippner ont marié le savoir issu des expériences cliniques à des techniques de laboratoire bien élaborées en vue de l'exploration qualitative et quantitative du rêve télépathique.

254

Il faut espérer que, au bout du compte, des études telles que celles-ci permettront d'expliquer pourquoi certaines personnes sont meilleurs rêveurs télépathiques que d'autres. Peut-être trouvera-t-on alors les raisons du succès ou de l'échec des expériences de télépathie onirique faisant intervenir différentes combinaisons de sujets et élucidera-t-on les conséquences des variations de situations sur les « sensitifs » doués, le rôle relatif de la génétique, de la culture, de la psychopathologie, de la physiologie chez les gens en bonne santé et chez les gens malades ainsi que l'influence de diverses drogues. Il ressort à l'évidence des nombreuses et ingénieuses expérimentations conduites par le laboratoire du rêve du Maimonides que celui-ci s'est déjà lancé dans ce programme prometteur.

Ses études novatrices indiquent sans équivoque qu'il est indispensable de réviser et rajeunir le modèle ancien, étroitement psychanalytique, du rêve. On nous dit comment fonctionne le rêve, comment, outre qu'il plonge dans le passé du rêveur, il s'attaque à sa vie présente en ajustant et en combinant les expériences passées et les expériences présentes pour déceler les événements à venir. Il peut même sonder le futur et, ainsi, être prophétique. Ces fonctions complexes ne sont pas passives mais actives, elles impliquent un état d'éveil grâce auquel les mécanismes internes de balayage cérébral hypothéqués peuvent intégrer des fonctions paranormales d'origine externe.

Bien que les techniques REM aient obtenu des succès spectaculaires au niveau de l'orientation des rêves télépathiques, les études électroencéphalographiques de psi n'ont pas été à la hauteur des espoirs que nourrissait l'inventeur de ce procédé, le psychiatre Hans Berger. Mes propres études électroencéphalographiques de télépathie effectuées à l'aide d'électrodes crâniennes traditionnelles sur des médiums doués [16] n'ont pas mis en évidence de modifications ostensibles distinguant ces personnes d'autres qui n'avaient pas de conscience psi et ne possédaient vraisemblablement pas les mêmes talents. Je n'ai pas observé non plus de modifications électroencéphalographiques au cours de possibles épisodes télépathiques ou à l'occasion de tests de radiesthésie réussie. Toutefois, ces problèmes expérimentaux sont très complexes et ce sont les spécialistes des diverses disciplines qui sont les mieux placés pour les étudier. L'absence de données électroencéphalographiques dans ces conditions n'interdit pas qu'elles se manifestent dans d'autres situations.

Peut-être pourrait-on réveiller un sujet à la phase de sommeil profond (pré-REM) grâce à des mots stimulus choisis d'un point de vue psychodynamique et, par là, influencer télépathiquement son rêve ou son comportement ultérieur. Certains mots, certains symboles possédant une forte signification personnelle pourraient avoir des homologues physiologiques mesurables et, peut-être, des effets psi.

Les paramètres des techniques exploratoires REM du laboratoire du rêve du Maimonides sont captivants. Ce n'est qu'une question de temps pour qu'ils soient combinés à l'analyse par ordinateur et à la détection d'autres indices physiologiques, par exemple des mouvements subliminaux des muscles des lèvres, de la langue et du larynx, des réflexes psychogalvaniques, des modifications de la tension sanguine, du rythme respiratoire, du rythme cardiaque et des fluctuations du taux du glucose dans le sang. Il serait intéressant de voir ce qui se passerait si plusieurs sujets et un agent participaient à des expériences de rêves télépathiques. [*Commentaire :* cela a été fait lors de l'étude Vaughan.] Par exemple, une salve de cibles provoquerait-elle un renforcement de psi ? [*Commentaire :* apparemment oui.] Mettrait-elle en évidence les mystérieux et complexes effets d'entrecroisement, la confusion entre les rôles de sujet et d'agent et les possibles phénomènes de précognition observés dans certaines expériences de télépathie psychodynamique [17] ou certains effets analogues, observés à l'occasion d'études cliniques, d'interaction entre le médecin et un ou plusieurs patients en cours de traitement psychothérapique [18], ainsi les rêves télépathiques triangulaires [19] que l'on a parfois signalés ? [*Commentaire :* Oui, il semblait y avoir des effets d'entrecroisement similaires dans l'étude Vaughan.]

Mes recherches personnelles sur les rêves télépathiques en série apparaissant spontanément ainsi que d'autres expériences psi [20] et ses expérimentations de télépathie psychodynamique [21] recoupent les communications classiques de Ehrenwald [22], Eisenbud [23], Fodor [24], Merloo [25], Tenhaeff [26], Ullman [27] et autres [28].

Les travaux du laboratoire du rêve du Maimonides tiennent pleinement compte et se servent de ces éléments anecdotiques qui montrent avec force que psi est l'essence de la spontanéité, l'inattendu et le sans-précédent. Comment il vous surprend à l'improviste, comment il ignore toutes les frontières et comment il échappe à tout contrôle. Le fauve dans son habitat naturel est un animal différent de la pitoyable créature enfermée dans la cage du zoo.

L'utilisation de psi en psychothérapie et la conscience de sa présence dans la vie quotidienne reposent sur le contre-transfert ou capacité de se connaître soi-même, de connaître ses pensées et ses sentiments les plus profonds. L'équipe du laboratoire du rêve du Maimonides dit que les rêves ont une « précision inexorable dans la rigueur et la franchise avec lesquelles ils traitent les sentiments » [29]. C'est également vrai de psi, qu'il se manifeste à l'état de veille ou pendant le sommeil. Le succès ou l'échec des expériences psi repose dans une large mesure sur l'efficacité avec laquelle les méthodes de laboratoire l'apprivoisent sans rien lui faire perdre de sa vigueur ni de sa volonté de refuser de livrer ses secrets.

Les nuances de psi sont, par sa définition même, si imprévisibles qu'il est difficile d'établir des critères adéquats permettant de juger de possibles épisodes paranormaux. Malgré l'ingéniosité du laboratoire du rêve du Maimonides, le problème demeure entier : comment appliquer des contrôles suffisamment rigoureux sans risquer de sacrifier un matériel psi valable qui, par ailleurs, ne se plie pas aux critères nécessairement *a priori* des juges ? La pierre d'achoppement est toujours là. Comment faire la distinction entre les éléments psi valables et les artéfacts ?

En élaborant leur protocole expérimental, le Dr Ullman et le Dr Krippner ont fait preuve d'une adresse et d'une hardiesse considérables dans leur approche de psi. Citons, par exemple, l'identification multisensorielle de l'agent à la cible, l'humanisation et l'orientation psychodynamique des méthodes aléatoires de sélection de la cible, la tenue d'un journal dans lequel étaient notés les événements importants de la vie personnelle des agents et des sujets, permettant de faire entrer en ligne de compte des pensées, des sentiments et des expériences individuels tangentiels souvent polarisés et hautement significatifs. On nous soumet une étude dimensionnelle plus complète que pour les expériences psi antérieures de sorte que, ainsi que Tenhaeff et d'autres l'ont montré, des données qui pourraient être considérées comme des échecs statistiques apparaissent, jugées en fonction de leurs mérites intrinsèques, comme des succès parapsychologiques.

Il faut complimenter le Dr Ullman, le Dr Krippner et leurs collaborateurs du laboratoire du rêve du Maimonides pour leurs travaux qui sont peut-être le signe avant-coureur de la percée si longtemps attendue et du début d'une ère nouvelle en parapsychologie. Ils ont combiné avec succès les méthodes de la psychiatrie et les méthodes du laboratoire pour progresser vers la compréhension du rêve télépathique, prouesse d'une importance aussi spectaculaire que mémorable et qui est, à mon avis, la ligne de recherche la plus en pointe de la psychiatrie d'aujourd'hui.

Victor Adamenko est un physicien soviétique qui travaille à Moscou et s'intéresse vivement à la parapsychologie ou psycho-énergétique ainsi que l'on appelle cette discipline en Union soviétique [30].

Je suis physicien professionnel mais je m'intéresse aussi aux recherches concernant la psychologie et la parapsychologie. Il y a plus de dix ans, j'ai étudié les œuvres d'Ivan Pavlov et de Sigmund Freud (la traduction russe de l'*Introduction à la psychanalyse* a été publiée en U.R.S.S. en 1927). Le symbolisme freudien des rêves m'a paru tout à fait intéressant mais certaines de ses interprétations ne m'ont pas semblé suffisamment convaincantes. Plus tard, alors que je lisais différentes publications relatives aux rêves, je me suis rendu compte que les rêves devaient manifestement être un phénomène plus complexe que ne le professe Freud. Il est évident que de nombreux aspects de la vie psychique s'expriment dans le rêve, l'activité créatrice, par exemple. C'est un état modifié de la psyché dans lequel les aptitudes ESP (télépathie, précognition, etc.) augmentent manifestement.

Les expériences personnelles que j'ai faites en 1964 ont abouti à ceci, que je sais maintenant, que le symbolisme de mes rêves d'alors était analogue à certains événements qui ont eu lieu plus tard. Je suis peu à peu parvenu à la conclusion que le laps de temps séparant le symbole et l'événement qui le suit était généralement de deux jours en moyenne. Certains aspects des événements réels m'ont conduit à penser que ces rêves m'avaient été inspirés télépathiquement. En outre, je suis dernièrement arrivé à la conclusion que certaines personnes sont, à l'évidence, capables d'imposer leurs rêves à d'autres personnes. De tels rêves sont manifestement un mélange de télépathie et de précognition. C'est pourquoi il m'a été facile de comprendre vos idées et de m'intéresser à vos recherches. Votre approche scientifique et le caractère contrôlable de vos expériences étaient, pour moi, nouveaux.

Plus tard, ayant eu connaissance de vos articles et de vos livres, je me suis intéressé à votre conception des états modifiés de la psyché. Soit dit en passant, Raikov [un psychiatre moscovite] travaille, lui aussi, avec les états de conscience modifiés dans ses expériences sur l'hypnose. Les expériences faites par le Dr Krippner avec les drogues psychédéliques, etc., ainsi que les évaluations objectives des travaux de Charles Honorton, sont très intéressantes et importantes. La bibliographie que vous m'avez envoyée est la preuve que l'on a accumulé un vaste matériel expérimental, et ceci est un préalable indispensable à toute recherche scientifique sérieuse. J'espère pouvoir étudier tous les documents inscrits dans ce catalogue.

En ce qui concerne les états de conscience modifiés, je pense qu'il y a une multitude d'autres moyens de les provoquer, puisque la psyché est une fonction où interviennent beaucoup de variables, si l'on adopte une approche mathématique.

tructive sont ténues, c'est le moins qu'on puisse dire. Les exemples tendant à indiquer qu'il se passe effectivement quelque chose de ce genre — quelqu'un qui, « prenant conseil de son oreiller », comme on dit, se réveille en ayant trouvé la solution à un problème professionnel, personnel ou de création — sont tellement rares qu'on les retrouve sempiternellement d'un manuel à l'autre (c'est le cas de Kekulé et de son rêve du serpent et du noyau benzénique). La plupart des gens, bien au contraire, se réveillent l'œil vague, de mauvaise humeur et ont besoin d'un stimulant quelconque pour pouvoir supporter la lumière du jour. Bien loin d'avoir affrontés créativement l'avenir, la jambe en avant, le menton tendu comme dans les statues commémoratives, ils ont passé la nuit, allant d'une morne période REM à l'autre, à essayer de se sortir de situations conflictuelles en employant le plus rétrograde des trucs magiques des contes de fées de Walter Mitty, à savoir la satisfaction d'un vœu. La chose est à présent démontrée de façon si éclatante que, en toute justice, les hypothèses contraires devraient venir à la barre avec des centaines, sinon des milliers d'exemples clairement explicités pour mériter d'être entendus. Ce n'est pas pour dire que le sommeil et les rêves ne constituent pas parfois une arène ouverte aux tendances curatives et intégratrices de la personnalité (comme il en va pour d'autres activités) mais de là à considérer les rêves comme le moyen par excellence d'aborder de façon constructive les problèmes des gens, il y a une sérieuse marge. Si nous avons besoin des rêves, c'est plus probablement parce que nous avons besoin de l'illusion, du leurre et du réconfort passagers qu'ils apportent, venant s'ajouter à ce Dieu-seul-sait-quoi-d'autre qui se met en branle quand le système limbique commence à se détendre.

Le second axiome — les « effets psi sont facilités par les états de vigilance renforcée » — me semble moins nécessité par les données d'observation que par le besoin de créer un maillon dans une chaîne théorique que l'on caresse avec un soin jaloux. N'importe comment, il se trouve apparemment contredit par le postulat opposé, à savoir que les effets psi se manifestent le plus souvent dans des états de dissociation qu'il est difficile de considérer, qu'il s'agisse de la simple transe au retranchement catatonique, comme des états de vigilance renforcée. Cependant, si l'on note des effets psi dans des états de dissociation, c'est très vraisemblablement parce qu'il y a davantage de chances de pouvoir observer des personnes en état de dissociation. J'ai observé un grand nombre d'individus aussi bien en état de dissociation qu'en état de non-dissociation pendant de longues périodes et il ressort de mon expérience personnelle que les preuves que la dissociation favorise psi sont maigres (à en juger par mon expérience, psi ne se rencontre pas plus souvent chez les individus coupés, isolés et retranchés. C'est plutôt le contraire qui est la règle).

Cependant, c'est le dernier postulat, qui contredit formellement les faits les plus patents de la phénoménologie de psi, qui nous fait dresser l'oreille. La caractéristique majeure de psi, telle qu'il se manifeste dans les rêves, les prémonitions, etc., est, de loin, son inutilité totale au niveau des difficultés et des obstacles courants de la vie quotidienne. Un danger évité, quelqu'un qui sort de chez lui en catastrophe pour arracher des petits enfants à un immeuble en flammes sont des cas relativement si exceptionnels que, là encore, il est indispensable de les répéter et les répéter sans cesse. Quand une affaire de ce genre survient, elle est à juste titre considérée comme en tout point extraordinaire. Dans l'écrasante majorité des cas, les crises, les malheurs, les morts accidentelles, les situations de tension ordinaires qu'affrontent nos amis, nos proches passent inaperçus et ne suscitent pas de réactions jusqu'au moment où la nouvelle arrive par les voies habituelles. En me fondant sur mon expérience personnelle et sur mon expérience de clinicien qui m'a donné l'occasion de suivre de près les rêves, les pensées et les phantasmes de nombreuses personnes, des événements auxquels on serait ordinairement tenté d'attribuer un impact émotionnel de première grandeur — par exemple, un grave accident ou la mort brutale d'un parent, d'un proche — ne déclenchent, quand ils se produisent, aucun signe indicateur, à aucun niveau de conscience alors que des informations d'origine psi les plus variées mais relativement banales semblent couramment être captées à toute heure du jour ou de la nuit. On ne peut s'empêcher de faire le parallèle avec l'inanité de la plupart des communications médiumniques. Bref, du point de vue de l'individu, le contenu d'origine psi des rêves ne remplit pas une fonction d'urgence mais semble se mettre au service d'une sorte de phantasme inconscient qui n'a guère d'utilité sauf, peut-être, d'apporter un type d'aide particulier — souvent par la seule vertu de son caractère ostensiblement miraculeux — au règlement de conflits ressortissant purement au domaine du vœu que l'on voudrait voir exaucé. Dans l'ensemble, c'est, comme Freud l'a fait remarquer de façon convaincante, presque le même processus d'information que dans n'importe quel rêve ordinaire et cela ne présente pas de problèmes nouveaux en ce qui concerne la théorie fondamentale des mécanismes du rêve.

L'assise des modèles d'organisation centrale de l'étude du Maimonides sont, à l'évidence, les concepts d'adaptation et d'homéostasie, la tendance de l'individu à avoir un comportement interne et externe

261

propre à compenser le déséquilibre et à rétablir l'équilibre perdu. Ces concepts sont évidemment d'une large application. Comment se fait-il donc qu'ils ne s'accordent pas avec les simples faits de l'expérience psi ?

La réponse, je le soupçonne, réside vraisemblablement en ceci que si psi a une fonction adaptative et homéostatique, il est essentiellement polarisé, non pas sur l'individu mais sur une hiérarchie enchevêtrée d'écosystèmes à l'intérieur desquels l'individu, quelle que soit son espèce, est nécessairement enrobé. De ce point de vue, le fait que psi *ne serve pas* à établir un contact personnellement utile entre les individus — et les observations montrent que, dans l'ensemble, il ne le fait pas —, le fait qu'il ne restaure pas l'équilibre individuel, qu'il ne renforce pas le moi ou qu'il n'apporte pas de solutions constructives aux problèmes individuels n'a rien de remarquable. On pourrait tout aussi bien baser uniquement la vie de l'abeille ou du termite sur le besoin suprême qu'a l'individu de défendre et de renforcer son moi.

Heureusement, les études de rêves du Maimonides ne dépendent pas trop exclusivement des axiomes centraux sur lesquels elles affirment se fonder. Si tel était le cas, il y aurait peu d'espoir que ces études, telles qu'elles sont actuellement structurées, apportent des données permettant de trouver le point de départ entre les hypothèses découlant desdits axiomes et les hypothèses concurrentes. Si leur objet était simplement de montrer que des phénomènes psi semblent intervenir dans les rêves, on pourrait dire que les données obtenues paraissent en vérité très solidement étayer cette hypothèse. (Inutile de chicaner sur l'inépuisable problème méthodologique consistant à définir des correspondances en termes de métaphores et de transformations, et les transformations et métaphores en termes de correspondances.)

Mais comment la fonction d'urgence de la perception psi dans les rêves ainsi postulée peut-elle être testée dans une situation de pure simulation où le grand stress expérimentalement induit est l'appréhension qu'on ne vous interrompe pas suffisamment dans votre sommeil et peut-être l'impossibilité dans laquelle on se trouvera de faire une bonne performance ? L'environnement expérimental tout entier est, en fait, à tel point pénétré de prétendues caractéristiques « formelles », sorte de programmation implicite des attentes et des espoirs cachés des sujets et des expérimentateurs — et peut-être même des juges —, que l'on pourrait presque avancer que rien ne se produirait si cet arrière-plan *n'existait pas*. Pourquoi, après tout, un sujet intégrerait-il dans son rêve une image cible que contemple un expérimentateur dans une pièce voisine alors que, d'ordinaire, il n'intègre pas le matériel analogue (livres, magazines, télévision) que regardent d'autres personnes situées à des distances variables de lui quand il dort ? Certes, nous ne pouvons être assurés qu'il ne l'intègre pas ; mais nous pouvons avoir la certitude que la simple proximité d'une image regardée n'a en aucun cas l'impact stimulant d'une image regardée, plus un expérimentateur prêt à fondre sur vos rêves comme s'il s'agissait des manuscrits de la mer Morte. Dans ces conditions, la seule traduction des données ne peut être que : « nous jouons votre jeu » (ou « nous nous moquons éperdument de jouer votre jeu »). Sous ce rapport, la situation du Maimonides ne diffère incontestablement en rien de la situation que présentent tous les laboratoires travaillant sur la parapsychologie, quelle que puisse être l'indépendance apparente du résultat. Mais cela ne change rien aux faits. Nous sommes tous condamnés à être le détective roulant des épaules qui ne cesse de découvrir ses propres empreintes digitales.

On ne saurait néanmoins nier que, d'un certain point de vue, les dispositifs de surveillance électronique du Maimonides présentent des avantages indiscutables sur les situations d'observation où : 1) l'on ne peut connaître que de façon imprécise l'instant où commence le rêve ; 2) l'observateur n'a aucun moyen de savoir quelle portion d'un rêve rapporté échappe à la mémoire ; et où 3) les possibilités de manipulation des influences susceptibles d'agir sur le contenu des rêves sont plus étroitement limitées. Cependant, peut-être que la seule possibilité d'amortir l'effet des influences artificielles qui pourraient bien occulter tous les autres facteurs de la situation serait de faire en sorte que les sujets soient branchés à l'appareillage expérimental de façon plus ou moins permanente, nuit après nuit, sur une longue période de temps afin que l'on puisse espérer obtenir quelque chose comme l'extinction de l'effet stimulus du système même.

L'idéal serait que, dans le même temps, le sujet soit aussi soumis à une surveillance plus ou moins permanente, quelque chose comme une psychanalyse quotidienne. Cela permettrait d'approfondir le rapport entre les effets psi expérimentaux délibérément instruits et les manifestations spontanées. Si la nature artificielle de l'agencement réussissait ainsi à être virtuellement incorporée à l'existence quotidienne du sujet, on pourrait alors introduire toutes sortes de variables telles que l'effet de tachistoscopie (c'est-à-dire l'exposition brève) par opposition à l'exposition prolongée des cibles, la répression artificiellement induite des images cibles, l'utilisation d'agents vraisemblablement non susceptibles d'avoir une action de distorsion, comme des singes rhésus, et bien d'autres paramètres encore. Même dans ce cas, les données devraient être reproduites de façon réitérée dans des conditions identiques sous le contrôle d'investigateurs ayant originellement des préventions différentes (y compris, si possible, des préventions opposées) avant que nous nous aventurions à conclure que les résultats obtenus sont autre chose que les « empreintes mentales » (dans le sens d'empreintes digitales) de tel ou tel individu ou de telle ou telle équipe. L'effort qu'exigerait une telle entreprise serait peut-être, évidemment, prohibitif. Malheureusement, cela ne nous dispense pas de la nécessité de prêter une attention particulière aux limitations particulières des conclusions dignes de foi dans le domaine de la recherche parapsychologique.

Commentaire de Montague Ullman : Le problème de la vigilance en état de rêve ne dépend d'aucun des indicateurs que cite Eisenbud, hormis le fait suggestif que l'état physiologique général de l'organisme, y compris l'activité électrique du cerveau, a été décrit comme un état d' « hyperexcitation » par rapport à l'état normal de l'organisme en période de veille. Cette théorie se fonde sur un certain nombre d'observations relatives aux mécanismes du rêve eux-mêmes, la principale étant l'importance des efforts qu'accomplit le rêveur pour explorer pleinement les implications de tout stimulus perturbant. Il scrute tout son passé historique pour mobiliser ses expériences antérieures ayant trait à son problème. En fait, il fait le point de la situation dans laquelle il se trouve, pour déterminer s'il y a ou non danger à rester endormi. Quand l'imagerie suscite des sentiments suffisamment intenses, il se réveille.

Pour répondre à la critique du Dr Eisenbud concernant l'influence facilitante des états de conscience modifiés basés sur le modèle de vigilance, il importe de bien se rendre compte que l'action de vigilance, en tant que réaction au changement et à la nouveauté, est une caractéristique de tous les états de conscience ; et, en second lieu, que cette action de vigilance bascule pour s'appliquer aux stimulus internes quand il y a modification de l'état de conscience. En outre, chez l'être humain, on ne peut, sauf dans des circonstances exceptionnelles, concevoir la vigilance comme une menace contre le bien-être physique de l'individu : on doit la comprendre en termes symboliques du point de vue du danger éventuel planant sur les relations existant entre l'individu d'une part, les gens et les événements sociaux d'autre part, lesquels sont la source de la situation unique que vit l'individu.

Eisenbud souligne que le contenu de psi est souvent futile et que, en tant que tel, il ne peut assumer de fonctions d'urgence. C'est là porter sur ce qui se passe dans la conscience du rêveur pendant qu'il rêve un jugement qui n'est valable que pour évaluer les événements intervenant à l'état de veille. Rien n'est futile dans le rêve.

Le disciple de Freud qu'est Eisenbud doit le savoir. L'une des difficultés sur laquelle achoppe sa critique est qu'il confond vigilance et urgence. A un moment donné, le rêveur peut rêver de quelque chose qui serait considéré comme futile à l'état de veille mais qui est pour lui l'alpha et l'oméga de toute son existence. Il s'efforce de faire face à la situation, d'une part en rassemblant davantage d'informations fournies par son passé et, d'autre part, en mobilisant ses défenses et ses ressources caractérielles.

Je suis d'accord avec Eisenbud lorsqu'il dit que les événements psi sont liés à un écosystème plus large mais je ne pense pas que cela ait une incidence quelconque, dans un sens ou dans l'autre, sur l'hypothèse de la vigilance.

Nous sommes tous les deux prisonniers d'une théorie. La vraie question est de savoir laquelle est exacte.

Pour en revenir au laboratoire et pour répondre à l'argument d'Eisenbud concernant les impératifs caractéristiques de la situation expérimentale, je dirais que, toutes autres choses étant égales (et, dans leur écrasante majorité, elles ne le sont pas), le rêveur doit assumer une tâche de vigilance supplémentaire. Le succès ou l'échec sont apparemment liés à la question de savoir jusqu'à quel point imposer les tâches de vigilance que l'on invente empiète sur l'énergie et le contenu du matériel qui alimente le rêve.

Appendice B

Promenade nocturne d'Erwin dans le quartier français

Ce qui suit est la transcription intégrale et inédite des rêves du Dr William Erwin lors de la séance du 22 novembre 1964 (1re étude Erwin) *. La cible était le tableau de Chagall intitulé *Paris par la fenêtre* (planche 16) figurant un homme regardant un paysage parisien de sa fenêtre.

SUJET : William Erwin.
DATE : 22 novembre 1964.
AGENT : Sol Feldstein.
EXPÉRIMENTATEUR : Stanley Krippner.
(Expérience n° 5 de la série).

RECIT DU PREMIER REVE

EXPÉRIMENTATEUR : Bill, réveillez-vous, s'il vous plaît.
SUJET : (*silence*).
E : Bill, êtes-vous réveillé?
S : Oui.
E : Voudriez-vous me raconter vos rêves ou me dire à quoi vous avez pensé.
S : C'était ... (*pause*) ... Il semble que c'était encore une expérience ... *pause — soupir*) ... Diable ... (*pause*) ... Je ne sais pas ce qui se passait ... (*rire*) ... Ça m'est revenu une seconde. Attendez,

* Interrompue.

laissez-moi voir ... *(longue pause)* ... J'ai l'impression que Sol était dans le coup, cette fois.

E : Voulez-vous répéter cela, s'il vous plaît ?

S : J'ai l'impression que Sol était dans le coup, cette fois.

E : O.K.

S : Tout ce que je suis en train de vous raconter n'est que l'impression que j'ai eue du rêve parce que le souvenir ... *(longue pause)* ... Juste une impression. Pour le moment, il ne me revient ni images ni rien.

E : Alors, il n'y avait absolument rien d'autre ?

S : Plutôt une sorte d'impression ... *(longue pause)* ... Je crois préférable que je vous décrive cela. J'avais le sentiment qu'il y avait un rêve — quelque chose qui se passait et comme j'étais réveillé j'avais une vague idée de ce que c'était. Je dirais que, en un sens, c'était presque comme si je venais juste de m'endormir. Je veux dire par là que je n'avais pas réellement conscience sur le moment de m'être endormi. Du point de vue temps, je veux dire... que je venais juste de m'assoupir un petit moment plus tôt. Je ne sais vraiment pas depuis quand j'ai dormi, mais alors que j'essaie de retrouver plus ou moins l'impression laissée par mon rêve, des images de bateaux ne cessaient de me venir à à l'esprit. Ce n'étaient pas des bateaux aux formes bien définies ... C'était presque comme des hachures très nettes faites — oh — presque comme avec un pinceau ou de l'encre de Chine ou quelque chose du même genre — (qui) dessinaient la silhouette d'un type de bateaux qui existaient, oh ... le mot Babylonie me revient ... *(rire)* ... Je ne sais pas pourquoi — mais cette période. Phéniciens, peut-être — les bateaux qu'ils utilisaient. Ou ... *(pause)* ... Je n'ose pas tout à fait dire égyptiens mais c'est davantage ce type de bateaux mais je ne le voyais pas comme un bateau au sens accompli ou bien construit on bien délinée, plutôt comme une silhouette grossière tracée à coups de pinceau hardis. Voilà l'image (qui me venait) tandis que j'essayais de me rappeler le rêve. C'était ce qui me venait à l'esprit.

E : Cela vous rappelle-t-il quelque chose ?

S : *(pause)* ... Eh bien, ça me rappelle toute une série .... *(longue pause)* ... mon association ... je pensais à un cours où je m'étais inscrit traitant de différents mythes, différentes mythologies — égyptiens, babyloniens ... *(pause)* ... Eh bien, c'était une étude de ces mythes originels — des textes archaïques ... Je pense à l'*Iliade*, aux dieux égyptiens ... à moins que ce ne soit la classe elle-même ... le professeur ...

E : O.K. Merci. Maintenant, vous pouvez vous rendormir.

s : Est-ce que vous avez une seconde couverture ?

E : Excusez-moi, je ne vous ai pas entendu.

s : Avez-vous une autre couverture — une couverture supplémentaire ?

E : Oh oui. Une minute.

RECIT DU SECOND REVE

EXPÉRIMENTATEUR : Bill, réveillez-vous, s'il vous plaît.

SUJET : *(silence)*.

E : Etes-vous réveillé ?

s : *(soupir)* ... Oui.

E : Pouvez-vous me raconter vos rêves ou me dire à quoi vous avez pensé ?

s : Eh bien, j'ai rêvé d'abeilles — je suppose que c'étaient des abeilles ... Des espèces d'abeilles qui voletaient autour de fleurs.

E : Pourriez-vous répéter, s'il vous plaît ?

s : Des abeilles qui voletaient autour de fleurs. Bourdonnant autour d'une fleur... *(longue pause)* ...

E : Y avait-il autre chose ?

s : *(inaudible)*.

E : Je n'ai pas compris votre dernière réponse. Pourriez-vous la répéter ?

s : Je disais seulement, j'essayais d'imaginer d'où cela venait ou où cela menait ... *(soupir)* ... *(longue pause)* ... *(bredouillements)* ... Je ne crois pas que j'ai grand-chose à ajouter.

E : Cela vous rappelle-t-il quelque chose ?

s : *(silence)* ... Non. Pas cette fois.

E : O.K. Merci. Maintenant, vous pouvez vous rendormir.

RECIT DU TROISIEME REVE

EXPÉRIMENTATEUR : Bill, êtes-vous réveillé ?

SUJET : *(bâillement)* ... Oui.

E : Dites-moi à quoi vous avez pensé ou rêvé.

s : *(soupir)* ... La dernière chose dont j'ai rêvé tournait autour d'un petit garçon.

E : Un peu plus fort, je vous prie.

s : La dernière chose dont j'ai rêvé tournait autour d'un petit garçon, dans une bijouterie, je la traversais et il disait à l'autre « Laisse-le, ils veulent seulement regarder » et un petit garçon disait qu'il voulait (regarder) ... il se demandait si l'autre pren-

drait en main quelques-uns des bijoux qu'il voulait regarder.
Pour éclaircir les choses : un petit garçon tenait le magasin.
Celui qui visitait demandait à celui qui tenait le magasin de
prendre un bijou en main. C'était un magasin où il y avait
des tas de très petits objets d'art en verre — de très petits à
moyens — aussi bien que des colliers et des choses de ce
genre. Avant... laissez-moi voir, le rêve commençait par une promenade. Je déambulais — pour je ne sais quelle raison, je dirais
(que c'était) le quartier français, j'ignore pourquoi je dis ça —
dans un grand magasin ... *(pause)* ... et j'allais dans différents
rayons d'un grand magasin ... *(pause)* ... attendez une minute ...
(longue pause) ... hum ... je déambulais dans des magasins, je
parlais avec un groupe de *Shriners* *...

E : Voudriez-vous décrire cette coiffure, s'il vous plaît ?

S : Un groupe de *Shriners* qui tenaient une convention. *(Pause)* ...
Ils portaient des coiffures qui ressemblaient à des chapeaux de
gendarmes français — vous connaissez les Français — je dirais
que c'est la description la plus proche.

E : Voudriez-vous cette coiffure, s'il vous plaît ?

S : Elle ressemblait un peu à un chapeau de gendarme français.
Pas tout à fait mais c'était l'impression que j'avais ... Je veux
dire que c'était l'idée générale. Il me semblait que ça convenait
davantage ... laissez-moi réfléchir, les Français ... non, non, non ...
(pause) ... Je retire ça. Je ne sais pas pourquoi j'ai dit Français.
Cela ressemblerait davantage à la garde vaticane, aussi il me
semble en y repensant, peut-être ... euh ... avant la République
française. Ce n'était pas tout à fait un tricorne mais c'était ce
chapeau en forme de bateau. J'ai oublié comment ça s'appelle
si je l'ai jamais su. Ils avaient des chapeaux de ce genre et j'en
discutais. Quelques-uns portaient des fez et, ensuite, je discutais
au sujet de certains qui avaient des casques coloniaux et qui,
je disais, avaient l'air d'une troupe de boy-scouts ... *(rire)* ...
Ce groupe venait de l'Ohio ... *(rire)*.

E : D'où ?

S : De l'Ohio ... Ça me paraît intéressant. Avez-vous pensé à
Kent cette nuit ? ... *(pause)* ... Je parlais avec deux d'entre eux,
laissez-moi voir ... un peu avant, je traversais un bar ... je passais
à côté d'un bar pour dames. Un bar pour hommes — toujours
au milieu de ces magasins et ce genre de choses ... *(pause)* ...
mais comme je disais, j'ai perdu le début du rêve. Tout ce dont

* Chevaliers du Mausolée Mystique *(Mystic Shaine)*, ordre maçonnique,
(N.D.T.)

je me souviens, c'est une impression d'ancien. Je ne dirais pas d'antique. Je dirais (que c'était) vieux ... comme un ... j'ai parlé de quartier français tout à l'heure mais en disant cela j'ai eu une impression ... *(pause)* ... un genre de chose qui me fait penser à une espèce de village d'autrefois. L'idée d'une sorte d'église de mission me vient même à l'esprit ... *(songeusement)* ... Une mission ... je devrais peut-être préciser qu'en l'occurrence, je pense essentiellement à une architecture espagnole ... *(pause)* ... mais d'une façon générale ce serait un mélange de ce type d'architecture romantique — des édifices, un village, pittoresques ... *(pause)* ...

E : Y a-t-il autre chose ?

S : Je réfléchis. Pour le moment ... *(soupir)* ... *(pause)* ... Je ne crois pas pouvoir aller plus loin que ça.

E : Tout cela vous rappelle-t-il quelque chose ?

S : *(Longue pause)* ... Non ... *(avec hésitation)* ... Je ne crois pas avoir d'autres pensées.

E : Bien. Merci. Vous pouvez vous rendormir maintenant.

RECIT DU QUATRIEME REVE

EXPÉRIMENTATEUR : Oui ?

SUJET : (Il y a) une grande partie du rêve dont je ne me souviens pas.

E : Pourriez-vous parler un peu plus fort, s'il vous plaît ?

S : Une grande partie de ce rêve dont je ne me souviens pas. Juste des sortes d'impression avec comme des coups de projecteur. Des pensées enchevêtrées. Une qui semble me revenir — qui n'arrête pas de revenir — est un « bagel » ... *(rire)* ... je ne sais absolument pas ce que cela veut dire... Quelqu'un en demandait un, quelqu'un en voulait un, quelqu'un en mangeait un — je ne sais pas. Mais le style des costumes me revient. Dans ce cas, je pense à des vêtements de type biblique — flottants ... *(pause)* ... J'ai l'impression ... je ne peux pas aller au-delà de ça mais j'ai le sentiment que vous étiez d'une façon ou d'une autre dans ce rêve ... *(pause)* ...

E : Vous avez le sentiment que quoi ?

S : Que vous étiez dans le rêve. Je ne me rappelle pas comment, dans cette affaire de bagel. L'impression est que vous étiez là, l'impression est que vous étiez là — l'impression aussi qu'il y avait d'autres éléments alimentaires. Comme je disais, c'étaient juste ces coups de projecteurs que je parvenais à me rappeler. J'étais tout à fait conscient en me réveillant que je savais ce qu'il voulait dire mais je l'ai perdu immédiatement. Je n'entends pas par là que je savais ce qu'il signifiait ... en fait, ce que je voulais dire était que je savais ce qui était en train de se passer.

E : Y a-t-il autre chose ?

s : C'est tout ce que je peux glaner pour l'instant.

s : *(Pause)* ... Eh bien, bizarrement, ça me rappelle ce que je disais plus tôt — à propos du rêve précédent mais différemment. C'est encore un village. Oui, c'est ça. Ça me rappelle un tableau que nous avons. Je ne me rappelle pas le peintre. C'est une reproduction. Non, ce n'est pas une reproduction ... c'est une photographie ou une espèce de fac-similé imprimé du tableau et quand on la regarde, ça vous fait penser à une ville du Macoomb. Enfin, le premier me fait penser à une ville de la côte septentrionale de l'Afrique marquée par l'influence arabe ou musulmane mais je dirais que c'est plus proche de villages d'Espagne ou d'Italie qui seraient en haut d'une colline... de sorte qu'il y aurait (une pente ?) * ... presque comme s'ils étaient l'un sur l'autre — l'un derrière l'autre montant à l'assaut de la colline. Je suis sûr que quand il a fait ce tableau particulier, cette œuvre particulière, c'était avec cette idée dans l'esprit.

E : Voudriez-vous répéter cette dernière phrase, s'il vous plaît ?

s : Quand il a fait cette œuvre, le tableau que j'ai en tête, je suis sûr qu'il avait un de ces villages dans l'esprit. Celui-là — il n'était pas blanc — badigeonné à la chaux comme en Grèce ou ... *(bâillements)* ... ou certaines des régions que j'ai remarquées dans des tableaux mais, dans ce cas, les maisons avaient des tonalités grises et rougeâtres. C'est tout.

E : Merci. Vous pouvez vous rendormir.

RECIT DU CINQUIEME REVE

EXPÉRIMENTATEUR : Etes-vous réveillé ?

SUJET : Oui. Une autre brève image de rêve. Une sorte de conversation. Mais l'image — le souvenir que je me rappelle est (celui d') un homme marchant encore dans un de ces villages — une de ces villes ... ce devrait assurément être au début du XIXe siècle ... *(pause)* ... les vêtements ... des vêtements français ... et il marcherait dans une de ces villes comme s'il

---

* Le texte de l'enregistrement dit : "*... so that would be a gradual ...*"

s'élevait ... comme s'il gravissait le flanc d'une colline dominant d'autres niveaux de la ville ... *(longue pause)* ... C'est tout ce que je me rappelle à présent. Pour le reste c'est effacé. C'est tout.

E : Il n'y a rien d'autre ?

s : Non, c'est tout ce que je peux arracher. Il y a quelque chose encore mais je ne ... *(pause)* ...

E : Cela ne vous rappelle rien ?

s : Non. Pas plus que les autres.

E : Eh bien, c'est parfait. Vous pouvez vous rendormir un moment.

ENTRETIEN POSTERIEUR
ANALYSE DU PREMIER REVE

EXPÉRIMENTATEUR : Pensez-vous avoir bien dormi ?

SUJET : Si j'ai quoi ?

E : Avez-vous bien dormi ?

s : Oh, j'ai très bien dormi.

E : Combien de rêves pensez-vous avoir fait ?

s : Quatre ou cinq — quelque chose comme ça.

E : Lesquels vous rappelez-vous ?

s : (Pause) ... Les choses qui tranchent sur le reste sont celles où je décrivais le village ... *(pause)* ... Laissez-moi voir ... *(pause)* ... Je me souviens de celui du voyage dans les magasins, les Shriners et tout ça. Un couple, en décrivant les villages ... *(pause)* ... le premier rêve ... Hum... Je ne me rappelle pas le premier mais ... *(longue pause)* ... C'est à peu près tout ce que j'arrive à me rappeler ... *(rire)* ...

E : Y avait-il quelque chose de différent dans ces rêves ou à propos de ces rêves par comparaison avec vos rêves habituels?

s : *(Longue pause)* .... Une chose — généralement, je me les rappelle mieux ... *(bâillement)* ...

E : O.K. Voici les rêves tels qu'ils ont été rapportés. N'hésitez pas à faire toutes les associations, toutes les additions ou tous les changements que vous pourriez être conduit à faire. Votre premier rêve était quelque chose de ce genre : il y avait une expérience et Sol était présent. J'ai le sentiment que, du point de vue du temps, je venais juste de m'assoupir un petit moment plus tôt. Des images de bateaux ne cessaient de me venir à l'esprit, presque comme si on hachurait à traits très nets avec un pinceau ou à l'encre de Chine pour représenter la silhouette du modèle (de bateaux) qui existait en Babylonie ou en Phénicie, je n'ose pas dire l'Egypte mais cette époque. Cela me rappelle

273

un cours que j'ai suivi ; différents mythes — égyptiens, samariens, babyloniens, le cours lui-même et le professeur. O.K. ?

s : Hum ... J'ai toujours l'impression ... Quand j'y pense, maintenant, même si je décrivais ces bateaux comme des objets d'antiquité, cela m'évoque un ... *(pause)* ... bateau ... je ne dirais pas une gondole mais ... *(pause)* ... il y a un ... *(pause)* ... tableau. Je n'ai pas vu de tableau. C'est un ... je songe à une reproduction d'un morceau de papier mural (représentant) un — je ne sais pas comment on l'appelle — une gondole démesurée ou une espèce de bateau ... c'est une chose (servant aux) réjouissances ... ça me rappelle celui du rêve ... les images que je voyais. Mais (il y avait) des clowns aux vêtements élégants, un côté mardi gras qui, dans ce cas, évoque peut-être les cours italiennes de ... Roméo et Juliette de Shakespeare, quelque chose dans ce genre — cependant, ce qui était saillant, c'était le bateau. C'est tout.

ANALYSE DU DEUXIEME REVE

EXPÉRIMENTATEUR : Très bien. Voici le suivant : je pensais à une abeille voletant autour d'une fleur et il n'y a rien à dire de plus. O.K. ?

SUJET : *(Rire)* ... Il n'y a rien à dire de plus ... *(pause)* ... *(bâillement* ... Voyons voir ... une abeille autour d'une fleur ... *(songeusement)* ... Aucune idée.

ANALYSE DU TROISIEME REVE

EXPÉRIMENTATEUR : Bon. Voici le suivant : un petit garçon dans une bijouterie. Il dit, parlant d'un autre garçon : « Laissez-le, ils veulent seulement regarder. » Un garçon tenait la boutique. Il y avait quantité d'objets de verre de taille moyenne dans le magasin. O.K. ?

SUJET : C'est tout ce que vous avez en ce qui concerne l'épisode du magasin dans ce rêve ?

E : Il y d'autres choses mais je préférerais que nous arrêtions un peu là-dessus.

s : Je veux dire à propos du magasin.

E : Oui.

s : Quand j'y repense, le magasin — une des choses — les objets qu'il y avait (étaient) des colifichets, des bracelets, des bijoux et l'un des garçons voulait toucher quelque chose. Voulait prendre et regarder quelque chose mais au lieu de le faire lui-même, il demandait au garçon qui possédait la boutique — qui tenait le magasin ... il lui demandait de le faire à sa place et il expliquait à ce visiteur (le petit garçon donnait des explications à l'autre petit garçon) que la plupart des gens dans le magasin aimaient regarder et ne voulaient pas être dérangés ... *(pause)* ...

E : Non, je n'ai pas cet élément du rêve. Merci beaucoup. Vous avez ensuite dit ceci : auparavant, j'ai rêvé que je déambulais dans un grand magasin du quartier français. J'allais dans différents rayons du magasin. Un groupe de Shriners tenaient une convention. Ils portaient des coiffures ressemblant à des chapeaux de gendarmes français, plus exactement de gardes du Vatican-français dans le style de l'époque. C'était un chapeau qui avait la forme d'un bateau. Quelques-uns portaient des fez. Ils ressemblaient à des boys-scouts. Ce groupe venait de l'Ohio. Je parlais avec deux d'entre eux. Je traversais un bar. Un bar pour dames, puis un bar pour messieurs. O.K. ?

S : *(Pause)* ... *(lentement)* ... *(pensivement)* ... Je pense que c'est presque tout à fait ça.

E : Puis vous avez dit : tout ce dont je me souviens à propos de la première partie du rêve, c'est une impression d'ancienneté, de vieux qui me fait penser à un village archaïque avec une église genre église de mission ou d'architecture espagnole. Une architecture et des bâtiments de style romantique. O.K. ?

S : Je suppose que c'est le premier où je voyais ces villages mais je n'ai rien à ajouter à cette partie.

ANALYSE DU QUATRIEME REVE

EXPÉRIMENTATEUR : Bien. Voici le rêve suivant : une chose qui me vient à l'esprit est un bagel. Quelqu'un en demande un ou en mange un. J'ai l'impression que vous étiez plus ou moins dans ce rêve. Il y a d'autres éléments alimentaires. Bizarrement, ça me rappelle un village — la photographie d'une peinture que nous avons. Quand on la regarde, ça vous fait penser à une ville d'Espagne ou d'Italie située sur une colline. L'autre rêve me faisait penser à une ville d'Afrique du Nord marquée par l'influence musulmane. Quand le peintre a fait cette œuvre, je suis sûr qu'il avait un de ces villages en tête. Les tonalités étaient grises et rougeâtres. O.K. ?

S : *(Pause)* ... Je n'ai rien de plus à ajouter.

ANALYSE DU CINQUIEME REVE

EXPÉRIMENTATEUR : Bien. Voici le rêve suivant : je me souviens d'un homme traversant un de ces villages ou une de ces villes vêtu d'un costume du début du XIXᵉ siècle — un costume français — gravissant une colline dominant d'autres niveaux de la ville. O.K. ?

SUJET : Oh oui ... hum ... hum ... *(pause)* ... Ils ont l'air de se ressembler tous beaucoup ... *(pause)* ...

E : Y a-t-il quelque chose que vous pourriez ajouter sur vos rêves de la nuit ?

S : *(Pause)* ... Non.

COMMENTAIRES CONJECTURAUX DE LA SEANCE

EXPÉRIMENTATEUR : Maintenant, essayez d'imaginer ce qu'était selon vous la cible de cette nuit.

SUJET : Eh bien ... *(bâillements)* ... Compte tenu des choses qui se répètent tellement, elle devrait se rapporter au village et à la période et au costume régional. Peut-être quelque chose de cette nature, en fait ... Toutes ces choses, si j'y repense, toutes correspondaient à la même période. Même ce bateau, comme je l'ai dit, la situait dans le passé et il évoquait cette époque ancienne, les bateaux eux-mêmes auxquels je me référais dans mes notes et impressions complémentaires semblaient cadrer avec la période dont je parlais à propos du village et des costumes. Quoi que la cible puisse être, elle pourrait se situer dans cette région.

E : Pouvez-vous être plus précis ?

S : Eh bien, la région doit être — je veux dire, juste en me basant sur les costumes et tout, le XIXᵉ siècle, le début du XIX siècle ... et dans ... une région d'Italie ou de France ou d'Espagne ou même une région côtière — pas nécessairement la zone côtière mais les villages de cette (zone) ... une ville de cette région. Oui, quelque chose de ce genre parce que je ... en réfléchissant au rêve ... bien que les rêves eux-mêmes — ils ne donnaient pas le sentiment que c'était au bord de la mer ... il y avait de l'eau ou une rivière ... c'est peut-être à cela que je pense ou, peut-être, aux canaux de Venise. Je ne sais pas. Je ne suis pas sûr. Mais ça ne cadre toujours pas avec l'impression des rêves de sorte que j'ai un petit problème pour essayer de faire coller toutes ces choses ... sauf que le village semblait être dans

276

un pays montagneux. Mais la période devrait se situer au XIXe siècle, je crois. Avec beaucoup d'architecture plus ancienne, bien sûr ... les édifices étant ceux d'une période plus ancienne mais pas forcément du type château. Non, pas du type château. Ce devrait être du ... *(pause)* ... type de ce village. Ce pourrait être ... *(pause)* ... une église est présente mais ce devrait être un village ou une bourgade avec ce genre de maisons en pierre ou en briques sèches serrées les unes contre les autres couvrant les collines ... *(pause)* ...

E : O.K. je vous remercie.

Appendice C

Études de rêves E.S.P. du Maimonides

Partie I

SOMMAIRE GÉNÉRAL

LA PREMIÈRE ÉTUDE DE SÉLECTION

Cette étude faisait intervenir douze sujets ayant tous plus de vingt et un ans, choisis en fonction de leur désir de participer à une expérience ESP. Les sujets rencontraient un agent télépathe (ou émetteur) au début de la soirée et allaient ensuite se coucher. On les réveillait à la fin de chaque période REM pour qu'ils racontent leurs rêves. Les cibles, choisies au hasard par l'agent après que les sujets soient couchés, étaient des reproductions d'œuvres d'art. Pour cette étude, le rôle de l'agent était alternativement tenu par un homme et par une femme, appartenant au personnel. Trois juges comparaient les récits de rêves (sous forme de retranscriptions dactylographiées) avec les douze cibles choisies. Cette opération de recoupement, évaluée par le système de l'analyse de patience, n'aboutit pas à des résultats significatifs. Toutefois, la même procédure statistique mit en évidence une différence significative entre l'agent masculin et l'agent féminin, différence allant en faveur du premier. Un quatrième juge utilisant une technique de recoupement légèrement différente obtint des étalonnages statistiquement significatifs confirmant l'hypothèse télépathique. Chacun des douze sujets comparaît également le souvenir de ses rêves aux douze cibles. Cette procédure, évaluée par une méthode binomiale, donna des résultats, statistiquement probants, indiquant l'influence d'effets télépathiques dans les rêves des sujets. (Voir notes 1, 2, 3, 4, 9, 10, 12, 14).

LA PREMIÈRE ÉTUDE ERWIN

En préparant la seconde étude de la série, décision fut prise de choisir le sujet dont les rêves s'étaient le plus rapprochés, selon les quatre juges, de la cible. Le sujet choisi fut un psychologue new yorkais, le Dr William Erwin. On mit sur pied une étude s'étendant sur douze nuits, mais le sujet tomba malade après la septième séance et l'étude fut alors arrêtée. Cette fois encore, les cibles étaient des reproductions d'œuvres célèbres. Trois juges classèrent les sept cibles potentielles en fonction des procès-verbaux dactylographiés des rêves du sujet. Ils affectèrent également leur classement d'un coefficient de confiance. Les classements et les notations traités par la méthode de l'analyse de variance s'avérèrent statistiquement significatifs. Quand un quatrième juge évalua le matériel en utilisant une procédure différente et que le sujet évalua son propre matériel, les places attribuées, comme les coefficients de confiance, s'avérèrent statistiquement significatifs. (Voir notes 4, 5, 9, 10, 12, 13, 14).

LA SECONDE ÉTUDE DE SÉLECTION

Chacun des douze sujets passa une nuit entière au laboratoire du rêve. Chacun était réveillé au terme de chaque période REM. Ni les classements ni les notations des trois juges, du quatrième et des sujets ne furent statistiquement significatifs. (Voir notes 9, 10, 12, 14).

LA SECONDE ÉTUDE ERWIN

Le Dr William Erwin opéra encore avec l'agent avec lequel il avait antérieurement travaillé en tandem. On mit sur pied une étude s'étendant sur huit mois. Les huit séances prévues eurent toutes lieu. Chaque fois, la reproduction était associée à une boîte contenant un matériel « multisensoriel » destiné à renforcer l'impact émotionnel de la cible. Par exemple, le *Conseil à un jeune artiste* de Daumier était associé à une toile et des couleurs d'aquarelle permettant à l'agent de jouer le rôle du peintre. Il n'y eut pas d'évaluation du sujet pour cette étude, celui-ci étant tombé malade après qu'elle fut achevée. Néanmoins, l'analyse de variance effectuée en prenant pour base la moyenne des notes attribuées par les trois juges donna des résultats statistiquement significatifs. (Voir notes 6, 8, 10, 11 13, 14).

L'ÉTUDE VAN DE CASTLE

Le Dr Robert Van de Castle, sujet qui avait obtenu plusieurs correspondances directes cible-rêve lors d'une étude de télépathie réalisée par un autre laboratoire, fut autorisé à choisir lui-même son agent parmi les membres de l'équipe du laboratoire pour une série comportant huit nuits. Il choisit un total de trois agents, un pour une seule nuit, un pour deux nuits et un pour cinq nuits. Les évaluations du sujet et celles d'un juge extérieur se révélèrent statistiquement significatives. (Voir notes 7, 10, 13, 14, 15).

L'ÉTUDE VAUGHAN

Chacun des quatre sujets (Alan Vaughan, Iris Vaughan, Robert Harris, Felicia Parise) passèrent huit nuits au laboratoire. La même cible choisie au hasard était utilisée par l'agent pendant quatre nuits. Pour les quatre autres, on utilisait une cible différente choisie au hasard toutes les fois que le sujet entrait dans une période REM. Les trois sujets qui procédèrent à l'évaluation de leur propre matériel (on n'eut pas celle du quatrième) obtinrent des résultats statistiquement significatifs. L'évaluation du matériel faite par un juge donna des résultats probants, qui privilégiaient l'emploi de plusieurs cibles par séance. Des résultats analogues furent obtenus lorsque les juges évaluèrent séparément l'imagerie de la méditation (non-REM) de Vaughan. L'utilisation de la même reproduction pendant quatre nuits ne donna pas de chiffres significatifs. (Voir note 17).

LA PREMIÈRE ÉTUDE BESSENT

Pour cette étude de huit nuits, nous eûmes la participation de Malcolm Bessent, un médium anglais. A chaque séance, il s'efforça de rêver d'une expérience personnelle choisie au hasard à son intention pour le lendemain à son réveil. Cette expérience était construite à partir d'un mot choisi au hasard. Par exemple, lorsque le mot choisi fut « cuiller à café », on lui fit manger du potage avec une cuiller à café. Trois juges évaluèrent le matériel et la moyenne de leurs notes fut traitée par la méthode de l'analyse de variance. On obtint des résultats statistiquement significatifs confirmant l'hypohèse de la précognition. (Voir note 16).

LA SECONDE ÉTUDE BESSENT

Malcolm Bessent fut à nouveau volontaire pour une étude de précognition. Cette fois, les expériences associaient un bruitage à un programme de diapositives (par exemple, un programme de projection sur le thème des oiseaux était accompagné d'enregistrements de cris d'oiseaux). Il était soumis à l'expérience audiovisuelle *après* qu'il eut essayé de la rêver. Il passait alors une autre nuit au laboratoire et tentait de rêver de l'expérience mixte son-diapositive. Les notations des juges confirmèrent l'hypothèse de la précognition : la correspondance entre les rêves de M. Bessent et les expériences mixtes se situait à un niveau statistiquement significatif pour les huit pré-expériences. Toutefois, les huit nuits post-expérience ne donnèrent pas de chiffres significatifs. (Voir note 18).

DEUXIÈME PARTIE — BILAN STATISTIQUE

	ÉVALUATIONS DES SUJETS					ÉVALUATIONS DES JUGES				
	CLASSEMENT (analyse binôme)			NOTATION (analyse de variance)		CLASSEMENT (analyse binôme)			NOTATION (analyse de variance)	
	Succès	Échecs	«Coups au but»	Juste (moyennes)	Faux (moyennes)	Succès	Échecs	«Coups au but»	Juste (moyennes)	Faux (moyennes)
Première étude sélective [3]	10*	2	0			7	5	1	48,5	41,5
Erwin I	6	1	3	54,7*	22,4	5	2	4	73,1*	42,5
2e étude sélective	9	3	1	13,8	7,8	4	8	0	42,0	39,5
Erwin II [1, 2, 3]	8*	0				8*	0	6*	53,2*	18,4
Van de Castle [1, 4]	8*	0	2	74,5*	32,6	6	2	5*	40,5*	11,4
A. Vaughan [1, 4]										
A. Vaughan, 1 cible, plusieurs nuits	8	10	0	1,2	3,1	7	11	1	2,2	17,6

* Statistiquement significatif, confirmant l'hypothèse E.S.P.
1. Cette étude n'a pas fait l'objet d'un classement. Les notations ont été converties en classement à titre comparatif.
2. Le sujet n'a pas opéré de classement pour cette étude.
3. Le sujet n'a pas opéré de notations pour cette étude.
4. Le matériel de cette étude a été évalué par un juge extérieur.

DEUXIÈME PARTIE — BILAN STATISTIQUE

	ÉVALUATION DES SUJETS					ÉVALUATIONS DES JUGES				
	CLASSEMENT (analyse binôme)			NOTATION (analyse de variance)		CLASSEMENT (analyse binôme)			NOTATION (analyse de variance)	
	Succès	Échecs	«Coups au but»	Juste (moyennes)	Faux (moyennes)	Succès	Échecs	«Coups au but»	Juste (moyennes)	Faux (moyennes)
A. Vaughan, plusieurs cibles, 1 nuit	10	12	2	6,0	6,0	10	12	2	3,3	7,2
Harris, 1 cible, plusieurs nuits	5	23	3	11,8	6,3	10	18	4	5,9	7,5
Harris, plusieurs cibles 1 nuit	11	8	5	12,1	11,7	12	7	5	10,9	7,1
I. Vaughan, plusieurs nuits, 1 cible (2, 3)						13	12	2	7,1	3,8
I. Vaughan, plusieurs cibles, 1 nuit (2, 3)						14	11	4	10,9	5,7
Parise, 1 cible plusieurs nuits	18	8	14*	15,3*	2,1	16	10	4	10,6	4,2
Parise, plusieurs cibles, 1 nuit	22	18	20*	35,3*	5,2	23	17	5*	4,1	3,5
Bessent I (1, 2, 3)						7	1	5*	58,7*	34,9

Bessent II (1, 2, 3)	4	4				7	1	5*	51,1*	20,5
Master-Houston (6)	4	2	3			8*	0	4		
«Grateful Dead» (5) M. Bessent F. Parise		2	2	55,7	48,3	4	2	4*	36,7	22,9
Tests pilotes télépathie (3, 6, 7)						72*	21			
Tests pilotes clairvoyance (3, 6, 7)						12	4			
Tests pilotes précognition (3, 6, 7)						2	0			
Tests pilotes télépathie non-REM (3, 6, 7)						3	2			
Tests pilotes (3, 6, 7) télépathie en sommeil léger						22	10			

* Statistiquement significatif, confirmant l'hypothèse E.S.P. Les notations ont été converties en classement à titre comparatif.
1. Cette étude n'a pas fait l'objet d'un classement.
2. Le sujet n'a pas opéré de classement pour cette étude.
3. Le sujet n'a pas opéré de notations pour cette étude.
4. Le matériel de cette étude a été évalué par un juge extérieur.
5. Le matériel de cette étude a été évalué par deux juges extérieurs.
6. Cette étude n'a pas fait l'objet de notations.

Notes

Chapitre 1   La critique de Cicéron

1. H. Brughsch-Bey, "The Dream of King Thutmes IV," dans R. L. Woods, *The World of Dreams* (New York: Random House, 1947), pp. 48-50.
2. J. Ehrenwald, "Precognition, Prophecy, and Self-Fulfillment in Greco-Roman, Hebrew, and Aztec Antiquity." *International Journal of Parapsychology*, 9 (1967): 228.
3. R. Hill (ed.), *Such Stuff as Dreams* (London: R. Hart-Davis, 1967), p. 30.
4. H. L. Cayce, *Dreams: The Language of the Unconscious* (Virginia Beach, Va.: A.R.E. [Association for Research and Enlightenment] Press, 1962), pp. 26-27.
5. Hill, *op. cit.*, p. 7.
6. Ciceron, "Les raisons pour ne pas prendre les rêves au sérieux," Woods, *op. cit.*, pp. 203-204.

Chapitre 2   Des témoignages passés au crible

1. L. L. Vasiliev, *Mysterious Phenomena of the Human Psyche*, traduit par S. Volochova (New Hyde Park, N.Y. : University Books, 1965), pp. 11-34.
2. E. Gurney, F. W. Myers, and F. Podmore, *Les Hallucinations télépathiques* (Alcan, Paris, 1905).
3. *Ibid.*
4. *Ibid.*
5. *Ibid.*
6. *Ibid.*
7. G. B. Ermacora, "Telepathic Dreams Experimentally Induced," *Proceedings SPR*, 11 (1895) : 235-308.
8. F. W. H. Myers, *Human Personality and its Survival of Bodily Death*, 2 vols. (London: Longmans, Green, 1903).
9. G. N. M. Tyrrell, *Science and Psychical Phenomena* (New Hyde Park, N.Y.: University Books, 1961), pp. 24-25.

287

10. Comparer avec les cas rapportés par J. C. Barker dans "Premonitions of the Aberfan Disaster," *Journal SPR* 44 (1967): 169-180.
11. I. Stevenson, "Telepathic Impressions: A Review and Report of Thirty-Five New Cases," *Proceedings ASPR*, 29 (1970) : 172-178.
12. *Ibid.* pp. 1-2.

Chapitre 3   Psychanalyse et perception extrasensorielle

1. S. Freud, "Psychopathologie de la vie quotidienne", Paris, Payot.
2. S. Freud, "Psychoanalysis and Telepathy," dans G. Devereux, *Psychoanalysis and the Occult* (New York: International Universities Press, 1953), pp. 58-60.
3. S. Freud, "Dreams and Telepathy", Devereux, *op. cit.*, pp. 69-86.
4. S. Freud, "Dreams and the Occult," Devereux, *op. cit.*, p. 108.
5. C. Tabori, *My Occult Diary* (1951), cité par M. Ebon, *They Knew the Unknown* (New York: World, 1971), p. 153.
6. J. Eisenbud, "Telepathy and Problems of Psychoanalysis," Devereux, *op. cit.*, p. 259.
7. N. Fodor, *Between Two Worlds* (New York: Paperback Library, 1967), pp. 45-46.
8. C. G. Jung, "Synchronicity: An Acausal Connecting Principle;" C. G. Jung and W. Pauli, *The Interpretation of Nature and the Psyche* (New York: Pantheon Books, 1955), p. 38.
9. *Ibid.*, p. 41.
10. *Ibid.*, p. 44.
11. M. L. von Franz, "Time and Synchronicity in Analytical Psychology," dans J. T. Fraser, *The Voices of Time* (New York: Brazillier, 1966), p. 222.
12. G. Pederson-Krag, "Telepathy and Repression," Devereux, *op. cit.*, p. 259.
13. N. Fodor, *New Approaches to Dream Interpretation* (New York: Citadel, 1952).
14. G. Devereux, "The Eisenbud-Pederson-Krag-Fodor-Ellis Controversy," *op. cit.*, Part V, pp. 223-372.
15. A. Ellis, "Comments on the Discussants' Remarks," Devereux, *op. cit.*, p. 337.
16. J. Ehrenwald, *New Dimensions of Deep Analysis* (New York: Grune & Stratton, 1954,) p. 241.
17. *Ibid.*, pp. 37-50.
18. *Ibid.*, pp. 247-249.
19. *Ibid.*, pp. 248-249.
20. J. Eisenbud, *Psi and Psychoanalysis* (New York: Grune & Stratton, 1970), p. 329.
21. E. Servadio, "Psychoanalysis and Parapsychology," dans J. R. Smythies, *Science and ESP* (London: Routledge), p. 260.

Chapitre 4   Le chat alcoolique

1. K. E. Bates and M. Newton, "An Experimental Study of ESP Capacity in Mental Patients," *Journal of Parapsychology*, 15 (1951): 271-277.

Chapitre 5   Premières reconnaissances : de « Raf » à Ralph

1. L A. Dale, Letter, *Journal ASPR*, 37 (1943) : 95-101.
2. W. Carington, *La Télépathie* (Paris, Payot, 1948 et 1974).
3. J. T. Fraser (ed.), *The Voices of Times* (New York : Brazillier, 1966).

Chapitre 6   Le témoignage oculaire

1. E. Aserinsky and N. Kleitman, "Regularly Occurring Periods of Eye Mobility and Concomitant Phenomena During Sleep," *Science*, 118 (1953) : 273-274.
2. L. L. Vasiliev, *La Suggestion à distance* (Vigot frères, Paris, 1963).
3. C. Trillin, "The Third State of Existence," *The New Yorker*, 18 septembre, 1965:65.
4. H. Keller, "The World I Live In," dans R. L. Woods, *The World of Dreams* (New York: Random House, 1947), p. 930.
5. J. M. Stoyva, "Posthypnotically Suggested Dreams and the Sleep Cycle," dans C. S. Moss, *The Hypnotic Investigation of Dreams* (New York: John Wiley, 1967), pp. 255-268.
6. C. Tart, "The Control of Nocturnal Dreaming by Means of Posthypnotic Suggestion," *International Journal of Parapsychology*, 9 (1967): 184-189.
7. R. Berger, "Experimental Modification of Dream Content by Meaning-ful Verbal Stimuli," *British Journal of Psychiatry*, 109 (1963): 722-740.
8. E. Green, *Biofeedback for Mind-Body Self-Regulation: Healing and Creativity* (Los Altos, Calif.: The Academy of Parapsychology and Medicine, 1972).

Chapitre 7   Un rêve qui devient réalité

1. E. J. Garrett, *Telepathy* (New York: Creative Age Press, 1941), pp. 70-71.
2. Cette référence, de même que celles qui concernent les rêves, provient des dossiers du Laboratoire du rêve Maimonides.
3. H. Carrington, *The Case for Psychic Survival* (New York: Crown, 1957), pp. 136-137.
4. G. R. Schmeidler, "Separating the Sheep from the Goats," *Journal ASPR*, 39 (1945):47-49.

Chapitre 8   Un rêve prend vigueur à Brooklyn

1. C. Tart, "The Control of Nocturnal Dreaming by Means of Posthypnotic Suggestion," *International Journal of Parapsychology*, 9 (1967): 185.

Chapitre 9   "Mettez du rouge sur ses plaies"

1. C. S. Hall and R. L. Van de Castle, *The Content Analysis of Dreams* (New York: Appleton-Century-Crofts, 1966).

Chapitre 10   "Le prince des percipients"

1. C. S. Hall, "Experimente zur Telepathischen Beinflussung von Träumen" ("Experiments with Telepathically Influenced Dreams"), *Zeitschrift fü Parapsychologie und Grenzgebiete der Psychologie*, 10 (1967): 18-47.

Chapitre 11   Tests courts

1. M. Ebon, *They Knew the Unknown* (New York: World, 1971), p. 135.

Chapitre 12 Le "bombardement sensoriel" à longue distance

1. A. Vaughan, "Psychenauts of Inner Space: R. E. L. Masters and Jean Houston," *Psychic*, ɪ (1970): 9-13.
2. T. Moss and J. A. Gengerelli, "Telepathy and Emotional Stimuli: A Controlled Experiment," *Journal of Abnormal Psychology*, 72 (1967): 341-348.
3. S. Krippner, C. Honorton, M. Ullman, R. Masters, and J. Houston, "A long-Distance 'Sensory Bombardment' Study of ESP in Dreams," *Journal ASPR*, 65 (1971): 468-475.
4. E. Mitchell, "An ESP Test from Apollo 14," *Journal of Parapsychology*, 35 (1971): 89-107.

Chapitre 13   "Rêver de choses à venir"

1. I. Stevenson, "Precognition of Disasters", *Journal ASPR*, 64 (1970) : 187-210.
2. Ces rêves ont été rapportés par Krippner dans son article "The Paranormal Dream and Man's Pliable Future," *Psychoanalytic Review*, 56 (1969): 28-43.
3. H. Greenhouse, *Premonitions: A Leap Into the Future* (London: Turnstone Press, 1972), p. 20.
4. C. Honorton, "Automated Forced-Choice Precognition Tests with a 'Sensitive,' " *Journal ASPR*, 65 (1971): 476-481.
5. M. P. Jackson, "Suggestions for a Controlled Experiment to Test Precognition in Dreams," *Journal ASPR*, 61 (1967): 346-353.
6. S. Krippner, M. Ullman, and C. Honorton, "A Precognitive Dream Study with a Single Subject," *Journal ASPR*, 65 (1971): 192-203.
7. S. Krippner, C. Honorton, and M. Ullman, "A Second Precognitive Dream Study with Malcolm Bessent," *Journal ASPR*, 66 (1972) : 269-279.

Chapitre 14   D'autres dimensions de l'ESP

1. G. R. Schmeidler, communication personnelle, 18 mars 1972.

Chapitre 15   Implications théoriques

1. S. Freud, "Dreaming and Telepathy," dans G. Devereux, *Psychoanalysis and the Occult* (New York: International Universities Press, 1953), p. 86.
2. C. Honorton, "A Preliminary Investigation of Hypnotically-Induced 'Clairvoyant' Dreams," *Journal ASPR*, 63 (1969): 69-82.
3. R. L. Van de Castle, communication personnelle.
4. S. Freud, "Dreaming and Telepathy," Devereux, *op. cit.*, p. 86.
5. C. Honorton, "Tracing ESP Through Altered States of Consciousness," *Psychic*, 2 (1970): 18-22.
6. *Ibid.*, p. 19.
7. C. S. Hall and R. L. Van de Castle, *The Content Analysis of Dreams* (New York : Appleton-Century-Crofts, 1966).
8. I. Strauch, "Dreams and Psi in the Laboratory," R. Cavenna (ed.), *Psi Favorable States of Consciousness: Proceedings of an International Conference on Metho-*

dology in Psi Research (New York: Parapsychology Foundation, 1970), pp. 46-54.
9. R. L. Van de Castle, communication personnelle.
10. C. Burt, *Psychology and Psychical Research*, 17th F. W. H. Myers Memorial Lecture (London: SPR, 1968), p. 50.
11. S. Krippner, "Electrophysiological Studies of ESP in Dreams: Sex Differences in Seventy-four Telepathy Sessions," *Journal ASPR*, 64 (1970): 277-285.
12. J. Prasad and I. Stevenson, "A Survey of Spontaneous Psychical Experiences in School Children of Uttar Pradesh, India," *International Journal of Parapsychology*, 10 (1968): 241-261.

Chapitre 16   Le sommeil, la psyché et la science

1. R. L. Van de Castle, *The Psychology of Dreaming* (New York: General Learning Press, 1971), p. 31.

Appendice A   L'avis des spécialistes

1. C. E. M. Hansel, *ESP: A Scientific Evaluation* (London: MacGibbon, 1966).
2. M. Ullman, "An Experimental Approach to Dreams and Telepathy: Methodology and Preliminary Findings," *Archives of General Psychiatry*, 14 (1966): 605-613.
3. S. Krippner, "Electrophysiological Studies of ESP in Dreams : Sex Differences in Seventy-four Telepathy Sessions," *Journal ASPR*, 64 (1970): 277-285.
4. D. Foulkes, *The Psychology of Sleep* (New York: Scribner's, 1966).
5. S. Krippner and M. Ullman, "Telepathy and Dreams: A Controlled Experiment with Electroencephalogram-electro-oculogram Monitoring." *Journal of Nervous and Mental Disease*, 151 (1970): 394-403.
6. E. Belvedere and D. Foulkes, "Telepathy and Dreams: A Failure to Replicate," *Perceptual and Motor Skills*, 33 (1971): 783-789.
7. S. Krippner, C. Honorton, M. Ullman, R. Masters, and J. Houston, "A Long-Distance 'Sensory Bombardment' Study of ESP in Dreams," *Journal ASPR*, 65 (1971): 468-475.
8. A. Chapanis, "The Relevance of Laboratory Studies to Practical Situations," *Ergonomics*, 10 (1967): 557-577; C. Argyris, "Some Unintended Consequences of Rigorous Research," *Psychological Bulletin*, 70 (1968): 185-197.
9. D. T. Campbell and J. C. Stanley, "Experimental and Quasi-experimental Designs for Research on Teaching," dans R. L. Gage, *Handbook of Research on Teaching* (Chicago: Rand McNally, 1963), pp. 171-246.
10. M. Ullman and S. Krippner, *Dream Studies and Telepathy* (New York: Parapsychology Foundation, Inc., 1970).
11. S. Krippner, M. Ullman, and C. Honorton, "A Precognitive Dream Study with a Single Subject," *Journal ASPR*, 65 (1971): 192-203.
12. S. Krippner, "Experimentally-Induced Telepathic Effects in Hypnosis and Non-Hypnosis Groups," *Journal ASPR*, 62 (1968): 387-398.
13. C. Honorton, "A Preliminary Investigation of Hypnotically-Induced 'Clairvoyant Dreams,' " *Journal ASPR*, 63 (1969): 69-82; C. Honorton, "Significant Factors in Hypnotically-Induced Clairvoyant Dreams," *Journal ASPR*, 66 (1971): 86-103.
14. C. Honorton and M. Carbone, "Relationship between EEG Alpha Activity and ESP Card-Guessing Performance," *Journal ASPR*, 63 (1969): 365-374; C. Honorton, R. Davidson, and P. Bindler, "Feedback-Augmented EEG-Alpha,

Shift in Subjective State and ESP Card-Guessing Performance," *Journal ASPR*, 65 (1971): 308-323.

15. C. Burt, *Psychology and Psychical Research*, 17th F. W. H. Myers Memorial Lecture (London: SPR, 1968).

16. B. E. Schwarz, "Psysiological Aspects of Henry Gross' Dowsing", *Indian Journal of Parapsychology*, 2 (1962): 71-86; B. E. Schwarz, *The Jacques Romano Story* (New Hyde Park, N.Y.: University Books, 1968).

17. B. E. Schwarz, "Psychodynamic Experiments in Telepathy," *Corrective Psychiatry and Journal of Social Therapy*, 9 (1963): 169-218.

18. B. E. Schwarz, "Built-in Controls and Postulates for the Telepathic Event," *Corrective Psychiatry and Journal of Social Therapy*, 12 (1966): 64-82; B. E. Schwarz, "Precognition and Psychic Nexus," *Journal of the American Society of Psychosomatic Dentistry and Medicine*, 18 (1971): 52-59.

19. N. Fodor, *New Approaches to Dream Interpretation* (New York: The Citadel Press, 1951), p. 168.

20. B. E. Schwarz, "Built-in Controls and Postulates for the Telepathic Event," *op. cit.*; B. E. Schwarz, "Precognition and Phychic Nexus," *op. cit.*; B. E. Schwarz "Death of a Parapsychologist: Possible Terminal Telepathy with Nandor Fodor," *Samiksa*, 21 (1967): 1-14; B. E. Schwarz, *Parent-Child Telepathy: A study of the Telepathy of Everyday Life* (New York: Garrett Publications, 1971).

21. B. E. Schwarz, "Psychodynamic Experiments in Telepathy," *op. cit.*

22. J. Ehrenwald, *Telepathy and Medical Psychology* (New York: W. W. Norton, 1948).

23. J. Eisenbud, *Psi and Psychoanalysis* (New York: Grune & Stratton, 1970).

24. N. Fodor, *New Approaches to Dream Interpretation, op. cit.*

25. J. A. M. Meerloo, *Hidden Communion: Studies in the Communication Theory of Telepathy* (New York: Garrett Publications, 1964).

26. W. H. C. Tenhaeff, *Proceedings of the Parapsychological Institute of the State University of Utrecht*, Utrecht, The Netherlands, Nᵒ. 1, 1960; *Ibid.*, Nᵒ. 3, 1965.

27. M. Ullman and S. Krippner, *Dream Studies and Telepathy, op. cit.*, p. 110.

28. G. Devereux, *Psychoanalysis and the Occult* (New York: International Universities Press, 1953).

29. M. Ullman and S. Krippner, *Dream Studies and Telepathy, op. cit.*

30. V. Adamenko, "Phenomena of Skin Electricity," dans S. Krippner and D. Rubin, *Galaxies of Life: The Human Aura in Acupuncture and Kirlian Photography* (New York: Gordon and Breach, 1973), pp. 123-128.

Appendice C   Étude de rêves ESP du Maimonides

1. M. Ullman, "Telepathic Perception of Target Material by Sleeping Subjects" (Abstract), *Journal of Parapsychology*, 29 (1965): 293.

2. M. Ullman, "An Experimental Study of the Telepathic Dream," *Corrective Psychiatry and Journal of Social Therapy*, 12 (1966): 115-139.

3. M. Ullman, "An Experimental Approach to Dreams and Telepathy: Methodology and Preliminary Findings," *Archives of General Psychiatry*, 14 (1966): 605-613.

4. M. Ullman, S. Krippner, and S. Feldstein, "Experimentally-Induced Telepathic Dreams: Two Studies Using EEG-REM Monitoring Techniques," dans G. Schmeidler, *Extrasensory Perception* (New York: Atherton Press, 1969), pp. 137-161.

5. M. Ullman, "Dreams and Psi: The Experimental Dimension," dans R. Cavanna et M. Ullman, *Psi and Altered States of Consciousness: Proceedings of an*

International Conference of Hypnosis, Drugs, Dreams, and Psi (New York: Parapsychology Foundation Inc., 1968), pp. 135-151.

6. M. Ullman, S. Krippner, and C. Honorton, "A Confirming Study of the Telepathic Dream with EEG-REM Monitoring" (Abstract), *Psychophysiology*, 5 (1968): 2.

7. M. Ullman and S. Krippner, "Experimentally-Induced Telepathic Dreams with EEG-REM Monitoring: The Van de Castle Study," dans H. Bender, *Papers Presented for the Eleventh Annual Convention of the Parapsychological Association* (Freiburg, W. Germany: Institut für Grenzgebiete der Psychologie, 1968), pp. 403-430.

8. S. Krippner, M. Ullman, and C. Honorton, "Experimentally-Induced Telepathic Dreams with EEG-REM Monitoring: The Second Erwin Study," dans Hans Bender, *Papers Presented for the Eleventh Annual Convention of the Parapsychological Association* (Freiburg, W. Germany: Institut für Grenzgebiete der Psychologie, 1968), pp. 415-430.

9. S. Krippner, "Experiments in Telepathy and Dreams", *Journal of the American Society of Psychosomatic Dentistry and Medicine*, 15 (1968): 158-163.

10. S. Krippner, "The Paranormal Dream and Man's Pliable Future," *Psychoanalytic Review*, 56 (1969): 28-43.

11. M. Ullman and S. Krippner, "Laboratory Approach to the Nocturnal Dimensions of Paranormal Experience: Report of a Confirmatory Study Using the REM Monitoring Technique," *Biological Psychiatry*, I (1969): 259-270.

12. M. Ullman, "Telepathy and Dreams," *Experimental Medicine & Surgery*, 27 (1969): 19-36.

13. M. Ullman and S. Krippner, "An Experimental Approach to Dreams and Telepathy: II. Report of Three Studies," *The American Journal of Psychiatry*, 126 (1970): 1282-1289.

14. M. Ullman and S. Krippner, *Dream Studies and Telepathy* (New York) Parapsychology Foundation, Inc., 1970).

15. S. Krippner and M. Ullman, "Telepathy and Dreams: A Controlled Experiment with Electroencephalogram-Electro-Oculogram Monitoring," *Journal of Nervous and Mental Disease*, 151 (1970): 394-403.

16. S. Krippner, M. Ullman, and C. Honorton, "A Precognitive Dream Study with a Single Subject," *Journal ASPR*, 65 (1971): 192-203.

17. C. Honorton, S. Krippner, and M. Ullman, "Telepathic Perception of Art Prints under Two Conditions," *Proceedings, American Psychological Association, 80th Annual Convention* (Washington, D.C.: APA, 1972).

18. S. Krippner, C. Honorton, and M. Ullman, "A Second Precognitive Dream Study with Malcolm Bessent," *Journal ASPR*, 66 (1972): 269-279.

ACHEVÉ D'IMPRIMER
LE 16 FÉVRIER 1977
SUR LES PRESSES DE
L'IMPRIMERIE HÉRISSEY
A ÉVREUX (EURE)

No d'Éditeur : 527
No d'Imprimeur : 19365
Dépôt légal : 1er trimestre 1977